# Cartas del Libertador

Simon Bolivar
Del natural por Carmelo Fernández.

VICENTE LECUNA

# Cartas del Libertador

Mandadas publicar por el Banco de Venezuela

Individuos de la Dirección:
Vicente Lecuna, Emilio Beiner, Feliciano Pacanins A., Leon J. Taurel, Servio Tulio Faría, Pedro Hermoso Dominguez, Miguel Octavio, Santiago Sosa, Julio Velasco Castro, J. M. Montemayor, Francisco Raffalli, Carlos Rodriguez Landaeta y Siro Vasquez.

====

## TOMO XI
### 1802 a 1830

NEW YORK, N.Y.
THE COLONIAL PRESS INC.
1948

PRINTED IN THE UNITED STATES OF AMERICA
BY THE COLONIAL PRESS INC., CLINTON, MASS.

# Cartas del Libertador

*Lo mejor en política es ser grande y magnánimo.*
BOLIVAR

*(Carta a Santander, Popayán, 9 de febrero de 1822).*

# INTRODUCCION

Después de publicados los diez volúmenes de nuestra Colección de Cartas de Bolívar, en 1929 y 1930, resumen de las formadas por O'Leary, Blanco y Azpurúa, Arístides Rojas, Blanco-Fombona, Pérez y Soto y la personal nuestra, han aparecido otras cartas y aunque las hemos dado al público en los Boletines de la Academia de la Historia, Números 62, 74, 83, 91, 97 y 102, en junto unas 260 cartas, para más comodidad de la consulta se publican en este volumen marcado XI, agregando otras más reunidas a última hora y también las publicadas en apéndices en los tomos IX y X de la Colección. Aunque esta serie es de cartas particulares se insertan algunas oficiales de excepcional interés, para llenar lagunas de la correspondencia privada.

La posesión de Guayaquil ha dado motivo a problemas históricos muy importantes para la historia general de la independencia. En el mismo caso se halla la entrevista celebrada en dicha ciudad por los jefes del Perú y Colombia. Por estas circunstancias hemos agrupado en una sección especial varios documentos relativos a la pertenencia de Guayaquil y a los asuntos tratados en la entrevista. En ellos se demuestran claramente los derechos absolutos de Colombia a la posesión de la provincia y la falsedad de la carta de 29 de agosto de 1822, atribuida por Lafond al general San Martín, sustentando la mentira de haberle negado Bolívar sus tropas para la campaña del Perú.

Como en el conjunto de Cartas del Libertador, la señorita Esther Barret de Nazarís ha colaborado en la publicación de este tomo XI.

Los cuadros históricos de tiempos coloniales, y de la vida de Bolívar, reproducidos en este volumen, obra del pintor venezolano Tito Salas, se hallan en la Casa Natal de Bolívar en Caracas.

El Banco de Venezuela como homenaje al Libertador ha dispuesto editar este volumen por su cuenta.

*Vicente Lecuna*

Caracas, 5 de diciembre de 1947.

DESEMBARCO DE COLON
Salón Principal.

# 1802

*1.—De una copia).*

Bayona, 13 de enero de 1802.

*Al señor Francisco Joseph Bernal.*

Estimado amigo:

Recibí la muy apreciable de Vm. del 26 del pasado en la que me pregunta por mi tío Esteban y por su estado: a lo que contesto que está bueno y privado de toda comunicación. Esto es todo lo que puedo decir a Vm. sobre el particular. El no tiene apoderado, de suerte que hay infinito trabajo hasta para cobrar sus sueldos. Mi tío Pedro es quien mejor puede informar a Vm. en orden a escribirle.

SIMON BOLIVAR

Este fragmento lo reproduce Bernal en carta a Carlos Palacios fechada en la Coruña el 31 de enero de 1802.

# 1803

2.—*De una fotografía del original*).

Caracas, octubre 14 de 1803.

(*Al señor don Carlos Palacios*).

Estimado Tío Carlos:

Es cierto que mi marcha se verifica en todo este mes y consiguientemente este negocio me impide tener la pronta satisfacción de terminar el importante objeto de las Cuentas que Vmd. se ha servido rendirme en estos mismos días, en que casualmente me he ocupado en arreglar todos los asuntos que tenía pendientes con varios sugetos de esta ciudad; por lo que no me es posible complacer a Vmd., dándole la contenta que me pide; pues como aun no he tenido tiempo de revisar las mencionadas Cuentas no me parece bien aprobarlas, y mucho menos, siendo de una complicación que exije largo tiempo, y no un mes, que ha sido el término que Vmd. me ha señalado.

Si a mi llegada a esta Ciudad, Vmd. hubiese rendido las expresadas cuentas, yo habría tenido lugar de examinarlas, y a esta fha., ya estaríamos fuera de este cuidado; pero puesto que la falta ha sido de Vmd., los perjuicios que de esta demora le resulten no se me deben atribuir a mi; y así, sólo estoy pronto a darle el recibo circunstanciado de las Cuentas, efectos y bienes que he recibido; y es quanto puedo hacer en obsequio de la amistad y buena armonía; quedando de Vmd. su afecto sobrino Q.B.S.M.

SIMON BOLIVAR

Proteccion de los Indios por el Padre Las Casas

# 1804

3.—*Del original*).

Cádiz, enero 29 de 1804.

Estimado Jaen:

Yo esperaba tener carta de Vmd. en los Barcos que han venido desde que yo he salido de esa, en que me diese cuenta del estado de los trabajos de Ceuce y Yare, como dige a Vmd. antes de venirme; más me he engañado pues ni una sola letra he recibido de Vmd.; no se a que atribuirlo porque no debo creer que sea efecto de descuido, y sí bien de alguna otra causa: por tanto no dudo del celo de Vmd. que me dejará de escribir hasta las más pequeñas cosas que acontezcan en esas Haciendas.

Trabaje Vmd. con esmero en Ceuce, persuadido que no dilatará mucho tiempo sin que el pleito de Fernandez quede concluído, porque he determinado pasar inmediatamente a Madrid con el objeto de agenciar este asunto en el Concejo, o bien por la vía reservada, que es el único modo de que no se haga interminable esta causa. También a Peña le caerá el ramalaso. Guarde Vmd. este Secreto como inviolable, porque de lo contrario se harán mis esfuerzos infructuosos. Cuidado que nadie absolutamente llegue a entender esto, y así inmediatamente romperá Vmd. esta carta.

A esta hora considero que la hacienda de Añil estará muy adelantada, y la de Café ya comensada como degé dispuesto pues aun quando hayan habido algunos tropiesos, he escrito ya a Juan Vte. los salbe aunque sea a costa de ofrecer en caso que salgan no ser mías las tierras abonar el valor de ellas. De este modo no deberán poner incombeniente a que se establesca la hacienda de Café proyectada. Cada día tengo más ancias de ber en Ceuce una hermosa hacda. de Café, porque es un fruto este que infaliblemente ha de tener buen precio como lo tiene en el día, mientras que las Colonias Francesas no se restablezcan.

Yo lo paso bien acá y deceo a Vmd. mil prosperidades, mandando en tanto lo que guste a su afecto servidor que lo estima.

SIMON BOLIVAR

*A don Jph. Manuel Jaen.*
  Caracas.

---

4.—

*Composición de fragmentos de Cartas de Bolívar para Fanny du Villars*

(París 1804)

Querida señora y amiga:

Si quereis imponeros de mi suerte, lo que me parece justo, es preciso escribirme. De este modo me veré forzado a responderos, cuyo trabajo me será agradable. Yo digo trabajo, porque todo lo que me obliga a pensar en mi aunque sea diez minutos, me fatiga la cabeza, obligándome a dejar la pluma o la conversación para tomar el aire en la ventana. ¿Me obligareis a deciros lo suficiente para satisfaceros respecto al pobre chico Bolívar de Bilbao, tan modesto, tan estudioso, tan económico, manifestándoos la diferencia que existe con el Bolívar de la calle de Vivienne, murmurador, perezoso y pródigo? ¡Ah Teresa, mujer imprudente, a la que no obstante no puedo negar nada, porque ella ha llorado conmigo en los días de duelo! ¿Porqué quereis imponeros de este secreto? . . . . Cuando os impongáis del enigma, ya no creereis en la virtud.

Oh! y cuan espantoso es no creer en la virtud. . . . ¿Quien me ha metamorfoseado? . . . . ¡Ay! Una sola palabra, palabra mágica que el sabio Rodriguez no debía haber pronunciado jamás.

Escuchad, pues pretendeis saberlo:

Recordareis lo triste que me hallaba cuando os abandoné para reunirme con el señor Rodriguez en Viena. Yo esperaba mucho de la sociedad de mi amigo, del compañero de mi infancia, del confidente de todos mis goces y penas, del Mentor, cuyos consejos y consuelos han tenido siempre para mí tanto imperio. ¡Ay! en estas circunstancias, fue estéril su amistad. El señor Rodriguez sólo amaba las ciencias. Mis lágrimas lo afectaron, porque él me quería sinceramente, pero él no las comprende. Yo lo hallo ocupado en un gabinete de física y química que tenía un señor alemán, y en el cual debían demostrarse públicamente estas ciencias por el señor Rodriguez. Apenas le veo yo una hora al día. Cuando me reuno a él, me dice de prisa: mi amigo, diviértete, reúnete con los jóvenes de tu edad, vete al espectáculo, en fin; es preciso distraerte y este es el solo medio que hay para que te cures. Yo comprendo entonces que le falta alguna cosa a este hombre, el más sabio, el más virtuoso, y sin que haya duda el más extraordinario que se puede encontrar. Yo caigo bien pronto en un estado de consunción y los médicos declararon que iba a morir. Era lo que yo deseaba. Una noche que estaba muy malo, me despierta Rodriguez con mi médico: los dos hablaban en alemán. Yo no comprendía una palabra de lo que ellos decían; pero en su acento, en su fisonomía, conocía que su conversación era muy animada. El médico después de haberme examinado bien se marchó. Tenía todo mi conocimiento y aunque muy débil podía sostener todavía una conversación. Rodriguez vino a sentarse cerca de mí: me habló con esta bondad afectuosa que me ha manifestado siempre en las circunstancias más graves de mi vida, me reconviene con dulzura y me hace conocer que es una locura el abandonarme y quererme morir en la mitad del camino. Me hizo comprender que existía en la vida de un hombre otra cosa que el amor, y que podía ser muy feliz dedicándome a la ciencia o entregándome a la ambición: sabeis con qué encanto persuasivo habla este hombre: aunque diga los sofismas más absurdos cree uno que tiene razón. Me persuade, como lo hace siempre que quiere. Viéndome entonces un poco mejor, me deja, pero al día siguiente me repite iguales exhortaciones. La noche siguiente, exaltándose la imaginación con todo lo que yo podría hacer, sea por las ciencias, sea por la libertad de los pueblos le dije: si, sin duda, yo siento que podría lanzarme en las brillantes carreras que me presentais pero era preciso que fuese rico . . . sin medios de ejecución no se alcanza nada; y lejos de ser rico soy pobre y estoy enfermo y abatido. ¡Ah! Rodriguez, prefiero morir. . . . Le dí la mano para suplicarle que me dejara morir tranquilo. Se vió en la fisonomía de Rodriguez una revolución súbita: queda un instante incierto, como un hombre que vacila acerca del partido que debe tomar. En este instante levanta los ojos y las manos hacia el cielo, exclamando con una voz inspirada: ¡está salvo! Se acerca a mí, toma mis manos, las aprieta con las suyas que tiemblan y están bañadas en sudor y enseguida me dice con un acento sumamente afectuoso: ¿Mi amigo, si tu fueras rico, consentirías en vivir? ¡Dí! . . . . ¡Respóndeme! . . . . Quedé irresoluto, no sabía lo que esto significaba. Respondo: Si. ¡Ah! exclama él, nosotros estamos salvos . . . ¿el oro sirve pues para alguna cosa? Pues bien, ¡Simón Bolívar, sois rico! ¡Teneis actualmente cuatro millones!! . . . . No os pintaré querida Teresa la impresión que me hicieron estas palabras ¡teneis actualmente cuatro millones! Tan extensa y difusa como es nuestra lengua española, es, como todas las otras impotente para explicar semejantes emociones. Los hombres las prueban pocas veces: sus palabras corresponden a las sensaciones ordinarias de este mundo; las que yo sentía eran sobrehumanas; estoy admirado de que mi organización las haya podido resistir.

Me detengo: la memoria que yo acabo de evocar me abruma. ¡Oh cuan lejos están las riquezas de dar los goces que ellas hacen esperar! . . . . Estoy bañado en sudor y más fatigado que nunca después de mis largas marchas con Rodriguez. Me voy a bañar. Os veré después de comer para ir al teatro francés. Os pongo esta condición, que no me preguntareis nada relativo a esta carta, comprometiéndome a continuarla después del espectáculo.

Rodriguez no me había engañado: yo tenía realmente cuatro millones. Este hombre caprichoso, sin orden en sus propios negocios, que se endrogaba con todo el mundo, sin pagar a nadie, hallándose muchas veces reducido a carecer de las cosas más necesarias, este hombre ha cuidado la fortuna que mi padre me ha dejado con tan buen resultado como integridad, pues la ha aumentado en un tercio. Sólo ha gastado en mi persona ocho mil francos durante los ocho años que yo he estado bajo su tutela. Ciertamente él ha debido cuidarla mucho. A decir verdad la manera como me hacía viajar era muy económica, él no ha pagado más deudas que las que contraje con mis sastres, pues la que es relativa a mi instrucción es muy pequeña respecto a que él era mi maestro universal.

Rodriguez pensaba hacer nacer en mí la pasión a las conquistas intelectuales, a fin de hacerme su esclavo. Espantado del imperio que tomó sobre mí mi primer amor y de los dolorosos sentimientos que me indujeron a la puerta de la tumba, se lisonjeaba de que se desarrollaría mi antigua dedicación a las ciencias, pues tenía medios para hacer descubrimientos, siendo la celebridad la sóla idea de mi pensamiento. ¡Ay! el sabio Rodriguez se engaña: me juzga por él mismo. Yo llego a los veinte y un años, y no podía ocultarme por más tiempo mi fortuna: pero me la habría hecho conocer gradualmente y de eso estoy seguro, si las circunstancias no le hubiesen obligado a hacérmela conocer de una vez. Yo no había deseado las riquezas: ellas se me presentan sin buscarlas, no estando preparado para resistir a su seducción. Yo me abandono enteramente a ellas. Nosotros somos los juguetes de la fortuna; a esta grande divinidad del Universo, la sóla que yo reconozco es a quien es preciso atribuir nuestros vicios y nuestras virtudes. Si ella no hubiese puesto un inmenso caudal en mi camino, servidor celoso de las ciencias, entusiasta de la libertad, la gloria hubiese sido mi solo culto, el único objeto de mi vida. Los placeres me han cautivado, pero no largo tiempo. La embriaguez ha sido corta, pues se ha hallado muy cerca el fastidio. Pretendeis que yo me inclino menos a los placeres que al fausto, convengo en ello; porque, me parece, que el fausto tiene un falso airc de gloria.

Rodriguez no aprobaba el uso que yo hacía de mi fortuna: le parecía que era mejor gastarla en instrumentos de física y en experimentos químicos: así es que no cesa de vituperar los gastos que él llama necedades frívolas. Desde entonces, me atreveré a confesarlo. . . . Desde entonces sus reconvenciones me molestaban y me obligaron a abandonar a Viena para libertarme de ellas. Me dirigí a Londres, donde gasté ciento cincuenta mil francos en tres meses. Me fuí después a Madrid donde sostuve un tren de un príncipe. Hice lo mismo en Lisboa, en fin, por todas partes ostento el mayor lujo y prodigo el oro a la simple apariencia de los placeres.

Fastidiado de las grandes ciudades que he visitado vuelvo a París con la esperanza de hallar lo que no he encontrado en ninguna parte, un género de vida que me convenía; pero Teresa, yo no soy un hombre como todos los demás y París no es el lugar que puede poner término a la vaga incertidumbre de que estoy atormentado. Sólo hace tres semanas que he llegado aquí y ya estoy aburrido.

Ved aquí cara amiga todo lo que tenía que deciros del tiempo pasado; el presente no existe para mí, es un vacío completo donde no puede nacer un solo deseo que deje alguna huella grabada en mi memoria. Será el desierto de mi vida. . . . Apenas tengo un ligero capricho lo satisfago al instante y lo que yo creo un deseo, cuando lo poseo sólo es un objeto de disgusto. ¿Los contínuos cambiamientos que son el fruto de la casualidad, reanimarán acaso mi vida? Lo ignoro; pero si no sucede esto volveré a caer en el estado de consunción de que me había sacado Rodriguez al anunciarme mis cuatro millones. Sin embargo, no creais que me rompa la cabeza en malas conjeturas sobre el porvenir. Unicamente los locos se ocupan de estas quiméricas combinaciones. Sólo se pueden someter al cálculo las cosas cuyos datos son conocidos: entonces el juicio, como en las matemáticas, puede formarse de una manera exacta.

¿Qué pensais de mi? Responded con franqueza (Yo pienso que hay pocos hombres que sean incorregibles); y como es siempre útil el conocerse, y saber lo que se puede esperar de sí, yo me creeré feliz cuando la casualidad me presente un amigo que me sirva de espejo.

Adios, yo iré a comer mañana con Vos.

SIMON BOLIVAR

Arístides Rojas divulgó esta carta en una de sus leyendas, con la indicación inexacta de que la había publicado el Journal de Debats de París en 1826, periódico en el cual al parecer, jamás se reprodujo. Rojas la copió de una versión publicada en "La Patria", de Bogotá, en 1872, por el señor Quijano Otero, pues así aparece en un recorte de periódico con nota al pie de letra del propio Rojas, en la colección de cartas de Bolívar, formada por él, existente hoy en el Archivo del Libertador: el señor Quijano Otero tomó esta carta del número Primero del Faro Militar, correspondiente al mes de julio de 1845, publicado bajo los auspicios del Gobierno del Perú, y este periódico a su vez—según expresa—la copió del periódico "Debates Políticos y Literarios" de París. En el Faro aparece con dos cartas más de Bolívar para individuos de la familia de Fanny, reproducidas adelante y con un artículo sobre la educación de Bolívar, obra de un hijo de Fanny, según el cual esta carta se compone de varios fragmentos de cartas dirigidas a Fanny.

Debemos hacer estas correcciones: Simón Rodríguez no fue administrador de bienes de Bolívar sino su maestro de primeras letras y amanuense de don Feliciano Palacios, abuelo y tutor de Bolívar; y este en aquella época conocía perfectamente su fortuna, entonces de 150.000 pesos, aumentada posteriormente por la herencia de su hermano.

Véase tomo X, página 395 y siguientes de nuestra edición de Cartas del Libertador. Caracas, 1930.

5.—

*Al caballero Denis de Trobriand.*

(Paris, 1804)

Coronel:

Ha seis años que os conozco; ha seis años que os amo con una verdadera amistad y que os profeso el más profundo respeto por la nobleza de vuestro caracter y la sinceridad de vuestras opiniones. No tengo necesidad de deciros cuan afligido estoy de haberos hecho testigo del escándalo que ocasionó ayer en mi casa la exaltación fanática de algunos clérigos más intolerantes que sus antepasados y que hablan con tanta imprudencia como en España, donde el pueblo les dobla la rodilla y les besa la falda de su sotana. Habeis debido notar los altos empleos civiles y militares con que nos brindaron estos señores, siendo los elogios del primer Cónsul los que provocaron más mi exaltación que sólo fue interrumpida débilmente. Ellos ahogaron su verguenza y se contentaron con dirigirme algunas observaciones para poner a cubierto su responsabilidad hasta que los clérigos tomando a cargo la causa de Bonaparte se reunieron a sus clamores.

El deseo de dominar y de ocupar el primer rango en el Estado es el pensamiento de todos los clérigos. Los empleados piensan en conservar el sueldo, elogiando al que les paga; separando estas dos clases yo no concibo que nadie sea partidario del Primer Cónsul aunque vos, querido coronel, cuyo juicio es tan recto, le pongais en las nubes. Yo admiro como vos sus talentos militares; ¿pero como no veis que el único objeto de sus actos es apoderarse del poder? Este hombre se inclina al despotismo: ha perfeccionado de tal modo las instituciones que, en su vasto imperio, en medio de sus ejércitos, agentes de empleados de toda especie, clérigos y gendarmes, no existe un sólo individuo que pueda ocultarse a su activa vigilancia. ¿Y se cuenta todavía con la era de la libertad? . . . . ¡Que virtudes es preciso tener para poseer una inmensa autoridad sin abusar de ella! Puede tener interés ningún pueblo en confiarse a un solo hombre? ¡Ah! estad convencido, el reinado de Bonaparte será dentro de poco tiempo más duro que el de los tiranuelos a quienes ha destruído.

La vehemencia con que yo hablo puede resultar de poca reflexión; pero cuando yo me entrego en la discusión, mi espíritu hace abstracción de las personas. Que los interlocutores tengan los cabellos blancos o el bigote negro, lleven la espada o la tonsura, yo no veo sino los pensamientos personificados, y disputo sin respetar la posición social de ninguno de ellos. Estoy lejos de tener la sangre fría de Rodríguez o la vuestra Coronel; yo no puedo contenerme siempre. Por otra parte ¿qué necesidad tengo de ello? No soy un hombre político, obligado a empeñar el debate en una asamblea deliberante; no mando un ejército y no estoy obligado a inspirar confianza a los soldados; no soy ni sabio que tenga que hacer con calma y paciencia una demostración ardua ante un auditorio numeroso. Hoy no soy más que un rico, lo superfluo de la sociedad, el dorado de un libro, el brillante de un puño de la espada de Bonaparte, la toga del orador. No soy bueno más que para dar fiestas a los hombres que valen alguna cosa. Es una condición bien triste. ¡Ah! Coronel, si supieseis lo que sufro, seríais más indulgente.

Coronel perdonad; yo no seguiré esta vez vuestro consejo; no abandonaré a París hasta que no haya recibido la orden para ello. Deseo saber por mi propia experiencia si le es permitido a un extranjero en un país libre, emitir su opinión respecto a los hombres que los gobiernan, y si le echan de él por haber hablado con franqueza.

BOLIVAR

Publicada en "El Faro Militar" del Perú en junio de 1845. Véase atrás la dirigida a Fanny du Villars. Según el artículo citado en la nota puesta a esta última carta, en una comida dada a los padres de Fanny, Bolívar se dejó llevar por su indignación contra actos del Primer Cónsul, en su sentir censurables. En ésta como en las otras cartas del mismo origen hay frases y expresiones propias de Bolívar, y otras de distinta procedencia, destinadas a producir efecto en la época de la restauración de los Borbones, cuando se publicaron aquéllas. Por tanto debemos considerar con reservas el texto do estas cartas atribuidas a Bolívar.

La confirmación de Bolívar, 1792.

# 1807

6.—
*A Fanny du Villars*

Cadiz, 1807 (sic)

Querida señora y amiga:

Yo no les he escrito desde mi partida de París: ¿que podía preguntaros, ni que podría deciros que os interesase? . . . . Siempre el mismo tren de vida! Siempre el mismo fastidio! . . . . Voy a buscar otro modo de existir; estoy fastidiado de la Europa y de sus viejas sociedades; me vuelvo a América ¿que haré yo allí? . . . . lo ignoro. . . . Sabeis que todo en mi es espontáneo y que no formo jamás proyectos. La vida del salvaje tiene para mi muchos encantos. Es probable que yo construiré una choza en medio de los bellos bosques de Venezuela. Allí yo podré arrancar las ramas de los árboles a mi gusto, sin temor de que se me gruña, como me sucedía cuando tenía la desgracia de tomar algunas hojas. ¡Ah! Teresa; felices aquellos que creen en un mundo mejor! Para mi este es muy árido.

Yo habría querido abrazar al coronel antes de partir. No le escribo; ¿que puedo decirle que no sepa ya? Si al que no tiene tiempo bastante para mirar las nubes que vuelan sobre su cabeza, las hojas que el viento agita, el agua que corre en el arroyo y las plantas que crecen en sus orillas, le dijera yo que la vida es triste, me tendría por un loco. ¡ Feliz mortal! No tiene necesidad de tomar parte en los dramas de los hombres para animar su vida. Vuelvo a ver otros hombres, y otra naturaleza. . . . Los recuerdos de mi infancia me prestarán un encanto que se desvanecerá, sin duda, a mis primeras miradas; pero el gran emperador acaba de invadir la España y yo deseo ser testigo de la acogida que recibirá en América este extraño acontecimiento.

BOLÍVAR

Esta carta nos llena de dudas. Desde luego se puede afirmar que no es de 1807, porque Bolívar, de regreso a su país, tocó el 1º de enero de 1807 en el puerto americano de Charleston. Así consta en cartas de Alexdre. Dehollain Arnoux para Bolívar publicadas en O'Leary XII, 289 y en otra inédita del mismo individuo existente en el Archivo del Libertador, Sección Juan de Francisco Martín, tomo XIV. De este tiempo sólo sabemos que el 21 de julio de 1806 Bolívar se hallaba en París. No consta si en este segundo regreso a Venezuela se embarcó en Cadiz o en otro puerto. Ninguna de estas cartas a Fanny y su esposo pueden considerarse perfectamente auténticas, aunque reconocemos en ellas conceptos y expresiones propias de Bolívar. En esta dice que el Emperador acababa de invadir a España, cuando esta empresa de Napoleón ocurrió a fines de 1807 estando ya Bolívar desde hacía meses en Venezuela. Véase la nota de la carta antecedente, dirigida a Fanny.

# 1813

*7.—De una copia).*

*Ciudadano Simón Jácome.*

Por última vez se le notifica a Vd. para que en el término de este día exhiba la cantidad que se le ha asignado en calidad de empréstito, en inteligencia que al no verificarlo así se pasará a embargarle todos los bienes que es la pena que se debe aplicar a su tibieza y morosidad.

Dios &. Cuartel General de Ocaña Independiente, febrero 10 de 1813-3º.

BOLIVAR

Del Archivo de don Eliseo Jácome J. en Ocaña. Certifico que es copia fiel de su original.—*Jorge Pacheco Quintero*

---

*8.—Del Copiador).*

San José de Cúcuta, 2 de abril de 1813.

*Al señor Secretario del Poder Ejecutivo de la Unión.*

Señor Secretario:

Por el ciudadano Francisco Quintero, que ha venido anoche de las cercanías de La Grita, he sido informado de que el gobernador que fué de Maracaibo, Porras, a la cabeza de los restos que se escaparon de Santa Marta con Domínguez y Capmaní y algunas más tropas en número de 300 hombres, habían llegado de refuerzo al ejército de Correa con muchos pertrechos, para los cuales había encontrado el mismo Quintero más de cien mulas que iban al puerto a buscarlos. Por otra parte he sabido que las numerosas tropas que estaban en Guasdualito se han retirado sin duda a incorporarse con los enemigos que están en La Grita, que reforzados con éstos y otros auxilios que ha recibido después de su retirada de aquí venidos de Trujillo, en el camino de San Cristóbal, los pone en una actitud respetable. Esta reunión de tropas se podía haber evitado si luego que llegó el coronel Castillo, hubiese marchado como se lo ordené contra Correa, que entonces estaba muy débil, con solas las reliquias de sus tropas, pero alegando razones inconducentes se ha retardado la operación que va a ejecutarse ahora quizás con grave pérdida de nuestra parte. Pongo en noticia de V.S. estos acontecimientos para que lo eleve al superior conocimiento del Exmo. Señor Presidente del Estado. Dios guarde a V.S. muchos años.

Simon Bolivar

---

9.—*De una copia*).

San José de Cúcuta, mayo 3 de 1813-3°.

*Ciudadano Cecilio de Castro.*

Mi estimado amigo:

Accediendo a las vivas y eficaces instancias que Vd. me hace en sus apreciables del 28 del pasado a favor de los ciudadanos Francisco Jácome y Agustín Nuñez, escribo con esta fecha al Corregidor de esa ciudad, relavándoles cualesquiera otra pena que no sea la pecuniaria, a que únicamente ha quedado reducido su castigo.

Al mismo Corregidor ordeno me remita a la mayor brevedad las cantidades que hayan satisfecho para ocurrir con ellas a los crecidos gastos del ejército restaurador de la libertad, que tengo la gloria de mandar. Sírvase pues Vd. poner a disposición de dicho señor la que me dice, tiene en su poder perteneciente a Nuñez, para que le dé el más pronto cumplimiento a mi citada orden.

Queda de Vd. con la mayor consideración su afmo amigo Q.B.L.M.

Simon Bolivar

El original pertenece al señor B. Matos Hurtado, de Bogotá.

---

10.—*Del Copiador*).

Mérida, 26 de mayo de 1813.

*Al Exmo. Señor Presidente de la Unión.*

Exmo. Señor:

Tengo el honor de incluir a V.E. la adjunta declaración que el presbítero C. Luis Ovalle, cura del pueblo del Morro en esta Provincia, ha dado sobre el estado de Venezuela, que como V.E. verá es el más favorable que puede presentar la fortuna: Monteverde prófugo; Cumaná en manos de mil franceses; los pueblos en insurrección y las fuerzas españolas en el último grado de debilidad. ¡Oh, Exmo. Señor, quién no vuela a socorrer nuestros hermanos que luchan por la libertad! ¿Y cual no será nuestro dolor si llegamos tarde, después de tantos sacrificios o si sucumben ellos por falta de nuestros oportunos auxilios?

Yo espero con la más inmortal impaciencia la orden para marchar rápidamente sobre Caracas a cumplir mi profecía de fijar los estandartes de la Nueva Granada en los muros de Puerto Cabello y La Guaira: todo el ejército aspira por tener esta gloria, y no hay un solo cobarde en él que se atreva a no desearlo.

Antes de ahora he ofrecido a V.E. reconquistar a Venezuela con las solas tropas de mi mando. Repito la misma oferta, pero con el sentimiento que es tanto más fácil esta empresa cuanto menos gloriosa. Nuestra descubierta ha marchado hoy; mañana marchará la avanzada y sucesivamente el grueso del ejército hacia Betijoque y Carache, que es donde únicamente existen algunas reliquias de nuestros enemigos, que estarán extremamente acobardados con las noticias de la ausencia de Monteverde, que prueba una de dos cosas, o la desesperación de triunfar de nosotros, o inminentes peligros por la parte de Cumaná, lo que siempre es un desaliento para las tropas partidarias de los opresores.

Dentro de dos meses podremos ver enteramente libertada la república de Venezuela, siempre que, como lo espero del Soberano Poder Ejecutivo de la Unión, se me autorice para obrar con arreglo a las circunstancias, pues de otro modo no aprovecharemos la bella oportunidad que se nos ofrece y perderemos el tiempo, como hemos perdido estos tres meses pasados, arruinando el erario, destruyendo el entusiasmo de las tropas y exponiendo la suerte del ejército sin ventaja alguna, y desperdiciando las que el enemigo nos ha presentado. Yo me tomo la libertad de exponer a V.E. estas observaciones para que se digne mirarlas con indulgencia, y tomarlas en consideración. Dios guarde &.

SIMON BOLIVAR

*11.—Del copiador).*

Guanare, 3 de julio de 1813.

*Exmo. Señor Presidente de la Unión.*

Exmo. Señor:

He recibido los oficios de V.E. de 2, 3, y 4 del pasado y por ellos quedo impuesto del permiso que se ha dado al brigadier Ricaurte para seguir en el ejército, de las providencias que V.E. ha creído oportunas para conciliar la seguridad de Cúcuta, el auxilio a Ocaña, y la conservación del ejército, con las demás prevenciones que tiene a bien hacerme.

Luego que haya batido al enemigo en Barinas, daré a V.E. un parte detallado de todas mis operaciones, no haciéndolo ahora porque temo sea interceptado. Dios guarde &.

SIMON BOLIVAR

*12.—De una copia).*

*Exmo. Señor Presidente del Congreso de la Nueva Granada.*

Exmo. Señor:

Tuve el honor de participar a V.E. que el 6 del presente mes, con las tropas de mi mando, entré en la ciudad de Caracas y tomé posesión del puerto de La Guaira.

La derrota del ejército de Monteverde en Tinaquillo abrió a nuestras tropas vencedoras las puertas de toda la provincia de Caracas. Los soldados de la Nueva Granada han penetrado todo el territorio que dominaban en esta parte los españoles, y el pabellón independiente tremolaba en todas las fortalezas de Venezuela, exceptuando el castillo de Puerto Cabello, donde se refugió el caudillo español.

No puede subsistir muchos días en esta posición, por la falta de víveres y aun de municiones. . . .

Mi autoridad y mi destino en Venezuela están reducidos a hacer la guerra; y en efecto, asegurado todo el territorio libertado de agresiones exteriores y de conmociones interiores, partiré a castigar la rebelde obstinación de Coro y de Guayana, y no dejar pie para nuevas tentativas de los opresores. He establecido una suscripción para mantener un ejército que haga respetar al gobierno independiente; he abierto donativos, suplementos y suscripciones para asalariarle; he enviado agentes extraordinarios a los Estados Unidos y a la Gran Bretaña para interesarlos en nuestra causa y que auxilíen nuestros esfuerzos.

A estas se reducen las principales medidas que he adoptado, y de las cuales tengo derecho a esperar las más benéficas resultas. Por ellas creo afianzar para siempre la independencia venezolana y hacerla generalmente reconocer. Así siete provincias con cadenas salen de la nada a figurar en el globo. Así un ejército europeo derrotado y los opresores destruídos hacen respetar el nombre y las armas granadinas. En lugar de los americanos pusilánimes y estúpidos que representaba la España, ha visto hombres intrépidos e inteligentes aniquilar a su caudillo más ponderado.

Caracas mira la Nueva Granada como su libertadora. Ve sus cadenas rotas por el esfuerzo granadino y salir del sepulcro a la vida conducida por V.E. Es imposible explicar la gratitud, el entusiasmo, todos los exaltados sentimientos de los caraqueños por los granadinos. Este pueblo generoso y ardiente no perdona testimonios de su viva sensibilidad y los explica por demostraciones las más dignas de su ilustración.

Dios guarde a V.E. muchos años. Caracas, 14 de agosto de

1813-3º. de la Independencia y primero de la guerra a muerte.

Simon Bolivar

De la Gaceta Ministerial de Cundinamarca, número 138. Jueves, 21 de octubre de 1813. Reproducida en la Historia de Nueva Granada por J. M. Groot, tomo 11. Apéndice, páginas 365 y 366.

---

*13.—Gaceta de Caracas, Número XXVI,*
    *23 de diciembre de 1813.3º de la Independencia).*

*Exmo. Señor Presidente del Congreso de la Nueva Granada, Encargado del Supremo Poder Ejecutivo de la Unión, Camilo Torres.*

Las armas libertadoras pudieron en un momento destruir el poder de Monteverde, y llevar la victoria desde el Magdalena hasta Barcelona y Guayana. Los ejércitos de la España, numerosos y soberbios, han perecido; pues, muertos en el campo de batalla, prisioneros en nuestras fortalezas, o dispersos en los montes, solo atravesaron el Océano para aumentar con sus desdichas, el esplendor de nuestros triunfos.

Lo que no pudo hacer el número de las tropas españolas, lo pudieron conseguir las turbulencias de los pueblos excitados a la sedición por algunos europeos. La rapidez de nuestras conquistas tuvo que detenerse ante el crecido número de los cuerpos enemigos, que por todas partes se derramaban; y mas batallas se han dado después de haber ocupado a Venezuela, que para libertarla cuando su territorio estaba erizado de bayonetas españolas.

La fortuna marchando al lado de nuestros ejércitos, los ha hecho triunfar en cuarenta acciones. Un momento desamparó nuestras banderas, y las armas de la República fueron vencidas en Bobare, Yaritagua, Calabozo y Barquisimeto. Desgracias que han servido a Venezuela para proporcionarse las inmortales jornadas del Mosquitero, y Araure.

En el campo de Mosquitero, más de mil hombres del ejército español tendidos sobre el polvo pagaron su temeraria audacia;

casi al mismo tiempo que en las alturas de Bárbula, en las Trincheras y sobre los cerros de Vigirima, la expedición venida ultimamente de España deshonraba las banderas de esta Nación, por pérdidas vergonzosas, que nos dieron tres triunfos célebres.

Si alguna vez pudo más la virtud guerrera, que el número y la suerte, fué en las llanuras de Araure, donde reunidos Cevallos y Yañez, a la cabeza de tres mil setecientos hombres, sufrieron la mas completa derrota, dejando marchitado el lustre de sus anteriores sucesos. Más de siete mil hombres se hallaban empeñados entre uno y otro ejército: la suerte de la República estaba pendiente del resultado. El valor sobrehumano de nuestros soldados, inclinó la balanza a favor de nuestras armas, que en un momento redujeron todo a la nada.

Para dar a V.E. este aviso, me he separado del orden de los tiempos, por no cansar la atención de V.E. con un vasto detall. Los Boletines, y copias que tengo el honor de acompañarle, le harán ver el orden con que velozmente pasando de uno en otro encuentro, hemos al fin logrado aniquilar todos los ejércitos españoles. No resta más que perseguir sus reliquias. La Plaza de Puerto Cabello, hasta ahora obstinada en su resistencia cederá al fin, desvanecidas las esperanzas que tenía en los ejércitos que obraban en lo interior. Todo hace esperar que dentro de muy pronto desaparecerán del territorio venezolano, cuantos enemigos intenten oprimirle.

La primera, y más agradable ventaja obtenida por la victoria de Araure, es la de haber franqueado la vía para mis comunicaciones con V.E. y el ilustre pueblo de los granadinos, Libertadores de Venezuela. Para obviar en lo sucesivo embarazos de esta especie, he adoptado las medidas más enérgicas para afianzar la seguridad de Barinas, y del Occidente de Caracas. Habiendo palpado por la experiencia que esta parte de Venezuela es la más sujeta a conmociones, quiero arrancar de raiz el gérmen de las inquietudes; y en lugar del Gobierno débil que las ha fomentado, he constituido gobernadores, al mismo tiempo militares y políticos; que, a la cabeza de la fuerza armada, contendrán los sediciosos, y podrán desbaratar las irrupciones que efectúen los españoles. He creído que debía en esta parte alterar las instrucciones de V.E. pues en ellas mismas nunca me ha prescrito V.E. una conducta incompatible con la seguridad de los pueblos que libertara. Yo no he podido llenar los fines de V.E. sino valiéndome do otros medios de los que V.E. me había señalado.

Sin embargo la independencia de Venezuela está asegurada. Yo diviso el término de la misión con que la generosidad de V.E. se sirvió honrarme. Preparo ya desde el campo en que me hallo la convocación para una Asamblea de Representantes, nombrada por los pueblos. Con esto he llenado las órdenes de V.E.; y pondré el sello a sus miras generosas, con dejar depositado en el Congreso Representativo el cetro del poder con que V.E. armó mis manos para castigar los tiranos de mi patria.

La posición de la autoridad soberana, tan lisonjera para los déspotas del otro continente, ha sido para mí, idólatra de la libertad, la mas pesada y aborrecible. El evidente peligro de la patria, me impuso la ley de ejercerla; porque solo con ella podía en nuestro débil estado resistir el choque de los enemigos y conspiradores. Vuelva, pues, mi Patria a llenar los destinos a que la elevaron los fundadores de su libertad. Vuelva a ser feliz bajo las leyes protectoras que decretaron sus augustos representantes; y magistrados constituidos por una elección popular y legítima, sean los depositarios de sus derechos para conservarlos en toda su dignidad y gloria.

Yo repito a V.E. lo que he declarado en mis proclamas; no conservaré ninguna parte de la autoridad, aunque sean los pueblos mismos los que me la confíen. Mi única ambición, que es la de combatir por la libertad, quedará satisfecha en cualquier destino que se me conceda en el ejército que obre contra los enemigos.

Tengo el honor de ser de V.E. con la mayor consideración, adicto y seguro servidor. Caracas, 20 de diciembre de 1813, 3º de la Independencia y primero de la guerra a muerte.

SIMON BOLIVAR

*Antonio Muñoz Tebar*
  *Secretario de Estado*

Este documento no tiene fecha en la Gaceta, por su contenido le corresponde la de 20 de diciembre.

Una lección de Andrés Bello
Sala menor.

# 1814

*14.—De un facsímil).*

Caracas, 2 de enero de 1814.

*Al señor doctor Vicente Tejera.*

Amigo y compañero mío:

Con el debido oficio ha recibido Vd. la venera de la Orden de los Libertadores. Desde Cartagena hasta Caracas ha venido Vd. conmigo, consejero sereno y admirable, arrostrando las penas y desigualdades de una campaña lisonjera por los resultados, pero dura y cruel por la contribución de sufrimientos a que fuimos obligados los que tuvimos y tenemos el honor de formar en las listas del ejército expedicionario. Ella brillará sobre su corazón, más sin que por sobre ninguna circunstancia sea considerada como el premio final de sus virtudes. La venera es tan solo un galardón, el más alto que puede dar la patria a sus hijos beneméritos.

Que siga Vd. mejor son mis anhelos.

Con afectos y complacencia soy de Vd. amigo servidor

Simon Bolivar

De la obra "Don Vicente Tejera," por el doctor Rafael Domínguez. Caracas 1926, página 108.

---

*15.—De fotografía del original existente*
*en la Biblioteca Nacional de Río Janeiro).*

Cuartel General de Puerto Cabello,
febrero 2 de 1814, 4°, y 2°.

*Ciudadano Camilo Torres.*

Respetado amigo y señor:

Las varias cartas que he recibido de Vd. llenas de sabiduría y consejos, de que necesito para dirigirme en mi destino, son por este motivo objeto de mi veneración, y me honra sobre todo en ellas la generosa amistad que Vd. se digna dispensarme. He aguardado para responderlas esta ocasión, porque la juzgo menos expuesta, habiéndose logrado disipar ya muchas de las cuadrillas de bandoleros o facciosos que por esta vía las interceptaban.

Una ocurrencia de la primera importancia, sobre la cual escribo a Vd. oficialmente, me obliga a hablarle también de ella en esta carta. Es la derrota de Bonaparte en el Norte de la Europa, suceso demasiado confirmado, y cuya trascendencia es tan inmediata sobre nosotros. Así es que la España evacuada ya por los franceses afianzará más sólidamente su independencia, y volverá sus miras hacia la América. Es menester prevenir aceleradamente este golpe, pues aunque estoy seguro que la Nueva Granada y Venezuela no cederían a la fuerza no es menos cierto que podríamos ser envueltos.

Hay una medida que urge adoptar en el instante, y es poner a la Inglaterra en nuestros intereses. Ella ejerce ya una preponderancia decidida sobre los negocios de la España; y aun sin esto, si ella abraza nuestro partido como Señora de los Mares, burlará los esfuerzos de aquella, si se obstina en subyugarnos.

Un diputado pues, de la Nueva Granada, unido a otro de Venezuela que representando estas dos regiones, pasarán a Londres, y reclamarán vigorosamente los auxilios de la Nación; es el partido que naturalmente indican las circunstancias. Este diputado a más de su ilustración y gran patriotismo, debe tener los finos modales y las disposiciones necesarias para entrar en negociaciones con los ministros de una Nación poderosa, en una Corte

Matrimonio de Bolívar en Madrid

tan culta, y todo el carácter indispensable para sostener la dignidad de los Pueblos, cuyos intereses se le confían, y ha de desempeñarla con actividad por importar tanto la pronta determinación de este asunto. Esto hará igualmente conocer a Vd. que el nombramiento de Diputado es del momento.

El que va a nombre de Venezuela aguarda aquí para el caso que Vds. determinen venga el de esa Federación a Caracas, debiendo entonces partir ambos por La Guaira. Más si se determinan Vds. a que lo verifique por Cartagena, se servirá Vd. avisármelo.

Mande Vd. en cuanto guste, respetable señor y amigo, a su apasionado y admirador.

B.S.M.

SIMON BOLIVAR

Tomada del original por el doctor Alberto Urbaneja.

----

*16.—Fragmento).*

(Cuartel General en San Mateo,
26 de marzo de 1814)

*Al mayor general Rafael Urdaneta.*

Defendereis a Valencia, ciudadano general, hasta morir; porque estando en ella todos nuestros elementos de guerra, perdiéndola se perdería la república. El general Mariño debe venir con el ejército de Oriente: cuando llegue batiremos a Boves e iremos enseguida a socorreros. Enviad 200 hombres en auxilio de D'Elhuyar a la línea sitiadora de Puerto Cabello, a fin de que pueda cubrir el punto del Palito, por donde sería fácil a los españoles enviar pertrechos a Boves que carece de ellos.

BOLIVAR

Baralt y Díaz, Resumen de la Historia de Venezuela, I, 208.

*17.—De una copia).*

*Exmo. Señor General don Antonio Nariño, Presidente del Estado de Cundinamarca.*

Exmo. Señor:

Deseoso de distinguir a aquellos militares que con sus sacrificios y esfuerzos extraordinarios contribuyeron altamente al feliz éxito de la campaña que libertó a Venezuela, y que haría la gloria de los más grandes héroes de la tierra, instituí el Orden de Los Libertadores.

Como V.E. es, sin duda, de los más sinceros amigos que numera mi Patria, y cuya singular protección contribuyó esencialmente a redimirla del poder español; el reconocimiento y la justicia exigen que sea V.E. de los primeros en el uso de la venera que distingue a los miembros de la orden mencionada.

Presentar pues a V.E. a la faz de estas Provincias y de la América entera como un libertador de Venezuela, y dar un nuevo realce a esta útil institución son los motivos que me asisten a remitir a V.E. la venera.

Dios guarde a V.E. muchos años, Caracas, 4 de mayo de 1814.

Exmo. Señor

Simon Bolivar

El Precursor, página 427.

Boletín de Historia y Antigüedades, Números 231-232, página 344. Bogotá.

———————

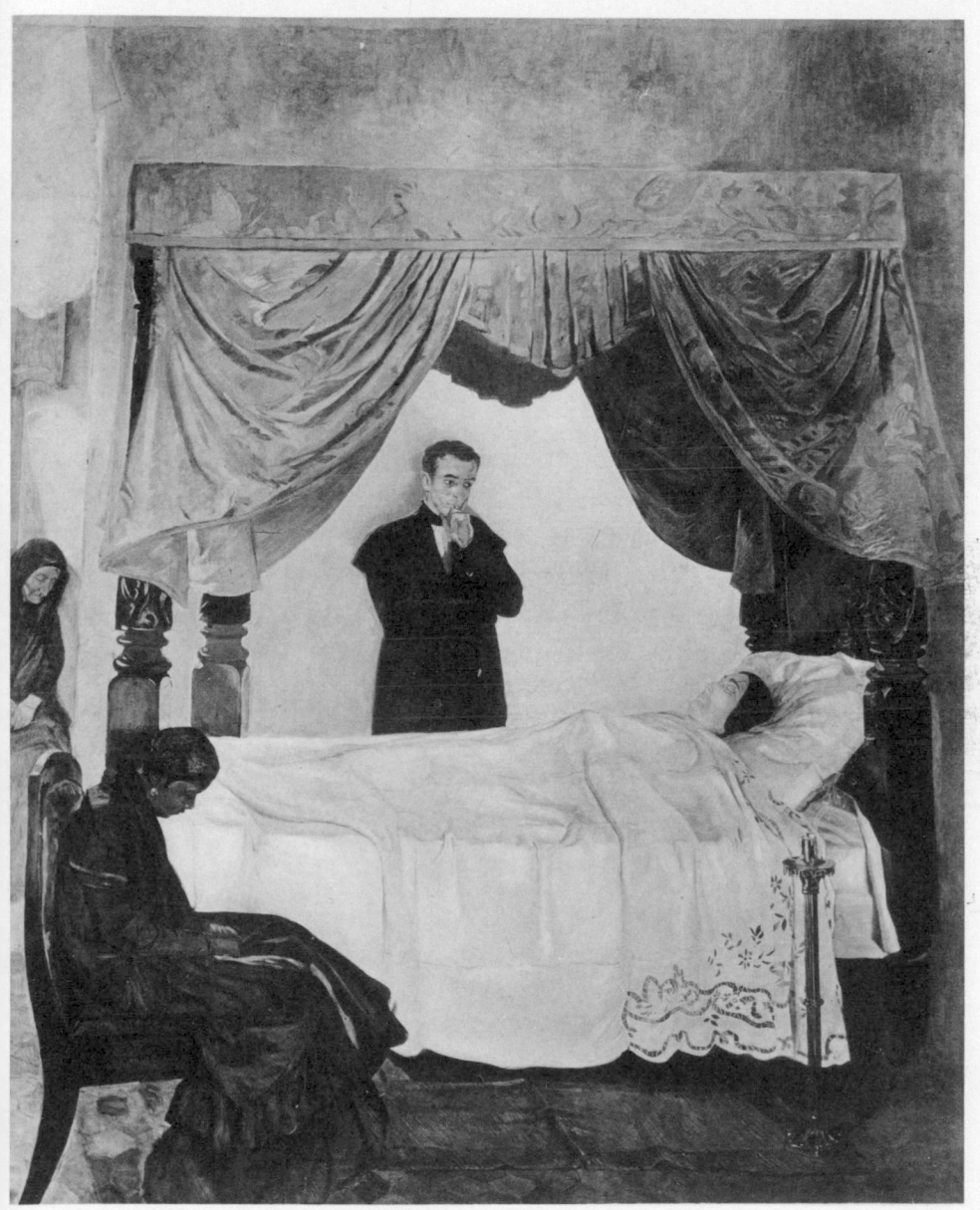

LA MUERTE DE LA ESPOSA
Sala menor.

*18.—De una copia*).

Palacio de Gobierno de Caracas,
mayo 5 de 1814-4º

*His Excellency Lieut. General Sir George Beckwith H.B. Commander of the Forces and Governor of Barbados* &., &., &.

Exmo. Señor:

Deseoso siempre este país de ser el amigo de la Gran Bretaña solo por las tristes circunstancias en que se ha visto envuelto ha dejado de dirigirse al Gobierno de esta Nación. Ahora que la tempestad se retira de nuestras inmediaciones, y que perdemos un poco de vista a un enemigo feroz, volvemos los ojos hacia ella que por sus propios intereses, y por su generosidad debe interesarse en la justa e inevitable Independencia de la América. Nuestros votos son por separarnos de la tiránica dominación española y por la paz, por el comercio y amistad con la Gran Bretaña.

Habiéndose prestado el Comandante de la Fragata de S.M.B. "La Palma", a conducir a su bordo las personas que en calidad de Comisionados de Venezuela van a tratar con el Gobierno de S.M.B. se han embarcado en ella para esa Isla. Estos comisionados son el Inspector de la Artillería Lino de Clemente y el coronel Juan Robertson, que yo me tomo la libertad de recomendar a V.E. principalmente para que V.E. se sirva permitirles que pasen a Londres, si es posible, en uno de los buques de guerra, que deban primero partir para aquella gran Capital.

Confiado en que V.E. atenderá generosamente mi solicitud, y en que no le es indiferente la suerte de un país que lucha por la más justa causa, espero que mis Comisionados sean favorablemente acogidos y consigan pasar con seguridad y prontitud a Londres.

Venezuela desea hacer en obsequio de V.E. como Jefe Británico aquello que pueda serle agradable; y dígnese V.E. ordenarme cuanto pueda yo hacer en su servicio.

Tengo el honor de ser de V.E. con la más alta consideración, atento y adicto servidor

Exmo. Señor

SIMON BOLIVAR

C.O. 318/50. Folios 67 al 69. Windward & Leeward Island—1814— Military. Nota. Una comunicación de la misma fecha y en los mismos términos pero dirigida al teniente general Maclean, en San Thomas, aparece en copia y como anexo a un Despacho de este último en el Record Office.

W.O. 1/128. Folios 459 y 460. St. Thomas. 1814 & 1815. Gov. Maclean. Colonial Office Transmissions.

Copia de Carlos Urdaneta Carrillo y Elena Lecuna de Urdaneta.

---

*19.—De una copia).*

## SIMON BOLIVAR

Libertador de Venezuela, General en Jefe &., &., &.

Restablecida por la suerte de las armas la República de Venezuela y sancionada ya su integridad Nacional en la Nueva Granada, debiendo formar ambas regiones un solo cuerpo de Nación: y siendo del interés de la Nación Británica, por su comercio, reconocer nuestra Independencia, y auxiliarla, he venido en constituir Agentes Extraordinarios por Venezuela cerca del Gobierno de S.M.B. y en efecto elijo y nombro por tales Agentes Extraordinarios, al general de brigada Lino de Clemente y al general de brigada Juan Robertson, para que participándolo al Gobierno de S.M.B. cuya amistad desea Venezuela, obtengan que sea reconocida como tal Nación libre Independiente y puedan establecer las negociaciones más ventajosas a ambas potencias, para lo cual se hallan bastante autorizados con plenos e ilimitados poderes.

Dada en el Palacio de Gobierno de Caracas, a seis de mayo

BOLÍVAR EN EL TERREMOTO DE 1812

de 1814-4º firmada de mi mano, sellada con el sello provisional de la República y refrendada por el Secretario de Estado.

SIMON BOLIVAR

Antonio Muñoz Tebar
    Secretario de Estado.

W.O. 1/128. Folios 767-768. St. Thomas. 1814-1815. Gov. Maclean. Colonial Office Transmissions. Copia de Carlos Urdaneta Carrillo y Elena Lecuna de Urdaneta.

———

20.—De una copia. Traducción de la versión inglesa).

Exmo. Señor Ministro de Relaciones Exteriores del Gobierno de S.M.B.

Exmo. Señor:

Buscando en la presente revolución de la América el objeto de los pueblos, al momento se observan estos dos: *sacudir el yugo español, y amistad y comercio con la Gran Bretaña*. Venezuela al mismo tiempo hace transportar lejos de sus playas a los gobernantes que la oprimían, y envía Diputados para presentar al Gobierno de la Gran Bretaña sus votos a fin de obtener su amistad y las más estrechas relaciones. El nuevo Gobierno, aunque en la embriaguez de aquellos primeros días de libertad, concedió exclusivamente en favor de la Gran Bretaña una rebaja de derechos para su comercio, prueba irrecusable de la sinceridad de las miras de Venezuela.

Tiene pues, V.E. la resolución de América expresada en sus dos primeros actos, *sacudir el yugo español, y amistad y comercio con la Gran Bretaña*. El mismo carácter distingue la misma revolución que se ha propagado en las demás regiones de la América. Todas han hecho ver que reconocen sus verdaderos intereses en esta separación de la España, y en esta amistad con la Inglaterra. La primera medida es dictada por la naturaleza, la justicia, el honor y el propio interés: aspiramos a la segunda confiados en la generosidad de la Nación Británica, en el augusto carácter de su Gobierno, y los recíprocos intereses de uno y otro pueblo.

La Gran Bretaña, debe, pues, estar demasiado satisfecha de los pueblos de la América que por la misma libertad no han formado votos, sin formarlos al mismo tiempo por obtener su amistad. Ella parece que debe ser sensible a testimonios tan manifiestos: testimonios que apoyados por la justicia aun cuando no hablara el propio interés, comprometen el honor de una Nación noble y grande a auxiliar poderosamente nuestros esfuerzos.

Esto es lo que debe esperarse de un gobierno cuyo norte es el honor, cuyo objeto es la gloria de hacer la felicidad del mundo, y reponer a los pueblos en sus derechos. Venezuela, Exmo. Señor, y toda la América del Sur lo esperan sin desconfianza alguna del Gobierno de S.M.B. Entretanto un Gobernador de la Isla de San Thomas, adonde llegaron los Comisionados de Venezuela, mostrándole que pasaban a esa Corte a tratar con el Gobierno de S.M.B. los expulsa por esta misma razón de aquella Colonia, con una violencia increíble, sin prestar oidos a las representaciones que le hicieron, obligándoles a salir en un bote a alcanzar un buque que se había hecho a la vela. Era un buque de Venezuela que se vió también obligado a enarbolar el pabellón español; pues el Gobernador ordenó que si enarbolaba el pabellón venezolano se le hiciese fuego de las baterías de los Castillos de la Isla.

Una afrenta tal, sino tocara al Gobierno mismo de S.M.B. lavarla, nos hubiera empeñado a vengar el insulto, según lo exigía nuestro honor tan altamente vulnerado; pues ha faltado a su Gobierno el Jefe de la Colonia, no respetando a una misión cerca de los Ministros de S.M.B. Los emisarios de una Nación enemiga son recibidos para oir sus proposiciones; y los que expulsó el Gobernador de San Thomas lo eran de un país, donde individuos de San Thomas y multitud de súbditos ingleses, están establecidos, donde los buques de guerra y mercantes hallan los más francos auxilios, y cuanto desean y está en nuestro poder concederles.

El Gobernador de San Thomas no se contentó solamente con la expulsión de los comisionados, sino que añadió toda la precipitación, toda la violencia, todo el escándalo que pudiera haber empleado con enemigos y dió órdenes para hacer fuego a nuestro buque con el pabellón venezolano. Más como los buques de San Thomas entran en nuestros puertos en que está enarbolado ese mismo pabellón venezolano que él ultrajó y hubiera hostilizado, me ví por lo tanto obligado a cerrar los puertos de Venezuela para los buques de San Thomas, mientras el actual Gobernador no varíe su conducta hostil.

Esta es la misma conducta que yo reclamo del Gobierno de S.M.B. por reparación a un atentado tan enorme. El honor de la Nación lo pide tan fuertemente como el de Venezuela; para con la cual su conducta liberal ha sido hasta ahora del todo diferente. Sería de desear que ella hiciese conocer que el acto del Gobernador de San Thomas no es suyo: que se ha ejecutado contra las órdenes del Gobierno Supremo, y que por lo tanto se admita en la Colonia el pabellón de Venezuela. Si como parece indubitable es del honor de la Gran Bretaña dar estos pasos en nuestro favor, es de su honor lavar la mancha que ha echado sobre su generosidad y equidad el Gobernador de San Thomas.

Apoyada en el derecho de las gentes, Venezuela reclama también reparaciones que parece justo debe el Gobierno de S.M.B. a las leyes generales del mundo político, aquellas que son las más sagradas de todas y que han sido más violentamente holladas por el Gobernador de San Thomas. Los intereses de la Inglaterra parece que lo exigen también; pues estos intereses fundados sobre el comercio, que a su vez se funda sobre amistad y recíprocas relaciones, se entorpecería, se acabaría, si adoptando este acto de hostilidad la Nación entera, por no repararle, nos viéramos obligados a tomar antes los partidos más desesperados, hasta arruinarnos, que no a deshonrarnos, sufriendo, sin vengarle, un ultraje tan degradante.

Tengo el honor de ser con la más alta consideración,

Exmo. Señor de V.E. atento y adicto servidor q.b.s.m.

SIMON BOLIVAR

Palacio de Gobierno de Caracas, 10 de junio de 1814-4º.

W.O. 1/128. Folios 779 a 784. St. Thomas. 1814-1815. Gov. Maclean. Colonial Office Transmissions. Copias de Carlos Urdaneta Carrillo y Elena Lecuna de Urdaneta.

*21.—De una copia).*

Caracas, y junio 17 de 1814.

*(Exmo. Señor Almirante. Barbados).*

La neutralidad estricta que el Gobierno de S.M.B. ha observado constantemente con respecto a la España y estos países, desde que por un efecto de los acontecimientos de la Europa, resolvieron conquistar su libertad e independencia, manifiesta bien su propensión a favorecernos cuando se lo permita el curso de los acontecimientos o a lo menos que conociendo profundamente nuestra justicia, no ha querido degradarse pronunciándose contra una causa tan sagrada.

Los sucesos tan raros que han producido al fin el desenlace de los negocios del Continente Europeo, han prolongado la guerra que prontamente debió cimentar nuestra existencia política.

Por consiguiente las calamidades que son siempre el resultado funesto de las guerras civiles han aumentado a tal punto que nuestra situación particular no puede examinarse con indiferencia. Solo el español conocido en el antiguo mundo por su caracter vengativo y cruel hasta el exceso puede holgarse en estas escenas de sangre y asolación con que en todo tiempo ha marcado su dominio en el suelo americano.

Nuestros enemigos no han perdonado medio alguno por infame y horrible que sea para llevar al cabo su empresa favorita. Han dado la libertad a nuestros pacificos esclavos y puesto en fermentación las clases menos cultas de nuestros pueblos para que asesinen individualmente a nuestras mujeres y a nuestros tiernos hijos, al anciano respetable y al niño que aun no sabe hablar.

Estas desgracias que afligen la humanidad en estos países deben llamar por su propia conveniencia la atención del Gobierno de S.M.B. El ejemplo fatal de los esclavos y el odio del hombre de color contra el blanco, promovido y fomentado por nuestros enemigos, van a contagiar todas las Colonias Inglesas, si con tiempo no toman la parte que corresponde para atacar semejantes desórdenes.

V.E. no violará de modo alguno la neutralidad de su Go-

BATALLA DE ARAURE, CARGA DE CABALLERIA
En la Galería.

bierno si en un caso tan extraordinario toma el partido de favorecernos con algunos socorros militares no para auxiliar la Causa Americana o la española sino para contener los excesos que puedan tener una tendencia directa a perturbar la tranquilidad y sosiego de las Colonias de S.M.B.

Es con este importante objeto que yo tengo el honor de comisionar cerca de la persona de V.E. al Dr. Pedro Gual, Presidente de la Legislatura del Estado de Cartagena de Indias, y su actual Representante cerca de este Gobierno, a fin de que de sus conferencias con V.E. resulten los bienes recíprocos que me he propuesto.

Un país, señor, como Venezuela, que apenas proclamó su Independencia se ha pronunciado tan gustosamente en favor de los intereses de S.M.B. es ciertamente digno de la consideración de V.E. La humanidad y la importancia de conservar la América, cuyas producciones son tan ventajosas al Gobierno Británico exigen imperiosamente la atención de un Jefe que como V.E. es tan conocido por su rectitud e ilustración.

Los caballeros Watson y Robertson, súbditos de S.M.B. y comerciantes de esta Capital que han solicitado agregarse voluntariamente a esta Misión informarán además menudamente a V.E. sobre todos los particulares que puedan determinarle a una resolución que nos sea mutuamente saludable.

Su más atento servidor Q.B.S.M.

SIMON BOLIVAR

W.O. 1/128. Folios 791 a 793. St. Thomas. 1814-1815. Gov. Maclean. Colonial Office Transmissions.

Aunque la copia no determina a quien se dirigió esta carta, por los anexos y cartas similares se deduce corresponder al Comandante en Jefe de las Fuerzas de Tierra de S.M.B. y al Almirante de la Estación de Barbados.

Copias de Carlos Urdaneta Carrillo y Elena Lecuna de Urdaneta.

*22.—De una copia).*

*Señor Presidente de la Legislatura de Cartagena de Indias, ciudadano Pedro Gual.*

Bien persuadido de la eficacia e integridad de Vd. he tenido a bien nombrarle para que inmediatamente se ponga en marcha para la Isla de Barbados.

Las adjuntas cartas para S.S.E.E. el comandante en jefe de las fuerzas de tierra de S.M.B. y Almirante de aquel Departamento de que incluyo a Vd. copia le impondrán del importante objeto de su misión.

Puede Vd. además hacer presente a aquellos señores Jefes Británicos que hallándose los Diputados de Venezuela en camino para la Corte de Londres, deben contar que sus resoluciones sobre nuestros intereses recíprocos no dejarán de obtener el beneplácito de S.M.B. por la falta de cooperación de este Gobierno. Dios &. Cuartel General de Caracas, junio 19 de 1814, 4º.

Simon Bolivar

W.O. 1/128. Folio 795. St. Thomas 1814-1815. Gov. Maclean. Colonial Office Transmissions. Copias de Carlos Urdaneta Carrillo y Elena Lecuna de Urdaneta.

---

*23.—De una copia).*

*Instrucciones para el Comisionado de Venezuela cerca de S.E. el Comandante en Jefe de las fuerzas de tierra de S.M.B. y S.E. el Almirante de la Estación de Barbados.*

1º—Para contener los excesos de las facciones intestinas fomentadas del modo más escandaloso por nuestros enemigos, el Comisionado solicitará el auxilio de algunos fusiles hasta el número de dos mil con su correspondiente repuesto de municiones de guerra y dos juegos completos de instrumentos quirúrgicos.

2º—A fin de inclinar el ánimo de los Jefes Británicos a franquearnos estos socorros les hará ver cuanto es el interés de la Gran Bretaña en impedir que las facciones intestinas consuman y aniquilen unos países como estos tan importantes a su comercio e industria.

3º—El Gobierno de Venezuela no empleará de modo alguno estos socorros contra los españoles sino contra los bandidos, y esclavos fugitivos que llevan el pillaje, la muerte y la desolación por muchas de nuestras más bellas poblaciones y haciendas.

4º—Para garantir a los jefes de S.M.B. el buen uso que este Gobierno desea hacer de estos socorros militares, admitirá en su territorio hasta mil hombres de tropas inglesas y un destacamento de ciento o menos hombres de artillería, con sus competentes piezas de campaña que observen su conducta en esta parte.

5º—Siendo igualmente provechoso a los americanos o a los españoles por quienes ultimamente la suerte de la guerra decida la actual disputa y mucho más al comercio británico, la conservación y fomento de estos estados, el Comisionado solicitará que las tropas de S.M.B. cooperen también con las nuestras a destruir los bandidos y reducir los esclavos a su deber.

6º—En caso de que la suerte de la guerra dicte proponer armisticio por una u otra parte, las tropas de S.M.B. contribuirán a hacerlo respetar y observar inviolablemente desde que las partes contendoras hayan convenido en ello.

7º—El Gobierno de Venezuela suministrará generalmente a dichas tropas provisiones, cuarteles cómodos, hospitales y cuanto sea necesario a su socorro según convenga el comisionado que se autoriza ampliamente al efecto.

8º—Las tropas inglesas o sus comandantes no se mezclarán de modo alguno en el Gobierno Civil y Militar de Venezuela excepto en los casos arriba indicados, para los que su Jefe se pondrá de acuerdo con este Gobierno.

9º—El Gobierno de Venezuela tampoco se mezclara en la economía de las tropas británicas durante su residencia en el país.

10º—Las tropas de S.M.B. evacuarán el territorio de Venezuela luego que este Gobierno conceptue no ser necesarias para los objetos antedichos.

11º—El Comisionado, sin pérdida de tiempo, dará cuenta de los resultados de esta Misión, y en caso de no tener el suceso favorable que nos proponemos, podrá permanecer en Barbados hasta nuevas órdenes u obrar libremente según lo dictare su prudencia. Cuartel General en Caracas, junio 19 de 1814-4º.

SIMON BOLIVAR

W.O. 1/128. Folios 799 y 800. St. Thomas 1814-1815. Gov. Maclean. Colonial Office Transmissions. Copia de Carlos Urdaneta Carrillo y Elena Lecuna de Urdaneta.

# 1815

*24.—De una copia).*

Cuartel general Libertador en Santa Fe, enero 18 de 1815

*C. Dr. Ignacio Herrera.*

Habiéndose servido el Gobierno General admitir la renuncia que hizo de su empleo el Auditor de Guerra que me acompañaba Dr. Joaquín Hoyos; y habiéndome prevenido el Secretario de Guerra con fecha 9 del corriente, que proponga para sucederle otra persona de mi confianza y digna de aquel puesto he venido en proponer a Vd.

En cuya virtud y no habiendo necesidad de esperar la contestación porque se aproxima la marcha, se servirá Vd. tenerlo entendido, y prepararse a ésta que deberá ser dentro de dos o tres días.

Dios guarde a Vd. muchos años.

Simon Bolivar

Archivo del Dr. D. Ignacio Herrera y Vergara. Copia de su descendiente don José Suescún Terán.

Boletín de Historia y Antigüedades Nos. 231-232, pag. 392.

———

*25.—De una fotografía del original).*

Kingston, 19 de junio de 1815

*Señor don Manuel Hyslop.*

Muy señor mío:

Ningún título me autoriza para molestar la atención de Vd. y menos aún, para suplicarle se digne servirme del modo que las circunstancias me obligan a hacerlo. Sólo el carácter indulgente de Vd. y las ofertas generosas de amistad, que su bondad me ha prodigado tantas veces, me animarían a abusar de estas mismas ofertas. Mi delicadeza se ofende, y yo me lleno de rubor al tomar la pluma para implorar favores que no me son debidos y que son gravosos al bienhechor.

La suerte de mi país ha envuelto mi fortuna, mi honor, y mi nombre en la suya: he perdido la primera, y no sé como podré sostener el carácter que me han dado las circunstancias sin la ayuda de las almas liberales, que como Vd., saben apreciar el valor de la libertad y de la gloria. Yo deseo continuar sirviendo a mi patria, para el bien general de la humanidad y el aumento del comercio británico. Pienso marchar a Inglaterra en el próximo convoy, que debe partir de aquí dentro de pocos días. Para efectuar este viaje necesito de los auxilios más indispensables para permanecer en Londres, mientras obtengo algún resultado favorable.

No molestaré a Vd. encareciendo la generosidad que reclamo, pues nadie conoce mejor que Vd. que los servicios que yo reciba, contribuyen al bienestar y prosperidad de nuestros respectivos países. Yo ignoro si la situación de Vd. le permitirá darme la protección de que he menester, en este momento; así, no me atrevo a suplicar a Vd. me franquee (en calidad de préstamo) una suma prefijada. Yo espero que cualquiera que sea, será ventajosamente devuelta, cuando mi suerte, o la de mi país mejoren; y también espero, que Vd. se persuada, que sólo mi honor y la salvación de millares de víctimas me arrastrarían a importunar con ruegos a un amigo de quien abuso, sin tener derecho para ello.

estorbe sino por falta de lejitimidad de los poderes de los electores.

Art. 5.º Ningun soldado de la union, ni ninguno del ejército de Sta. Fe, conservará ningun sentimiento de enemistad hácia los otros : habrá de una y otra parte un olvido jeneral de los acontecimientos precedentes, y el jeneral en jefe del ejército de la union, ofrece de su parte la mas segura garantía de honor, personas, y propiedades á todos los ciudadanos de Cundinamarca, sin distincion de oríjen, en virtud de la noble y valiente conducta con que se ha hecho la guerra reciprocamente.

Art. 6.º Tanto el jeneral en jefe del ejército de la Union como el E. S. presidente de Cundinamarca, se obligan á guardar, y hacer guardar estos arts. de capitulacion : se ofrecen mútuamente la mas sincera y cordial amistad, y se aseguran que habrá de una y otra parte la conducta mas fraternal : à una paz y union sólida y la mejor armonia entre todos los ciudadanos como pertenecientes à una misma familia, estado, y nacion. Y en virtud de esto, una y otra parte contratantes han firmado y sellado este convenio en el cuartel jeneral libertador à 12 de diciembre de 1814. Simon Bolivar, Manuel Bernardo Alvares, José de Seyva, Ignacio Herrera, Pedro Briceño Mendez, Eujenio Martin Melendro, como secretario del presidente.

---

# CONTESTACION

## DE UN AMERICANO MERIDIONAL (ES EL JENERAL BOLIVAR) A UN CABALLERO DE ESTA ISLA (JAMAICA.)

---

*Muy señor mio :*

Me apresuro á contestar la carta de 29 del mes pasado que V. me hizo el honor de dirijirme, y yo recibí con la mayor satisfaccion.

Sensible como debo, al interes que V. ha querido tomar por la suerte de mi patria, aflijiéndose con ella por los tormentos que pa-

PRIMERA VERSION DE LA CARTA DE JAMAICA, 1833.

Tengo el honor de anticipar los sentimientos de una gratitud sin límites, y acepte Vd. los testimonios de mi más alta consideración y respeto.

Su atento obediente servidor Q.B.S.M.

SIMON BOLIVAR

El señor Tomás C. Mosquera Wallis, residente en Popayán, bondadosamente nos ha facilitado fotografías de esta carta y de dos más, una de Los Cayos 26 de diciembre de 1815 y la otra de Puerto Príncipe 16 de noviembre de 1816, ambas para el señor Maxwell Hyslop, y copias de tres cartas para el general Tomás Cipriano Mosquera reproducidas adelante.

El amanuense españolizó el nombre de este caballero.

_____

*26.—De una copia).*

## CONTESTACION

*De un Americano Meridional (Es El Jeneral Bolivar) a un Caballero de Esta Isla (Jamaica)*

_____

Muy señor mío:

Me apresuro á contestar la carta de 29 del mes pasado que V. me hizo el honor de dirijirme, y yo recibí con la mayor satisfacción.

Sensible como debo, al interes que V. ha querido tomar por la suerte de mi patria, aflijiéndose con ella por los tormentos que padece, desde su descubrimiento hasta estos últimos períodos, por parte de sus destructores los españoles, no siento ménos el comprometimiento en que me ponen las solícitas demandas que V. me hace, sobre los objetos mas importantes de la política americana. Así, me encuentro en un conflicto, entre el deseo de corresponder á la confianza con que V. me favorece, y el impedimento de satisfacerla, tanto por la falta de documentos y de libros, cuanto por los limitados conocimientos que poseo de un pais tan inmenso, variado y desconocido como el Nuevo Mundo.

En mi opinión es imposible responder á las preguntas con que V. me ha honrado. El mismo barón de Humboldt, con su universalidad de conocimientos teóricos y prácticos, apénas lo haria con exactitud, porque aunque una parte de la estadística y revolucion de América es conocida, me atrevo á asegurar que la mayor está cubierta de tinieblas, y por consecuencia, solo se pueden ofrecer conjeturas mas ó ménos aproximadas, sobre todo en lo relativo á la suerte futura, y á los verdaderos proyectos de los americanos; pues cuantas combinaciones subministra la historia de las naciones, de otras tantas es susceptible la nuestra por sus posiciones físicas, por las viscisitudes de la guerra, y por los cálculos de la política.

Como me conceptuo obligado á prestar atención á la apreciable carta de V., no menos que á sus filantrópicas miras, me animo a dirijir estas líneas, en las cuales ciertamente no hallará V. las ideas luminosas que desea, mas sí las ingenuas expresiones de mis pensamientos.

"Tres siglos ha, dice V., que empezáron las barbaridades que los españoles cometieron en el grande hemisferio de Colon". Barbaridades que la presente edad ha rechazado como fabulosas, porque parecen superiores á la perversidad humana; y jamas serían creidas por los críticos modernos, si constantes y repetidos documentos no testificasen estas infaustas verdades. El filantrópico obispo de Chiapa, el apóstol de la América, las Casas, ha dejado á la posteridad una breve relacion de ellas, extractada de las sumarias que siguieron en Sevilla á los conquistadores, con el testimonio de cuantas personas respetables había entónces en el Nuevo Mundo, y con los procesos mismos que los tiranos se hicieron entre sí: como consta por los mas sublimes historiadores de aquel tiempo. Todos los imparciales han hecho justicia al celo, verdad, y virtudes de aquel amigo de la humanidad, que con tanto fervor y firmeza denunció ante su gobierno y contemporáneos los actos mas horrorosos de un frenesí sanguinario.

Con cuanta emocion de gratitud leo el pasage de la carta de V. en que me dice "que espera que los succesos que siguieron entónces á las armas españolas, acompañen ahora á la de sus contrarios, los muy oprimidos americanos meridionales". Yo tomo esta esperanza por una prediccion, si la justicia decide las contiendas de los hombres. El suceso coronará nuestros esfuerzos; porque el destino de la América se ha fijado irrevocablemente; el lazo que la unía á la España está cortado: la opinion era toda su fuerza; por ella se estrechaban mutuamente las partes de aquella inmensa monarquía: lo que ántes las enlazaba ya las divide: mas grande es el odio que nos ha inspirado la península que el mar que nos separa de ella: ménos difícil es unir los dos continentes, que reconciliar los espíritus de ámbos paises. El hábito á la obediencia; un comercio de intereses, de luces, de relijion: una recíproca benevolencia; una tierna solicitud por la cuna y la gloria de nuestros padres; en fin todo lo que formaba nuestra esperanza nos venia de España. De aquí nacia un principio de adhesion que parecia eterno; no obstante que la inconducta de nuestros dominadores relajaba esta simpatía; ó por mejor decir este apego forzado por el imperio de la dominacion. Al presente sucede lo contrario; la muerte, el deshonor, cuanto es nocivo, nos amenaza y tememos: todo lo sufrimos de esa desnaturalizada madrasta. El velo se ha rasgado, ya hemos visto la luz y se nos quiere volver á las tinieblas: se han roto las cadenas; ya hemos sido libres, y nuestros enemigos pretenden de nuevo esclavizarnos. Por lo tanto, la América combate con despecho; y rara vez la desesperacion no ha arrastrado tras sí la victoria.

Porque los sucesos hayan sido parciales y alternados, no debemos desconfiar de la fortuna. En unas partes triunfan los independientes, miéntras que los tiranos en lugares diferentes, obtienen sus ventajas, y ¿cual es el resultado final? ¿no está el Nuevo Mundo entero, conmovido y armado para su defensa? Echemos una ojeada y observarémos una lucha simultánea en la misma extension de este hemisferio.

El belicoso estado de las provincias del Río de la Plata ha purgado su territorio y conducido sus armas vencedoras al Alto Perú, conmoviendo á Arequipa, é inquietado á los realistas de Lima. Cerca de un millon de habitantes disfruta allí de su libertad.

El reino de Chile, poblado de 800.000 almas, está lidiando contra sus enemigos que pretenden dominarlo; pero en vano, porque los que ántes pusieron un término á sus conquistas, los indómitos y libres araucanos, son sus vecinos y compatriotas; y su ejemplo sublime es suficiente para probarles, que el pueblo que ama su independencia, por fin lo logra.

El virreinato del Perú, cuya población asciende á millón y medio de habitantes, es sin duda el mas sumiso y al que mas sacrificios se le han arrancado para la causa del rey, y bien que sean vanas las relaciones concernientes á aquella porcion de América, es indubitable que ni está tranquila, ni es capaz de oponerse al torrente que amenaza á las mas de sus provincias.

La Nueva Granada que es por decirlo así, el corazon de la América obedece á un gobierno jeneral, exceptuando el reino de Quito que con la mayor dificultad contienen sus enemigos, por ser fuertemente adicto á la causa de su patria; y las provincias de Panamá y Santa Marta que sufren, no sin dolor la tirania de sus señores. Dos millones y medio de habitantes estan esparcidos en aquel territorio que actualmente defienden contra el ejército español bajo el jeneral Morillo, que es verosimil sucumba delante de la inexpugnable plaza de Cartajena. Mas si la tomare será á costa de grandes pérdidas, y desde luego carecerá de fuerzas bastantes para subyugar á los morijeros y bravos moradores del interior.

En cuanto á la heróica y desdichada Venezuela sus acontecimientos han sido tan rápidos y sus devastaciones tales, que casi la han reducido á una absoluta indijencia y á una soledad espantosa; no obstante que era uno de los mas bellos paises de cuantos hacian el orgullo de la América. Sus tiranos gobiernan un desierto, y solo oprimen á tristes restos que, escapados de la muerte, alimentan una precaria existencia: algunas mujeres, niños y ancianos son los que quedan. Los más de los hombres han perecido por no ser esclavos, y los que viven, combaten con furor, en los campos y en los pueblos internos hasta espirar ó arrojar al mar á los que, insaciables de sangre y de crímenes, rivalizan con los primeros monstruos que hicieron desaparecer de la América á su raza primitiva. Cerca de un millon de habitantes se contaba en Venezuela y sin exajeracion se puede asegurar que una cuarta parte ha sido sacrificada por la tierra, la espada, el hambre, la peste, las peregrinaciones; excepto el terremoto, todos resultados de la guerra.

En Nueva España habia en 1808, segun nos refiere el baron

de Humboldt, 7,800,000 almas con inclusion de Goatemala. Desde aquella época, la insurreccion que ha ajitado á casi todas sus provincias, ha hecho disminuir sensiblemente aquel cómputo que parece exacto; pues mas de un millon de hombres han perecido, como lo podrá V. ver en la exposicion de Mr. Walton que describe con fidelidad los sanguinarios crímenes cometidos en aquel opulento imperio. Allí la lucha se mantiene á fuerza de sacrificios humanos y de todas especies, pues nada ahorran los españoles con tal que logren someter á los que han tenido la desgracia de nacer en este suelo, que parece destinado á empaparse con la sangre de sus hijos. Apesar de todo, los mejicanos serán libres, porque han abrazado el partido de la patria, con la resolución de vengar á sus pasados, ó seguirlos al sepulcro. Ya ellos dicen con Reynal: llegó el tiempo en fin, de pagar á los españoles suplicios con suplicios y de ahogar a esa raza de exterminadores en su sangre ó en el mar.

Las islas de Puerto Rico y Cuba, que entre ámbas pueden formar una población de 700 a 800,000 almas, son las que mas tranquilamente poseen los españoles, porque estan fuera del contacto de los independientes. Mas ¿ no son americanos estos insulares? ¿No son vejados? ¿No desearán su bienestar?

Este cuadro representa una escala militar de 2000 leguas de lonjitud y 900 de latitud en su mayor extension en que 16,000,000 americanos defienden sus derechos, ó estan comprimidos por la nacion española que aunque fué en algun tiempo el mas vasto imperio del mundo, sus restos son ahora impotentes para dominar el nuevo hemisferio, y hasta para mantenerse en el antiguo. ¿Y la Europa civilizada, comerciante y amante de la libertad permite que una vieja serpiente por solo satisfacer su zaña envenenada, devore la mas bella parte de nuestro globo? ¡Qué! ¿está la Europa sorda al clamor de su propio interés? ¿No tiene ya ojos para ver la justicia? ¿Tanto se ha endurecido para ser de este modo insensible? Estas cuestiones cuanto mas las medito, mas me confunden: llego á pensar que se aspira á que desaparezca la América; pero es imposible porque toda la Europa no es España. ¡Qué demencia la de nuestra enemiga, pretender reconquistar la América, sin marina, sin tesoros, y casi sin soldados! Pues los que tiene, apénas son bastantes para retener á su propio pueblo en una violenta obediencia, y defenderse de sus vecinos. Por otra parte, ¿podrá esta nacion hacer el comercio exclusivo de la mitad del mundo sin manufacturas, sin producciones territoriales, sin artes, sin ciencias, sin política? Lograda que fuese esta loca empresa, y suponiendo mas, aun lograda la pacificacion, los hijos de los actuales americanos unidos con los de los europeos reconquistadores, ¿no volverían á formar dentro de veinte años los mismos patrióticos designios que ahora se están combatiendo?

La Europa haria un bien á la España en disuadirla de su obstinada temeridad, porque á lo ménos le ahorrará los gastos que espende, y la sangre que derrama; á fin de que fijando su atención en sus propios recintos, fundase su prosperidad y poder sobre bases mas sólidas que las de inciertas conquistas, un comercio precario y exacciones violentas en pueblos remotos, enemigos y poderosos. La Europa misma por miras de sana política debería haber preparado y ejecutado el proyecto de la independencia americana, no solo porque el equilibrio del mundo así lo exije, sino porque este es el medio lejítimo y seguro de adquirirse establecimientos ultramarinos de comercio. La Europa que no se halla ajitada por las violentas pasiones de la venganza, ambicion y codicia, como la España, parece que estaba autorizada por todas las leyes de la equidad á ilustrarla sobre sus bien entendidos intereses.

Cuantos escritores han tratado la materia se acordaban en esta parte. En consecuencia, nosotros esperabamos con razon que todas las naciones cultas se apresurarían á auxiliarnos, para que adquiriésemos un bien cuyas ventajas son recíprocas á entrambos hemisferios. Sin embargo ¡cuan frustradas esperanzas! no solo los europeos, pero hasta nuestros hermanos del Norte se han mantenido inmóbiles espectadores de esta contienda, que por su esencia es la mas justa, y por sus resultados la mas bella é importante de cuantas se han suscitado en los siglos antiguos y modernos, ¿porque hasta donde se puede calcular la trascendencia de la libertad del hemisferio de Colon?

"La felonía con que Bonaparte, dice V., prendió á Carlos IV, y á Fernando VII reyes de esta nacion, que tres siglos ha aprisiono con traicion á dos monarcas de la América Meridional, es un acto muy manifiesto de retribucion divina, y al mismo tiempo una prueba de que Dios sostiene la justa causa de los americanos, y les concederá su independencia".

Parece que V. quiere aludir al monarca de Méjico Moteuczoma, preso por Cortes y muerto segun Herrera por el mismo, aunque Solis dice, que por el pueblo, y á Atahualpa Inca del Peru destruido por Francisco Pizarro y Diego Almagro. Existe tal diferencia entre la suerte de los reyes españoles y los reyes americanos, que no admiten comparación; los primeros son tratados con dignidad, conservados, y al fin recobran su libertad y trono; miéntras que los últimos sufren tormentos inauditos y los vilipendios mas vergonzosos. Si á Quauhtemotzin sucesor de Moteuczoma, se le trata como emperador, y le ponen la corona, fué por irrision y no por respeto, para que experimentase este escarnio ántes que las torturas. Iguales á la suerte de este monarca fueron las del rey de Michoacan, Catzontzin; el Zipa de Bogota, y cuantos Toquis, Imas, Zipas, Ulmenes, Caciques y demás dignidades indianas sucumbieron al poder español. El suceso de Fernando VII es mas semejante al que tuvo lugar en Chile en 1535 con el Ulmen de Copiapo, entónces reinante en aquella comarca. El español Almagro pretestó como Bonaparte tomar partido por la causa del lejítimo soberáno y en consecuencia llama al usurpador como Fernando lo era en España; aparenta restituir al lejítimo á sus estados y termina por encadenar y echar á las llamas al infeliz Ulmen, sin querer ni aun oir su defensa. Este es el ejemplo de Fernando VII con su usurpador; los reyes europeos solo padecen destierros, el Ulmen de Chile termina su vida de un modo atroz.

"Después de algunos meses, añade V., he hecho muchas reflecsiones sobre la situacion de los americanos y sus esperanzas futuras: tomo grande interés en sus sucesos; pero me faltan muchos informes relativos á su estado actual y á lo que ellos aspiran; deseo infinitamente saber la politica de cada provincia como tambien su poblacion; si desean repúblicas ó monarquías, si formarán una gran república ó una gran monarquía? Toda noticia de esta especie que V. pueda darme ó indicarme las fuentes á que debo ocurrir, la estimaré como un favor muy particular".

Siempre las almas jenerosas se interesan en la suerte de un pueblo que se esmera por recobrar los derechos con que el criador y la naturaleza le han dotado; y es necesario estar bien fascinado por el error ó por las pasiones para no abrigar esta noble sensacion; V. ha pensado en mi país, y se interesa por él, este acto de benevolencia me inspira el mas vivo reconocimiento.

He dicho la poblacion que se calcula por datos mas ó ménos exactos, que mil circunstancias hacen fallidos, sin que sea facil remediar esta inexactitud, porque los mas de los moradores tienen habitaciones campestres, y muchas veces errantes; siendo labradores, pastores, nomades, perdidos enmedio de espesos é inmensos bosques, llanuras solitarias, y aislados entre lagos y rios caudalosos. ¿Quién será capaz de formar una estadística completa de semejantes comarcas? Ademas, los tributos que pagan los indíjenas: las penalidades de los esclavos; las primicias, diezmos y derechos que pesan sobre los labradores, y otros accidentes alejan de sus hogares á los pobres americanos. Esto es sin hacer mencion de la guerra de estarminio que ya ha segado cerca de un octavo de la poblacion, y ha ahuyentado una gran parte; pues entónces las dificultades son insuperables y el empadronamiento vendrá á reducirse á la mitad del verdadero censo.

Todavía es mas difícil presentir la suerte futura del Nuevo Mundo, establecer principios sobre su política, y casi profetizar la naturaleza del gobierno que llegará á adoptar. Toda idea relativa al porvenir de este pais me parece aventurada. ¿Se puede preveer cuando el jénero humano se hallaba en su infancia rodeado de tanta incertidumbre, ignorancia y error, cual sería el réjimen que abrazaria para su conservacion? ¿Quién se habria atrevido á decir tal nacion será república ó monarquia, esta será pequeña, aquella grande? En mi concepto esta es la imájen de nuestra situacion. Nosotros somos un pequeño jénero humano; poseemos un mundo aparte, cercado por dilatados mares; nuevos en casi todas las artes y ciencias, aunque en cierto modo viejos en los usos de la sociedad civil. Yo considero el estado actual de la América, como cuando desplomado el imperio romano, cada desmembracion formó un sistéma político, conforme á sus intereses y situacion, ó siguiendo la ambicion particular de algunos jefes, familias, ó corporaciones: con esta notable diferencia que aquellos miembros dispersos volvian á restablecer sus antiguas naciones con las alteraciones que exijian las cosas ó los sucesos: mas nosotros, que apenas conservamos vestijios de lo que en otro tiempo fué, y que por otra parte no somos indios, ni europeos, sino una especie media entre los lejítimos propietarios del país y los usurpadores españoles: en suma, siendo nosotros americanos por nacimiento, y nuestros derechos los de Europa, tenemos que disputar a estos á los del país, y que mantenernos en él contra la invasion de los invasores; así nos hallamos en el caso mas estraordinario y complicado. No obstante que es una especie de adivinacion indicar cual será el resultado de la línea de política que la América siga, me atrevo aventurar algunas conjeturas que desde luego caracterizo de arbitrarias, dictadas por un deseo racional, y no por un raciocinio probable.

La posicion de los moradores del hemisferio americano, ha sido por siglos puramente pasiva: su existencia política era nula. Nosotros estabamos en un grado todabia mas abajo de la servidumbre y por lo mismo con mas dificultad, para elevarnos al goce de la libertad. Permítame V. estas consideraciones para elevar la cuestion. Los estados son esclavos por la naturaleza de su constitucion ó por el abuso de ella; luego un pueblo es esclavo, cuando el gobierno por su esencia ó por sus vicios, holla y usurpa los derechos del ciudadano ó súbdito. Aplicando estos principios, hallarémos que la América no solamente estaba privada de su libertad, sino también de la tiranía activa y dominante. Me explicaré. En las administraciones absolutas no se reconocen límites en el ejercicio de las facultades gubernativas: la voluntad del gran sultán, Kan, Dey y demás soberanos despóticos, es la ley suprema, y esta es casi arbitrariamente ejecutada por los bajaes, kanes y sátrapas subalternos de la Turquía y Persia, que tienen organizada una opresion de que participan los súbditos en razon de la autoridad que se les confia. A ellos está encargada la administracion civil, militar, política, de rentas, y la relijión. Pero al fin son persas los jefes de Hispahan, son turcos los visires del gran señor, son tártaros los sultanes de la Tartária. La China no envia a buscar mandatarios militares y letrados al pais de Gengis Kan que la conquistó, á pesar de que los actuales chinos son descendientes directos de los subyugados por los ascendientes de los presentes tártaros.

¡Cuan diferente entre nosotros! Se nos vejaba con una conducta que además de privarnos de los derechos que nos correspondian, nos dejaba en una especie de infancia permanente, con respecto á las transaciones públicas. Si hubiésemos siquiera manejado nuestros asuntos domésticos en nuestra administracion interior, conoceriamos el curso de los negocios públicos y su mecanismo. Gozariamos tambien de la consideracion personal que impone á los ojos del pueblo cierto respeto maquinal, que es tan necesario conservar en las revoluciones. He aquí porque he dicho que estabamos privados hasta de la tiranía activa, pues que no nos está permitido ejercer sus funciones.

Los americanos en el sistema español que está en vigor, y quizá con mayor fuerza que nunca no ocupan otro lugar en la sociedad que el de siervos propios para el trabajo, y cuando mas el de simples consumidores; y aun esta parte coartada con restricciones chocantes; tales son las prohibiciones del cultivo de frutos de Europa, el estanco de las producciones que el rey monopoliza, el impedimento de las fabricas que la misma península no posee, los privilejios exclusivos del comercio hasta de los objetos de primera necesidad: las trabas entre provincias y provincias americanas para que no se traten, entiendan, ni negocien: en fin ¿quiere V. saber cual era nuestro destino? los campos para cultivar el añil, la grama, el café, la caña, el cacao y el algodon: las llanuras solitarias para criar ganados, los desiertos para cazar las bestias feroces, las entrañas de la tierra para escavar el oro que no puede saciar á esa nacion avarienta.

Tan negativo era nuestro estado que no encuentro semejante en ninguna otra asociación civilizada, por más que recorro la serie de las edades y la política de todas las naciones. Pretender que un país tan felizmente constituido, extenso, rico, y populoso sea meramente pasivo ¿no es un ultraje y una violacion de los derechos de la humanidad?

Estábamos como acabo de exponer, abstraidos y digámoslo así, ausentes del universo en cuanto es relativo á la ciencia del gobierno y administración del Estado. Jamas eramos vireyes ni gobernadores sino por causas muy extraordinarias; arzobíspos y obispos pocas veces; diplomáticos nunca; militares solo en calidad de subalternos, nobles, sin privilejios reales; no eramos, en fin, ni majistrados ni financistas, y casi ni aun comerciantes: todo en contraversión directa de nuestras instituciones.

El emperador Carlos V formó un pacto con los descubridores, conquistadores y pobladores de América, que como dice Guerra es nuestro contrato social. Los reyes de España convinieron solemnemente con ellos que lo ejecutasen por su cuenta y riesgo, prohibiéndoseles hacerlo á costa de la real hacienda, y por esta razón se les concedia que fuesen señores de la tierra, que organizasen la administracion y ejerciesen la judicatura en apelacion: con otras muchas esenciones y privilejios que sería prolijo detallar. El rey se comprometió á no enajenar jamas las provincias americanas, como que á él no tocaba otra jurisdiccion que la del alto dominio, siendo una especie de propiedad feudal la que allí tenían los conquistadores para sí y sus descendientes. Al mismo tiempo existen leyes expresas que favorecen casi exclusivamente á los naturales del pais, orijinarios de España, en cuanto á los empleos civiles, eclesiásticos y de rentas. Por manera que con una violacion manifiesta de las leyes y de los pactos subsistentes, se han visto despojar aquellos naturales de la autoridad constitucional que les daba su código.

De cuanto he referido, será fácil colejir que la América no estaba preparada, para desprenderse de la metrópoli, como súbitamente sucedió por el efecto de las ilejítimas cesiones de Bayona, y por la inicua guerra que la rejencia nos declaró sin derecho alguno para ello no solo por la falta de justicia, sino tambien de lejitimidad. Sobre la naturaleza de los gobiernos españoles, sus decretos conminatorios y hóstiles, y el curso entero de su desesperada conducta, hay escritos del mayor mérito en el periódico "El Español", cuyo autor es el sr. Blanco; y estando allí esta parte de nuestra historia muy bien tratada, me limito á indicarlo.

Los americanos han subido de repente y sin los conocimientos previos, y lo que es mas sensible sin la práctica de los negocios públicos a representar en la escena del mundo las eminentes dignidades de lejisladores, majistrados, administradores del erario, diplomáticos, jenerales, y cuantas autoridades supremas y subalternas forman la gerarquía de un Estado organizado con regularidad.

Cuando las águilas francesas solo respetáron los muros de la ciudad de Cadiz, y con su vuelo arrolláron á los frájiles gobiernos de la Península, entónces quedamos en la horfandad. Ya ántes habíamos sido entregados á la merced de un usurpador extranjero. Después, lisonjeados con la justicia que se nos debía con esperanzas halagüeñas siempre burladas; por último inciertos sobre nuestro destino futuro, y amenazados por la anarquía, á causa de la falta de un gobierno lejítimo, justo y liberal, nos precipitamos en el caos de la revolución. En el primer momento solo se cuido de proveer á la seguridad interior, contra los enemigos que encerraba nuestro seno. Luego se extendió á la seguridad exterior: se establecieron autoridades que substituimos á las que acabamos de deponer encargadas de dirijir el curso de nuestra revolucion y de aprovechar la coyuntura feliz en que nos fuese posible fundar un gobierno constitucional digno del presente siglo y adecuado a nuestra situacion.

Todos los nuevos gobiernos marcáron sus primeros pasos con el establecimiento de juntas populares. Estas formáron en seguidas reglamentos para la convocacion de congresos que produjeron alteraciones importantes. Venezuela erijió un gobierno democrático y federal, declarando previamente los derechos del hombre, manteniendo el equilibrio de los poderes y estatuyendo leyes jenerales en favor de la libertad civil, de imprenta y otras; finalmente se constituyó un gobierno independiente. La Nueva Granada siguió con uniformidad los establecimientos políticos y cuantas reformas hizo Venezuela, poniendo por base fundamental de su constitución el sistema federal mas exajerado que jamas existió: recientemente se ha mejorado con respecto al poder ejecutivo jeneral, que ha obtenido cuantas atribuciones le corresponden. Segun entiendo, Buenos Ayres y Chile han seguido esta misma linea de operaciones; pero como nos hallamos á tanta distancia, los documentos son tan raros, y las noticias tan inexactas, no me animaré ni aun á bosquejar el cuadro de sus transacciones.

Los sucesos de Méjico han sido demasiado varios, complicados, rápidos y desgraciados para que se puedan seguir en el curso de la revolucion. Carecemos, ademas, de documentos bastante instructivos, que nos hagan capaces de juzgarlos. Los independientes de Méjico, por lo que sabemos, dieron principio á su insurreccion en setiembre de 1810, y un año despues, ya tenian centralizado su gobierno en Zitacuaro, instalado allí una junta nacional bajo los auspicios de Fernando VII, en cuyo nombre se ejercian las funciones gubernativas. Por los acontecimientos de la guerra, esta junta se trasladó á diferentes lugares, y es verosímil que se haya conservado hasta estos últimos momentos, con las modificaciones que los sucesos hayan exijido. Se dice que ha creado un jeneralísimo ó dictador que lo és el ilustre jeneral Morelos: otros hablan del célebre jeneral Rayon: lo cierto es que uno de estos dos grandes hombres ó ámbos separadamente ejercen la autoridad suprema en aquel pais; y recientemente ha aparecido una constitucion para el rejimen del estado. En marzo de 1812 el gobierno residente en Zultepec, presentó un plan de paz y guerra al virey de Méjico concebido con la mas profunda sabiduría. En el se reclamó el derecho de jentes estableciendo principios de una exactitud incontestable. Propuso la junta que la guerra se hiciese como entre hermanos y conciudadanos; pues que no debia ser mas cruel que entre naciones extranjeras; que los derechos de jentes y de guerra, inviolables para los mismos infieles y bárbaros, debían serlo mas para cristianos, sujetos á un soberano y á unas mismas leyes; que los prisioneros no fuesen tratados como reos de lesa majestad, ni se degollasen los que rendian las armas, sino que se mantuviesen en rehenes para canjearlos: que no se entrase á sangre y fuego en las poblaciones pacíficas, no las diezmasen ni quintasen para sacrificarlas y concluye que, en caso de no admitirse este plan, se observarian rigorosamente las represalias. Esta negociacion se trató con el mas alto desprecio: no se dió respuesta á la junta nacional: las comunicaciones orijinales se quemáron publicamente en la plaza de Méjico, por mano del verdugo: y la guerra de esterminio continuó por parte de los españoles con su furor acostumbrado, miéntras que los mejicanos y las otras naciones americanas no la hacian, ni aun á muerte con los prisioneros de guerra que fuesen españoles. Aquí se observa que por causas de conveniencia se conservó la apariencia de sumision al rey y aun á la constitucion de la monarquia. Parece que la junta nacional es absoluta en el ejercicio de las funciones lejislativas, ejecutiva y judicial, y el número de sus miembros muy limitado.

Los acontecimientos de la tierra firme nos han probado que las instituciones perfectamente representativas no son adecuadas á nuestro carácter, costumbres y luces actuales. En Carácas el espíritu de partido tomó su orijen en las sociedades, asambleas, y elecciones populares; y estos partidos nos tornaron á la esclavitud. Y así como Venezuela ha sido la república americana que mas se ha adelantado en sus instituciones políticas, también ha sido el mas claro ejemplo de la ineficacia de la forma demócrata y federal para nuestros nacientes estados. En Nueva Granada las excesivas facultades de los gobiernos provinciales y la falta de centralizacion en el jeneral han conducido aquel precioso pais al estado á que se ve reducido en el dia. Por esta razón sus debiles enemigos se han conservado contra todas las probabilidades. En tanto que nuestros compatriotas no adquieran los talentos y las virtudes políticas que distinguen á nuestros hermanos del Norte, los sistemas enteramente populares, lejos de sernos favorables, temo mucho que vengan á ser nuestra ruina. Desgraciadamente, estas cualidades parecen estar muy distantes de nosotros en el grado que se requiere: y por el contrario, estamos dominados de los vicios que se contraen bajo la dirección de una nacion cómo la española que solo ha sobresalido en fiereza, ambicion, venganza y codicia.

Es mas difícil, dice Montesquieu, sacar un pueblo de la servidumbre, que subyugar uno libre. Esta verdad está comprobada por los anales de todos los tiempos, que nos muestran las mas de las naciones libres, sometidas al yugo, y muy pocas de las esclavas recobrar su libertad. A pezar, de este convencimiento, los meridionales de este continente han manifestado el conato de conseguir instituciones liberales, y aun perfectas; sin duda o por efecto del instinto que tienen todos los hombres de aspirar á su mejor felicidad posible; la que se alcanza infaliblemente en las sociedades civiles, cuando ellas están fundadas sobre las bases de la justicia, de la libertad, y de la igualdad. Pero ¿seremos nosotros capaces de mantener en su verdadero equilibrio la dificil carga de una República? ¿se puede concebir que un pueblo recientemente desencadenado, se lance á la esfera de la libertad, sin que como a Icaro se le deshagan las álas, y recaiga en el abismo? Tal prodijio es inconcebible, nunca visto. Por consiguiente no hay un raciocinio verosímil, que nos alhague con esta esperanza.

Yo deseo mas que otro alguno ver formar en América la mas grande nación del mundo, ménos por su extension y riquezas que por su libertad y gloria. Aunque aspiro á la perfeccion del gobierno de mi patria, no puedo persuadirme que el Nuevo Mundo sea por el momento rejido por una gran república; como es imposible no me atrevo á desearlo; y ménos deseo aun una monarquia universal de América, porque este proyecto sin ser útil, es tambien imposible. Los abusos que actualmente existen no se reformarian, y nuestra rejeneracion seria infructuosa. Los estados americanos han menester de los cuidados de gobiernos paternales que curen las llagas y las heridas del despotismo y la guerra. La metrópoli, por ejemplo, seria Méjico, que es la única que puede serlo por su poder intrínseco, sin el cual no hay metrópoli. Supongamos que fuese el Istmo de Panamá punto céntrico para todos los extremos de este vasto continente ¿ no continuarían estos en la languidez, y aun en el desorden actual? Para que un solo gobierno dé vida, anime, ponga en accion todos los resortes de la prosperidad pública, corrija, ilustre y perfeccione al Nuevo Mundo seria necesario que tuviese las facultades de un Dios, y cuando ménos las luces y virtudes de todos los hombres.

El espíritu de partido que al presente ajita á nuestros estados, se encendería entónces con mayor encono, hallándose ausente la fuente del poder, que únicamente puede reprimirlo. Ademas, los magnates de las capitales no sufrirían la preponderancia de los metropolitanos, á quienes considerarían como á otros tantos tiranos: sus zelos llegarian hasta el punto de comparar á estos con los odiosos españoles. En fin una monarquía semejante sería un coloso diforme, que su propio peso desplomaría á la menor convulsion.

Mr. de Pradt ha dividido sabiamente á la América en 15 á 17 estados independientes entre sí, gobernados por otros tantos monarcas. Estoy de acuerdo en cuanto á lo primero, pues la América comporta la creacion de 17 naciones: en cuanto á lo segundo aunque es mas fácil conseguirlo, es ménos útil; y así no soy de la opinión de las monarquías americanas. He aquí mis razones. El interés bien entendido de una república se circunscribe en la esfera de su conservacion, prosperidad, y gloria. No ejerciendo la libertad imperio, porque es precisamente su opuesto, ningun estímulo excita á los republicanos á extender los términos de su nacion, en detrimento de sus propios medios, con el único objeto de hacer participar á sus vecinos de una constitucion liberal. Ningun derecho adquieren, ninguna ventaja sacan venciéndolos, á ménos que los reduzcan á colonias, conquistas, ó aliados, siguiendo el ejemplo de Roma. Máximas y ejemplos tales estan en oposicion directa con los principios de justicia de los sistemas republicanos;

y aun diré mas, en oposicion manifiesta con los intereses de sus ciudadanos; porque un estado demasiado extenso en sí mismo ó por sus dependencias, al cabo viene en decadencia, y convierte su forma libre en otra tiránica; relaja los principios que deben conservarla, y ocurre por último al despotismo. El dintintivo de las pequeñas repúblicas es la permanencia: el de las grandes es vario; pero siempre se inclina al imperio. Casi todas las primeras han tenido una larga duracion; de las segundas solo Roma se mantuvo algunos siglos, pero fué porque era republica la capital y no lo era el resto de sus dominios que se gobernaban por leyes é instituciones diferentes.

Muy contraria es la política de un rey, cuya inclinacion constante se dirije al aumento de sus posesiones, riquezas y facultades: con razon, porque su autoridad crece con estas adquisiciones, tanto con respecto á sus vecinos, como á sus propios vasallos que temen en él un poder tan formidable cuanto es su imperio que se conserva por medio de la guerra y de las conquistas. Por estas razones pienso que los americanos anciosos de paz, ciencias, artes, comercio y agricultura, preferirian las repúblicas á los reinos, y me parece que estos deseos se conforman con las miras de la Europa.

No convengo en el sistema federal entre los populares y representativos, por ser demasiado perfectos y exijir virtudes y talentos políticos muy superiores a los nuestros: por igual razón rehuso la monarquia mixta de aristocracia y democracia que tanta fortuna y explendor ha procurado á la Inglaterra. No siéndonos posible lograr entre las repúblicas y monarquias lo mas perfecto y acabado, evitemos caer en anarquias demagójicas, ó en tiranias monocratas. Busquemos un medio entre extremos opuestos que nos conducirian á los mismos escollos, á la infelicidad y al deshonor. Voy á arriesgar el resultado de mis cabilaciones sobre la suerte futura de la América: no la mejor, sino la que le sea mas acequible.

Por la naturaleza de las localidades, riquezas, poblacion y carácter de los mejicanos, imajino que intentarán al principio establecer una república representativa, en la cual tenga grandes atribuciones el poder ejecutivo, concentrándolo en un individuo que si desempeña sus funciones con acierto y justicia, casi natu-

ralmente vendrá á conservar una autoridad vitalicia. Si su incapacidad ó violenta administracion excita una conmocion popular
que triunfe, este mismo poder ejecutivo quizas se difundirá en
una asamblea. Si el partido preponderante es militar ó aristocrá-
tico, exijirá probablemente una monarquia que al principio será
limitada y constitucional, y después inevitablemente declinará en
absoluta: pues debemos convenir en que nada hay mas dificil en
el orden político que la conservacion de una monarquia mixta: y
también es preciso convenir en que solo un pueblo tan patriota
como el ingles es capaz de contener la autoridad de un rey, y de
sostener el espíritu de libertad bajo un cetro y una corona.

Los estados del istmo de Panamá hasta Guatemala formarán
quizás una asociacion. Esta magnifica posicion entre los dos grandes mares, podrá ser con el tiempo el emporio del universo. Sus
canales acortarán las distancias del mundo: estrecharán los lazos
comerciales de Europa, América y Asia: traerán á tan feliz rejion
los tributos de las cuatro partes del globo. ¡Acaso solo allí podrá
fijarse algun dia la capital de la tierra! Como pretendió Constan-
tino que fuese Bizancio la del antiguo hemisferio.

La Nueva Granada se unirá con Venezuela, si llegan á con-
venirse en formar una república central, cuya capital sea Maracaibo ó una nueva ciudad que con el nombre de *Las Casas,* (en
honor de este héroe de la filantropia) se funde entre los confines
de ámbos paises, en el soberbio puerto de Bahia-honda. Esta posicion aunque desconocida, es mas ventajosa por todos respectos.
Su acceso es facil y su situacion tan fuerte, que puede hacerse inexpugnable. Posee un clima puro y saludable, un territorio tan propio para la agricultura como para la cria de ganados, y una grande
abundancia de maderas de construccion. Los salvajes que la habi-
tan serian civilizados, y nuestras posesiones se aumentarían con
la adquisicion de la Goajira. Esta nación se llamaría Colombia
como tributo de justicia y gratitud al criador de nuestro hemisferio. Su gobierno podrá imitar al ingles: con la diferencia de que
en lugar de un rey habrá un poder ejecutivo, electivo, cuando mas
vitalicio, y jamas hereditario si se quiere república, una cámara ó
senado lejislativo hereditario, que en las tempestades políticas se
interponga entre las olas populares y los rayos del gobierno, y un
cuerpo lejislativo de libre eleccion, sin otras restricciones que las
de la cámara baja de Inglaterra. Esta constitucion participaria de

todas las formas y yo deseo que no participe de todos los vicios. Como esta es mi patria, tengo un derecho incontestable para desearla lo que en mi opinion es mejor. Es muy posible que la Nueva Granada no convenga en el reconocimiento de un gobierno central, porque es en extremo adicta á la federacion; y entónces formará por si sola un estado que si subsiste, podrá ser muy dichoso por sus grandes recursos de todos jéneros.

Poco sabemos de las opiniones que prevalecen en Buenos Ayres, Chile y el Perú: juzgando por lo que se trasluce y por las apariencias, en Buenos Ayres habrá un gobierno central en que los militares se lleven la primacia por consecuencia de sus divisiones intestinas y guerras externas. Esta constitucion dejenerará necesariamente en una oligarquia, ó una monocrácia, con más ó ménos restrícciones, y cuya denominacion nadie puede adivinar. Sería doloroso que tal cosa sucediese, porque aquellos habitantes son acreedores á la más expléndida gloria.

El reino de Chile está llamado por la naturaleza de su situacion, por las costumbres inocentes y virtuosas de sus moradores, por el ejemplo de sus vecinos, los fieros republicanos del Arauco, á gozar de las bendiciones que derraman las justas y dulces leyes de una república. Si alguna permanece largo tiempo en América, me inclino á pensar que será la chilena. Jamas se ha extinguido allí el espíritu de libertad: los vicios de la Europa y del Asia llegarán tarde ó nunca á corromper las costumbres de aquel extremo del universo. Su territorio es limitado: estará siempre fuera del contacto inficionado del resto de los hombres: no alterará sus leyes, usos y prácticas; preservará su uniformidad en opiniones políticas y relijiosas; en una palabra, Chile puede ser libre.

El Perú, por el contrario, encierra dos elementos enemigos de todo réjimen justo y liberal; oro y esclavos. El primero lo corrompe todo: el segundo está corrompido por sí mismo. El alma de un siervo rara vez alcanza a apreciar la sana libertad: se enfurece en los tumultos, ó se humilla en las cadenas. Aunque estas reglas serían aplicables á toda la América, creo que con más justicia las merece Lima por los conceptos que he expuesto, y por la cooperación que ha prestado á sus señores contra sus propios hermanos los ilustres hijos de Quito, Chile y Buenos Ayres. Es constante que el que aspira á obtener la libertad, á lo ménos lo intenta. Supongo que en Lima no tolerarán los ricos la democracia, ni los esclavos y pardos libertos la aristocracia: los primeros preferirán la tirania de uno solo, por no padecer las persecusiones tumultuarias y por establecer un órden siquiera pacífico. Mucho hará si concibe recobrar su independencia.

De todo lo expuesto, podemos deducir estas consecuencias; las provincias americanas se hallan lidiando por emanciparse, al fin obtendrán el suceso; algunas se constituirán de un modo regular en repúblicas federales y centrales: se fundarán monarquias casi inevitablemente en las grandes secciones, y algunas serán tan infelices que devorarán sus elementos, ya en la actual, ya en las futuras revoluciones que una gran monarquia no será facil consolidar: una gran república imposible.

Es una idea grandiosa pretender formar de todo el mundo nuevo una sola nación con un solo vínculo que ligue sus partes entre si y con el todo. Ya que tiene un origen, una lengua, unas costumbres y una religion debería por consiguiente tener un solo gobierno que confederase los diferentes estados que hayan de formarse; mas no es posible porque climas remotos, situaciones diversas, intereses opuestos, caracteres desemejantes dividen á la América. ¡Que bello sería que el Istmo de Panamá fuese para nosotros lo que el de Corinto para los griegos! Ojalá que algún día tengamos la fortuna de instalar allí un augusto congreso de los representantes de las repúblicas, reinos é imperios á tratar y discutir sobre los altos intereses de la paz y de la guerra, con las naciones de las otras tres partes del mundo. Esta especie de corporacion podrá tener lugar en alguna época dichosa de nuestra rejeneracion, otra esperanza es infundada, semejante á la del abate St. Pierre que concibió el laudable delirio de reunir un congreso europeo, para decidir de la suerte de los intereses de aquellas naciones.

"Mutaciones importantes y felices, continua pueden ser frecuentemente producidas por efectos individuales." Los americanos meridionales tienen una tradición que dice: que cuando Quetzalcahualt, el Hermes, ó Buhda de la América del sur resignó su administracion y los abandonó, les prometió que volveria después que los siglos designados hubiesen pasado, y que el restablecería su gobierno, y renovaria su felicidad. ¿Esta tradicion, no opera y excita una conviccion de que muy pronto debe volver? ¿concibe V. cual será el efecto que producirá, si un individuo apareciendo entre ellos demostrase los caracteres de Quetzalcahualt, el Buhda del bosque, ó Mercurio, del cual han hablado tanto las otras naciones? ¿No cree V. que esto inclinaria todas las partes? ¿no es la union todo lo que se necesita para ponerlos en estado de espulsar á los españoles, sus tropas, y los partidarios de la corrompida España, para hacerlos capaces de establecer un imperio poderoso, con un gobierno libre, y leyes benevolas?

Pienso como V. que causas individuales pueden producir resultados generales, sobre todo en las revoluciones. Pero no es el heroe, gran profeta, ó Dios del Anahuac, Quetzalcahualt, el que es capaz de operar los prodijiosos beneficios que V. propone. Este personaje es apenas conocido del pueblo mejicano y no ventajosamente; por que tal es la suerte de los vencidos aunque sean Dioses. Solo los historiadores y literatos se han ocupado cuidadosamente en investigar su orijen, verdadera ó falza mision, sus profecias y el término de su carrera. Se disputa si fué un apostol de Cristo ó bien pagano. Unos suponen que su nombre quiere decir Santo Tomas: otros que Culebra Emplumajada; y otros dicen que es el famoso profeta de Yucatan, Chilan-Cambal. En una palabra, los mas de los autores mejicanos, polémicos é historiadores profanos, han tratado con mas ó ménos extension la cuestion sobre el verdadero carácter de Quetzalcahualt. El hecho es, segun dice Acosta, que él establecio una relijion, cuyos ritos, dogmas y misterios tenian una admirable afinidad con la de Jesus, y que quizas es la mas semejante á ella. No obstante esto, muchos escritores católicos han procurado alejar la idea de que este profeta fuese verdadero, sin querer reconocer en él á un Santo Tomas como lo afirman otros célebres autores. La opinion jeneral es que Quetzalcahualt es un lejislador divino entre los pueblos paganos de Anahuac, del cual era lugar-teniente el gran Motekzoma, derivando de él su autoridad. De aquí se infiere que nuestros mejicanos no seguirian al jentil Quetzalcahualt, aunque pareciese bajo las formas mas idénticas y favorables, pues que profesan una relijion la mas intolerante y exclusiva de las otras.

Felizmente los directores de la independencia de Méjico se han aprovechado del fanatismo con el mejor acierto proclamando á la famosa virjen de Guadalupe por reyna de los patriotas, invocándola en todos los casos árduos y llevándola en sus banderas. Con esto, el entusiasmo político ha formado una mezcla con la relijion que ha producido un fervor vehemente por la sagrada causa de la libertad. La veneracion de esta imájen en Méjico es superior á la mas exaltada que pudiera inspirar el mas diestro profeta.

Seguramente la union es la que nos falta para completar la obra de nuestra rejeneracion. Sin embargo, nuestra division no es extraña, porque tal es el distintivo de las guerras civiles formadas jeneralmente entre dos partidos: *conservadores* y *reformadores*. Los primeros son por lo comun mas numerosos, porque el imperio de la costumbre produce el efecto de la obediencia á las potestades establecidas: los últimos son siempre ménos numerosos aunque mas vehementes é ilustrados. De este modo la masa física se equilibra con la fuerza moral, y la contienda se prolonga, siendo sus resultados muy inciertos. Por fortuna, entre nosotros la masa ha seguido á la intelijencia.

Yo diré a V. lo que puede ponernos en aptitud de expulsar á los españoles, y de fundar un gobierno libre. Es la *union,* ciertamente; mas esta union no nos vendrá por prodijios divinos, sino por efectos sensibles y esfuerzos bien dirijidos. La América está encontrada entre sí, porque se halla abandonada de todas las naciones, aislada en medio del universo, sin relaciones diplomáticas ni auxilios militares y combatida por la España que posee mas elementos para la guerra, que cuantos nosotros furtivamente podemos adquirir.

Cuando los sucesos no están asegurados, cuando el Estado es débil, y cuando las empresas son remotas, todos los hombres vacilan: las opiniones se dividen, las pasiones las ajitan, y los enemigos las animan para triunfar por este facil medio. Luego que seamos fuertes, bajo los auspicios de una nacion liberal que nos preste su proteccion, se nos verá de acuerdo cultivar las virtudes y los talentos que conducen á la gloria: entónces seguirémos la marcha majestuosa hácia las grandes prosperidades á que está destinada la América Meridional; entónces las ciencias y las artes que nacieron en el Oriente y han ilustrado la Europa, volarán á Colombia libre que las convidará con un asilo.

Tales son, señor, las observaciones y pensamientos que tengo el honor de someter a V. para que los rectifique ó deseche segun su mérito; suplicándole se persuada que me he atrevido á exponerlos, mas por no ser descortés, que porque me crea capaz de ilustrar á V. en la materia.

Sóy de V. &c. &c. &c.

Kingston setiembre 6 de 1815.

En nuestra edición de Cartas del Libertador, Caracas, 1929, tomo I, página 205, comentamos las versiones más conocidas de esta carta, justamente denominada la Carta Profética de Jamaica. Esas versiones son las de Austria, Larrazabal, Blanco y Azpurúa y O'Leary. Y en el tomo IX de la misma obra, en las Rectificaciones, al final del volúmen, nos referimos a la reproducción del general Tomás Cipriano de Mosquera, en sus "Memorias sobre la Vida del Libertador Simón Bolívar", publicadas en New York en 1853, páginas 81 a 102, anterior a las citadas. Consideramos entonces a esta última la versión más antigua. Pero no es así: nosotros no conocíamos el "Apéndice al Tomo Vigésimo Primero" de la "Colección de Documentos Importantes Relativos a la Vida del Libertador de Colombia y del Perú, Simón Bolívar", obra formada y publicada por don Cristóbal de Mendoza y el doctor Francisco Javier Yanes, de 1826 a 1832. Muerto don Cristobal en 1828, Yanes continuó la publicación hasta su término.

En este Apéndice al tomo Vigésimo Primero, publicado en la Imprenta de Damirón y Dupuy, calle de la Fraternidad Nº 24, en el año de 1833, se halla la más antigua de las versiones de la famosa Carta Profética. Nosotros la reproducimos aquí exactamente con la misma ortografía del Apéndice. Sólo hemos corregido el nombre Quetzalcahualt escrito en la del Apéndice así: Quetralcahualt.

En la confección de este Apéndice, equivalente a un volumen de la obra, e impreso aparte del tomo XXI, parece haber intervenido mano amiga a la memoria del Libertador, por sus muchos documentos favorables a él. En ese año el general Pedro Briceño Mendez se hallaba en Caracas, retirado de la cosa pública. Como antiguo secretario de Bolívar y su compañero en Jamaica es muy posible suministrara el original de la carta de 6 de setiembre para su publicación en este Apéndice.

27.—*De fotografía del original*).

Los Cayos, diciembre 26 de 1815.

*Señor don Manuel Hyslop.*

Muy señor mío:

Tengo el placer de participar a Vd. mi feliz arribo a este puerto el 24 del corriente.

Durante mi navegación tuve el dolor de hablar con un corsario de Cartagena que me dió la funesta noticia de la pérdida de la plaza. Sin embargo, yo conservo esperanzas de que sea falsa esta noticia, porque habiéndose evacuado la plaza el 5 del corriente, y habiendo salido emigrados diez buques que había en la bahía, el 19 en que yo salí de esa ciudad, debía haber noticias de este suceso, que aun aquí se ignoraba a mi llegada. Yo creo que el corsario huyó de la plaza contra las órdenes del gobierno y temiendo que la Popa lo obligase a volver, fingió la noticia para poderse evadir.

Sea lo que fuere de la verdad, o falsedad de la noticia, yo continúo mi proyecto y mañana marcho para Puerto Príncipe. Si Cartagena está perdida, mi empresa se dirigirá a otra parte, quizás con mejor suceso, porque reuniendo los restos que se hayan salvado, la expedición que forme será más fuerte, y por consiguiente más seguro el resultado. Yo no abandonaré nunca la causa de mi país y creo que mis amigos tienen bastante carácter para no abandonarme por un pequeño revés, si acaso fuere cierto.

A mi vuelta de Puerto Príncipe tendré la satisfacción de escribir de nuevo y espero que las noticias que entonces le daré serán lisonjeras.

Soy de Vd. siempre afmo. amigo seguro servidor Q.B.S.M.

SIMON BOLIVAR

*28.—De fotografía del original).*

Los Cayos, 26 de diciembre de 1815.

Mi apreciado amigo:

Tengo la satisfacción de participar a Vd. mi llegada a este puerto el 24 del corriente sin novedad.

Mis amigos Brion, Durán y los demás que hay aquí amantes de la América me han recibido con muchas muestras de amistad, y he empezado a tratar con ellos sobre nuestro proyecto, a cuyo intento marcho mañana para Puerto Príncipe.

En la navegación hablé con el capitán de la goleta corsario de Cartagena La Republicana que iba para ese puerto, y tomó la dirección de esta Isla luego que nos encontró. El capitán nos informó que la plaza había sido evacuada el 5 del presente, emigrando mucha parte de la población y toda la guarnición con las armas por mar. Yo creo falsa esta noticia, porque a mi llegada aquí no se sabía tal cosa, ni encontramos otro buque de los emigrados, a pesar de que el mismo capitán dijo, que los demás habían tomado su rumbo a este puerto. Aun cuando fuese cierta, no por eso dejaré de emplear mis esfuerzos a favor de mi país. Los restos de las tropas de Cartagena, los hombres emigrados, las armas que hayan salvado, y los buques en que vengan me proporcionan muchos recursos para emprender por otra parte, quizás con mejor suceso. La pérdida de Cartagena no es decisiva de la suerte de la Nueva Granada, y los españoles tomándola, se debilitan porqué tendrán que desmembrar de su ejército una fuerte guarnición con que cubrirla. En fin, yo creo, que aun cuando se confirmase esta fatal noticia, nuestro proyecto puede continuar, y la causa de América prosperar algo con nuestros esfuerzos. Así no desmayo, y espero que mis amigos tampoco me abandonarán.

Mi vuelta de Puerto Príncipe no sé cuanto tardará, pero de todas partes tendré cuidado de participar a Vd. los progresos que haga y las ventajas que se nos presenten.

Mande Vd. a su afmo. amigo, seguro servidor Q.B.S.M.

Simon Bolivar

Ignoramos a quien fué dirigida. El original pertenece a Victor F. Schroeter, de New York.

# 1816

29.—*Del original*).

Puerto Príncipe, 2 de enero de 1816.

*Señor don Luis Brion.*

Mi querido amigo:

Al fin llegué aquí antes de ayer por la noche, ayer fué un día de fiesta y no pude ver al señor Presidente. En este momento acabo de hacerle una visita que me ha sido tan agradable, cuanto Vd. puede imaginar. El Presidente me ha parecido, como a todos, muy bien. Su fisonomía anuncia su carácter y éste es tan benévolo como conocido. Yo espero mucho de su amor por la libertad y la justicia. Aun no he podido hablar con él sino en términos generales. Luego que me sea posible entrar en materia lo haré con toda la reserva y moderación que exige nuestra desgraciada situación. De todo daré a Vd. parte con la franqueza que debo y he ofrecido.

A los amigos escribo con esta fecha, diciéndoles poco más o menos lo mismo que a Vd. sobre nuestro asunto común, y si ocurriere alguna cosa de importancia le despacharé a Vd. un propio. Entre tanto, yo espero que Vd. haga lo mismo conmigo; suplicándole de paso procure reunir los espíritus para que podamos efectuar alguna empresa útil sobre la Costa Firme.

Ya he hablado para que vaya la goleta que debe ser de Vd. al puerto donde están nuestros emigrados, según lo que Vd. me dijo.

Aquí reina una gran tranquilidad. Todo manifiesta un sumo dolor por la pérdida de Cartagena, aunque conservan la esperanza de ver restablecer nuestros negocios. Se habla mucho de una guerra de los Estados Unidos con la España y esto debe sernos extremamente favorable por todos respectos.

Supongo que ya la emigración habrá parecido allí, y sin duda

ABORDAJE DEL BERGANTÍN INTRÉPIDO
En la Galería.

en un estado bien lamentable. Paciencia y procuremos remediar radicalmente el mal. Formémonos una patria a toda costa y todo lo demás será tolerable.

Adiós mi querido amigo, reciba Vd. nuestra estimable amistad, con que soy de Vd. afmo.

SIMON BOLIVAR

Archivo de Yanes. Publicada en nuestra colección con pequeñas diferencias. Tomo I, página 223.

---

30.—Del original).

(Ciudad de Margarita, 19 de mayo de 1816).

*Ciudadano Luis Brion*

Mi querido Almirante:

Recibí anoche un oficio que por orden de Vd. me escribió Villeret sobre los víveres que deben trasportarse a la escuadrilla. El general Arismendi está instruído de ello, y ha tomado providencias para efectuarlo.

Anoche he regresado a esta ciudad, después de haber hecho un reconocimiento de los puestos del enemigo, tanto por mar, como por tierra, y después de haberlo intimado del modo más conveniente.

Pero, amigo, nada de esto vale, porque el enemigo no puede rendirse aunque quiera, por muy afligido que esté, tanto por la guerra a muerte, cuanto a que para escapar siempre tiene tiempo, y si añadimos una razón más fuerte aun, que es la de sus posiciones, que son intomables para nosotros, deduciremos naturalmente esta consecuencia: que nuestra situación aquí es puramente pasiva, y que solo puede cambiarla el movimiento que hagamos sobre la Costa Firme. Yo insisto en mi primera idea de continuar la expedición a la Costa Firme. Si yo en persona no voy a ella no podrá tener todo el carácter que necesita para que logre un suceso completo: todos nuestros esfuerzos serán perdidos, y los sacrificios de Vd. más aun. Si me quedo aquí, aun cuando una expedición vaya contra la Costa Firme, esta Isla será arruinada, solo por perseguirme. Las fuerzas españolas se dirigirán sobre este punto, y jamás la Isla quedará libre de los tiranos. Estoy tan cierto de esto que no tengo la menor duda en que mi presencia aquí, en lugar de servir de defensa, es un motivo de destrucción para todos.

La escuadrilla debe llegar hoy al puerto del Norte, y por consiguiente es necesario determinarnos a tomar un partido definitivo. Yo suplico a Vd. que convenza de esta verdad al general Arismendi, y envíeme Vd. la respuesta hoy mismo si es posible.

Soy su afmo. amigo que lo estima y desea su pronto restablecimiento.

BOLIVAR

Archivo de Yanes.

---

*31.—De una copia).*

Cuartel General en la Ciudad de Margarita,<br>24 de mayo de 1816.

### SIMON BOLIVAR

Jefe Supremo de la República, y Capitán General<br>de los Ejércitos de Venezuela y de la<br>Nueva Granada, &., &., &.

Declaro que en atención a los servicios de Mr. Lominé en la expedición, y de su distinguida conducta en la captura de la goleta Rita, le cedo en propiedad la parte de dicha presa que corresponde al Gobierno.

BOLIVAR

Traducida del francés.

---

32.—*De una copia*).

Cuartel General de Carúpano,
27 de junio de 1816.

SIMON BOLIVAR

Jefe Supremo de la República, Capitán General
de los ejércitos de Venezuela y de la
Nueva Granada &., &., &.

*A Monsieur J. B. Chasseriau.*

Mi querido amigo y señor:

Por varias veces he tenido el gusto de escribir a Vd. pero el silencio de Vd. y la dirección que han llevado mis cartas me hace temer que se hayan extraviado, y que se halle Vd. privado de mis noticias.

La colección de boletines que le incluyo le instruirán de las operaciones que hemos ejecutado, y de las ventajas adquiridas sobre el enemigo por todas partes donde nos hemos presentado. Si la fortuna, que nos ha protegido hasta ahora a pesar de la escasez de medios con que hemos emprendido las primeras operaciones, continúa favoreciéndonos en adelante cuando ya contemos con un cuerpo de tropas bien considerable, la campaña se decidirá muy pronto en nuestro favor.

Un mes hace que estoy aquí ocupado en levantar y organizar el ejército. Al presente sólo me detiene el general Mariño que debe llegar de un momento a otro con un grueso que me trae de Güiria. Lo espero antes de dos días para empezar mis marchas inmediatamente sobre Cumaná. Aunque el enemigo se ha reconcentrado allí o en sus inmediaciones, yo confío en el valor y patriotismo de mis soldados y me prometo una victoria segura.

Los llanos han sido abandonados por los españoles que han traído a Cumaná las tropas con que los cubrían, contra las guerrillas innumerables que combaten en aquella parte por la libertad. Para aprovecharme de estas circunstancias he enviado al general Piar a Maturín con orden de que se ponga a la cabeza del ejército que debe formarse de la reunión de nuestras guerrillas.

Sus marchas serán rápidas y se dirigirán hacia donde más nos convenga.

Amigo, todo conspira a asegurarnos el fruto de nuestros esfuerzos. Los españoles están tan desengañados de que no pueden triunfar y de que es desesperada su situación que aunque aparentan defenderse, sólo tratan de huir y de salvarse. La generosidad de la conducta que me he propuesto con respecto a ellos, creo que va a influir mucho para facilitarme la libertad de mi patria.

Hágame Vd. el favor de saludar de mi parte a su señora esposa y disponga del verdadero afecto con que soy de Vd. atento seguro servidor Q.B.S.M.

BOLIVAR

El original pertenece al Barón Arthur Chasseriau, residente en París. La carta fué copiada por el señor doctor Pedro Manuel Arcaya, gracias a la amabilidad del señor Albert Depreaux, de la "Fondation Thiers" y del "Comité International des Sciences Historiques".

El señor J. Benito Chasseriau, suplió en Los Cayos al Libertador la suma de 404 pesos para gastos de la expedición. El año de 1827, hallándose Chasseriau en San Thomas, el Libertador mandó a pagarle, con los réditos correspondientes, calculados a razón de 6% al año, desde el 1° de enero de 1816 hasta la fecha de la orden dada al Intendente del Departamento de Venezuela, 3 de abril de 1827. *O'Leary XXV, 227.*

---

*33.—Del original).*

## SIMON BOLIVAR

Jefe Supremo de la República de Venezuela,
Capitán General de sus Ejércitos y los
de la Nueva Granada &., &., &.

Deseando continuar las relaciones de paz y amistad, que siempre han existido entre la República de los Estados Unidos del Norte de América y la de Venezuela, que tenemos la honra de dirigir, hemos venido en eligir y nombrar, como por la presente elegimos y nombramos al señor Almirante Luis Brion nuestro Enviado Plenipotenciario cerca del Gobierno de dicha República, autorizándole y cometiéndole las facultades necesarias, para que a nombre nuestro, y del pueblo, nuestro comitente entable y concluya cuantos tratados y negociaciones juzgue convenientes al bien de ambos países, conforme a las instrucciones que al efecto le hemos dado.

Dada, firmada de nuestra mano, sellada con el provisional de la República, y refrendada por el Secretario de Estado y Relaciones Exteriores en el Cuartel General de Ocumare a 7 de julio de 1816-6º. de la Independencia.

SIMON BOLIVAR

*Pedro Briceño Mendez*
   *Secretario de Estado y Relaciones Exteriores.*

Archivo de Yanes.

---

34.—*Del original*).

Instrucciones que deben dirigir al Exmo. Señor Almirante Luis Brion en su misión cerca del Gobierno de los Estados Unidos del Norte de América.

Artículo 1º—Siendo el reconocimiento de nuestra Independencia el principal objeto que debemos proponernos por ahora, procurará de todos modos obtenerlo, presentando a aquel Gobierno los sinceros sentimientos con que deseamos la amistad y alianza de nuestra naciente República con la de los Estados Unidos.

Artículo 2º—Con conocimiento de nuestra situación, de los recursos de nuestro país, y de sus frutos y producciones celebrará los tratados más convenientes al progreso y prosperidad de nuestro Comercio recíproco con aquellos Estados.

Artículo 3º—Si continuando aun las disposiciones que se nos han anunciado de hostilidades entre aquella República y la España, conociere el enviado que se pueden alcanzar algunos auxilios, los impetrará, bien consistan en dinero, armas, municiones, vestidos, tropas o buques de guerra, estipulando los pactos más justos, y que sean más conformes a nuestros intereses.

Artículo 4º—De todos modos y aun en el caso de que hayan cesado aquellas disposiciones, solicitará un empréstito reservado en dinero o efectos de guerra, ya sea del Gobierno o de particulares.

Artículo 5º—El modo y tiempo en que deba efectuarse el recibo y pago de este empréstito, será convenido por el Enviado, con arreglo a nuestra actual situación y a los recursos que ofrece nuestro país restituida que le sea su tranquilidad.

Dadas, firmadas de nuestra mano, selladas con el provisional de la República, y refrendadas por el Secretario de Estado y Relaciones Exteriores en el Cuartel General de Ocumare a 7 de julio de 1816-6º. de la Independencia.

SIMON BOLIVAR

*Pedro Briceño Mendez*
  *Secretario de Estado y Relaciones Exteriores.*

Archivo de Yanes.

————

*35.—Del original).*

## SIMON BOLIVAR

Jefe Supremo de la República de Venezuela,
Capitán General de sus Ejércitos, y los
de la Nueva Granada &., &., &.

Deseoso de establecer relaciones, que nos aseguren la paz y amistad entre la República Mexicana y la de Venezuela, que tenemos la honra de dirigir, hemos venido en elegir, y por la presente elegimos y nombramos al Exmo. Señor Almirante Luis Brion nuestro Enviado Plenipotenciario cerca del Gobierno de las Provincias Unidas de México, autorizándole y cometiéndole todas las facultades necesarias, para que a nombre nuestro, y del Pueblo nuestro comitente entable y concluya cuantos tratados y negociaciones juzgue convenientes al bien de ambos países, conforme a las instrucciones secretas con que al efecto le hemos instruído.

Dado, firmado de nuestra mano, sellado con el provisional de la República, y refrendado por el Secretario de Estado y Relaciones Exteriores en el Cuartel General de Ocumare a 7 de julio de 1816.6° de la Independencia.

SIMON BOLIVAR

*Pedro Briceño Mendez*
  *Secretario de Estado y Relaciones Exteriores.*

Archivo de Yanes.

---

36.—*Del original*).

Instrucciones que deben dirigir al Exmo. Señor Almirante Luis Brion en la misión que se le ha encargado cerca del Gobierno de las Provincias Unidas de México.

---

Artículo 1°—Como el objeto principal de esta misión es manifestar al Pueblo y Gobierno Mexicano los sentimientos de fraternidad y unión, que animan a Venezuela respecto de todas las demás Provincias de América, que combaten por su libertad contra los tiranos españoles, será el primer deber del Almirante exponerlo así a aquel Gobierno: le ofrecerá nuestro reconocimiento formal, y exigirá igual correspondencia de parte de él.

Artículo 2°—No pudiendo calcularse a tanta distancia la situación actual de aquella República por la variedad e incertidumbre de los sucesos de la guerra, y estando plenamente satisfechos del ascendrado patriotismo de nuestro Enviado, del conocimiento que tiene de nuestros intereses, y de la pureza y ardor de sus deseos por la causa de la libertad de la América, dejamos a su prudencia los demás tratados, que deba celebrar, para asegurar la mutua y recíproca correspondencia y protección de una y otra República.

Artículo 3°—Se encarga con particularidad al Enviado, que

represente a aquel Gobierno el estado de devastación a que ha quedado reducido este país por consecuencia del sistema destructor que han llevado a efecto los Españoles aquí más que en ninguna otra parte de América: hará conocer nuestra absoluta falta de fondos para proveernos de los elementos más indispensables para continuar nuestra lucha, y la necesidad urgente que nos obliga a recurrir a la beneficencia y generosidad del Pueblo Mexicano pidiéndole un empréstito de quinientos mil pesos que podrán bastar por ahora para cubrir una parte de los gastos que hemos hecho y debemos hacer.

Artículo 4º—Nuestro Enviado está autorizado para estipular los pactos, término, modo, y plazos en que debamos recibir el empréstito, y aquellos en que debamos pagarlo, sujetándose sólo a los conocimientos que él tiene de nuestras necesidades y a las rentas que ofrece nuestro país restablecido que sea en el goce de su libertad.

Dadas, firmadas de nuestra mano, selladas con el provisional de la República, y refrendadas por el Secretario de Estado y Relaciones Exteriores en el Cuartel General de Ocumare a 7 de julio de 1816—6º de la Independencia.

Simon Bolivar

*Pedro Briceño Mendez*
  *Secretario de Estado y Relaciones Exteriores.*

Archivo de Yanes.

———

*37.—De una copia*).

Cuartel General de Ocumare, a 8 de julio de
1816. 6º de la Independencia.

### SIMON BOLIVAR

Jefe Supremo de la República, Capitán General de los
Ejércitos de Venezuela y Nueva Granada &., &., &.

*Al ciudadano José Francisco Bermúdez, General de Brigada.*

La sorpresa que me ha causado la llegada de Vd. a ese puerto
ha crecido al leer su oficio fecha de ayer. Vd. supone ignorar los
poderosos motivos que hubo para dejarlo en tierra al tiempo de
salir la escuadra de *Los Cayos,* cuando ellos fueron públicos, y
cuando no había un solo individuo de la expedición que no los
supiese, y que no reclamare esta medida como de primera necesidad para evitar el desorden y los males que son su consecuencia.

Después de las diferencias y contestaciones que Vd. excitó en
*Los Cayos,* y que me obligaron a licenciarlo; después de los partidos que continuó formando para oponerse a la expedición pretendiendo el mando de ella contra la voluntad general de todos
los que la componían, contra la determinación de la Junta general
de Jefes y notables que me encargó su dirección y lo que no es
menos, contra el expreso comprometimiento de Vd. después de
los votos formales y expresos que Vd. y sus compañeros hicieron
públicamente allí de atentar contra mi vida y de elevarlo a Vd. a
la autoridad suprema; después, en fin, de las muchas pruebas que
ha dado de insubordinación y de sedición, no está en mi arbitrio
admitirlo en el Ejército ni en el territorio de la República.

Felizmente hasta ahora reina en uno y otro la mejor armonía
y subordinación; nadie aspira sino a salvar la Patria, y si se disputa
alguna preferencia es la de ir delante de los demás al encuentro
del enemigo, y la de ejecutar mis órdenes con la más estricta y
ciega obediencia. La presencia de Vd. entre nosotros turbaría
todo el orden, volvería a encender las discordias, haría revivir las
odiosas y destructoras pretensiones que se han extinguido ya, y
envolvería inevitablemente en sus ruinas al Ejército y a la naciente
República.

Por todas estas consideraciones me veo en la forzosa necesidad de impedir a Vd. y a sus compañeros el desembarque que solicitan, y le prevengo se prepare para trasbordarse con ellos a un buque que los llevará con seguridad a las colonias amigas.

Luego que la República esté del todo libre y tranquila, permitiré a Vd. que venga a habitar entre nosotros. Entonces las pasiones se habrán calmado y no habrá tantos justos temores.

Salud y libertad.

BOLIVAR

El original pertenece al señor Jorge Iragorri, de Popayán.

---

38.—*De una copia*).

Cuartel General de Ocumare, a 11 de Julio de 1816
a las 3 de la tarde.

### SIMON BOLIVAR

Jefe Supremo de la República, Capitán General
de los Ejércitos de Venezuela y de la
Nueva Granada, &., &., &.

*Al Señor Coronel Comandante de la Vanguardia Carlos Soublette.*

Por el oficio de Vd. de esta fecha me he impuesto de los detalles de la acción sostenida por esa División con el enemigo ayer tarde.

La conducta de los Batallones de Cazadores y Girardot me llena de satisfacción, y me confirma en la confianza que tengo de que será destruído el enemigo en el primer encuentro que vuelva Vd. a tener.

Es bien extraño el modo con que se ha conducido el Batallón de Güiria. Siendo esas las tropas más aguerridas deberían haber llenado mejor su deber. Yo no hallo otra causa para esto que la falta de Oficiales y sobre todo de Jefe. Así puede Vd. remitirla entregándolo al Coronel Meza, por ahora o al Comandante Hernández, como le he dicho antes.

Si hemos podido rechazar al enemigo con fuerzas inferiores, luego que haya Vd. recibido los refuerzos que condujo el Coronel Landaeta y los que esta mañana le envié con el Teniente Coronel Montesdeoca, su División se hace infinitamente superior al enemigo, y los resultados son más seguros y decisivos.

Hoy ha venido un espía de los enviados a Puerto Cabello y asegura lo que los anteriores. No hay allí fuerza alguna, y los comerciantes están emigrando para Coro con todos sus intereses. Tal es el desaliento en que están generalmente por todas partes los españoles. Si fuéramos dueños de los Valles de Aragua, la suerte de la campaña estaría ya decidida por nosotros.

Salud y libertad.

BOLIVAR

El suscrito, miembro de las Academias de Historia de Colombia y de Venezuela, certifica que la carta precedente, con la firma autógrafa del Libertador, es fiel copia del original que guarda en su colección particular de objetos bolivarianos.

Bogotá, noviembre 15 de 1937.—*Carlos Arrubla.*

En nuestro estudio "Expedición de los Cayos", segunda parte (Boletín de la Academia Nacional de la Historia, número 77, páginas 14 y siguientes) demostramos que las fuerzas de Morales el 10 de julio en la tarde, sólo eran de 400 hombres, no todos armados de fusil: y calculamos las de Soublette en 570 combatientes, partiendo de la base de que el número total de los desembarcados en Ocumare fuera sólo de 700 hombres, y suponiendo incorporados ya a Soublette los rezagados enviados de Ocumare con el coronel Landaeta. Según el texto de esta nota, en el momento del combate de las Piedras, Landaeta no se había incorporado pero debió efectuarlo en el curso de la noche, y todavía Soublette pudo batir a Morales el 11 antes de su reunión con el coronel Bausá.

*39.—Del original).*

Port au Prince le 14 octobre 1816

(*Al Señor Almirante Luis Brión*).

Mon cher Amiral:

J'ai reste ecrasé en apprenant votre malheur inattendu. Quelle fatalité s'est attachée a notre Expédition! le Général, L'Amiral et tous en un mot ont éprouvé des revers les plus afreux, la constance parvient a tout et quoiqu'elle soit amere les fruits sont tres doux.

Je suis venu ici dand l'intention de faire encore quelque chose pour la cóte ferme, qui a beoin principalement d'armes de munitions et de bátiments. Je suis encore déterminé á exécuter un projet, mais je ne sais pas encore si l'arrivée du Général Mina ne me fait pas changer mon plan, Je l'ai vu hier et nous avons parlé avec beaucoup de franchise; ce qu'il m'a communiqué me fait esperer beaucoup, voila ce qui peut influer sur ce que je m'étais proposé de faire. Cependant je ne suis pas encore bien décidé.

Je désire savoir quelles sont vos intentions dans ce moment et si Je puis vous etre utile a quelque chose comptez sur ma reconnaissance et mon amitié. J'attends avec impatience vos dernieres nouvelles. J'ignore si vous avez perdu tous vos bátiments. Je me flatte que votre malheur n'a pas été si grand puisque vous ne m'en parlez pas dans votre lettre du 8 courant. Il parait que les Anglais et les Américains sont déterminés a nous protéger, nous devons en profiter pour avoir le plaisir de retourner dans notre patrie; si vous pensez a quelque chose d'importante je vous engage a venir ici ou envoyer quelqu'un de vos amis pour traiter avec moi.

Monsieur le Président est toujours notre protecteur et il continue aussi sa réserve ordinaire c'est porquoi je vous prie de ne donner communication de ma lettre a personne.

Receves les témoignages sinceres de mes regrets, ma reconnaissance et mon estime.

BOLIVAR

Archivo de Yanes

*40.—Del original).*

Puerto Príncipe, noviembre 5 de 1816.

*Al señor Almirante de Venezuela Luis Brion.*

Mi querido Almirante:

Por una goleta acabada de llegar de San Thomas hemos sabido que los patriotas de Venezuela han tomado a Cumaná y Barcelona, y se añade que el general Arismendi está ya en el continente después de haber dejado enteramente libre a Margarita. Los portadores de esta noticia, aseguran que han visto una proclama de Mariño en que habla de la toma de Cumaná y Barcelona; y también dicen que Montilla trae todos los documentos. He aquí mis congeturas: la división de Gregor reunida a las partidas de Zaraza y Monagas puede haber tomado a Barcelona. Mariño con Piar, Rojas y quizás Sedeño habrán tomado a Cumaná y con este motivo es posible que los españoles hayan evacuado a Pampatar. Estas circunstancias parecen muy favorables para llevar a nuestros conciudadanos todos los auxilios consabidos. Hoy ha venido a visitarme el Secretario y me ha hablado en un tono muy lisonjero. El presidente hace días que está malo con calentura, con ese motivo no he podido verlo, pero no tengo la menor duda que conseguiremos lo que deseamos. Trabaje Vd. con actividad como acostumbra, para que no le falten las armas y municiones a nuestras tropas que es con las que podemos libertar a Venezuela y pasar a la Nueva Granada. No debemos perder una ocasión tan oportuna de volver a la patria.

Soy de Vd. amigo y servidor.

BOLIVAR

A Villeret que tenga esta por suya; que no le escribo porque no haría más que repetir, pero que espero me escriba todas las noticias que adquiera.

BOLIVAR

P.D. Después de escrita ésta he recibido el oficio del general Arismendi cuya copia envío a Vd. Por él verá Vd. que me llaman y que nuestras cosas van allí muy bien; ahora pues es preciso apurarnos para marchar. Junte Vd. todos los barcos que pueda, que yo conseguiré cuanto me quieran dar el Presidente, que seguramente nos protegerá con más calor que antes. Parece que la providencia nos favorece en medio de nuestras miserias. Yo concibo esperanzas lisonjeras. El Decatur quiere venir aqui con nosotros. Vd. por allá arme cuantos pueda a fin de llevar sobre las costas con una escuadra. García de Sena me ha escrito sobre un tal Mr. Ferdinand que quiere armar un buque, hable Vd. con él si le parece. También parece que quiere ir el Conejo, vea eso. No extrañe Vd. que no se hable de Cumaná ni de Margarita porque son sucesos posteriores.

BOLIVAR

Archivo de Yanes. Las líneas dirigidas a Villeret son de letra del Libertador.

---

*41.—Del original).*

Puerto Príncipe, noviembre 6 de 1816.

*Exmo. Señor Almirante Luis Brion.*

Mi querido Almirante:

He hablado con mis amigos sobre las cañas huecas y los polvos negros y me han asegurado que tendremos todo lo que antes nos ofrecieron. Además tengo un negocio de la misma especie que nos será sumamente útil; así llevaremos una gran cantidad de esta mercancía. Permítame Vd. que no le hable más claro porque me exigen un gran secreto de una y otra parte.

Yo estoy desesperado porque nos vayamos pues tanto me importa a mí como a Vd. irnos pronto no sea cosa que haya algún trastorno desgraciado. Aquí hemos recibido cartas y documentos de la Costa Firme los más importantes. Estoy lleno de satisfacción al ver que la República en este momento debe estar ya casi toda libre y que los pueblos y los generales son mis amigos, excepto

Bermúdez que ya puede haber muerto de sus heridas. Aquí hay cincuenta o sesenta que deben ir con nosotros y al mismo tiempo hay muchos objetos que deben embarcarse aquí, vea Vd. qué medidas toma para que esto se verifique así. Pero todo esto debe ser muy pronto pues dentro de quince días debemos estar en el mar, y si no tendremos que experimentar algunos reveses.

Quisiera que Villeret u otro amigo de Vd. viniera a tratar conmigo, y si nó yo mandaré uno de acá, pero este amigo debe estar perfectamente instruído de todas las cosas de Vd.; como lo estará el que yo mande de las mías. Es en vano recomendar a Vd. que procure que se habiliten ahí algunos corsarios para que hagan bulto en nuestra pequeña expedición, pues ahora necesitamos espantar a los españoles cuyo objeto será impedirnos entrar en los puertos, que probablemente procurarán bloquear. No diga Vd. a nadie el lugar a donde probablemente podemos ir, a fin que los enemigos no nos esperen allí, lo que no puede hacernos ningún bien. En fin concluyo esta carta por repetir que la celeridad debe ser todo nuestro asunto en este momento.

Soy de Vd. afmo. amigo y compañero.

BOLIVAR

P.D. Trate Vd. de tomar el plomo que hay en esa ciudad de Mr. Hyslop bien sea al contado bien a crédito, pues de lo demás tenemos una grandísima cantidad.

Archivo de Yanes.

---

42.—Del original).

Puerto Príncipe, noviembre 11 de 1816.

*Exmo. Señor Almirante Luis Brion.*

Mi querido Almirante:

Anoche he recibido una noticia muy favorable. Mr. Durant amigo de Vd. y mío de Jackmel, ha escrito a Mr. Survis una carta anticipándole el aviso de haber llegado a aquel puerto una embarcación de 14 cañones con la bandera independiente que viene a buscarme y me trae pliegos de Venezuela. Confirma la noticia de nuestros sucesos y de la derrota de los españoles. Que Mariño está mandando interinamente hasta mi vuelta. Que los pueblos están clamando por mí, en una palabra repite lo que sabíamos. Yo no he recibido aun los citados pliegos porque Mr. Christi, un amigo mío, los pidió para mandármelos y su posta se había retardado en el camino. Espero que antes de enviar a Vd. ésta hayan venido las noticias y le mandaré una copia.

Aquí las cosas van muy bien. Tendremos víveres para nuestra expedición, pero Vd. sabe que las raciones son muy pequeñas y no debemos contar sino con la mitad. Mañana le mandaré a Vd. la orden para que reciba los que han de tomarse en los Cayos, que aquí se tomará la otra parte. Tendremos muchos voluntarios, creo que más que la otra vez porque los franceses parece que se quieren ir la mayor parte de aquí, del mal resultado de la misión de Francia. La goleta Belgard vá con nosotros y saldrá de aquí el sábado llevando cuanto pueda. Creo que no bastará para llevar la gente y los objetos que tenemos, y aunque irá con nosotros otro buque más, si le es posible envíe Vd. otro buque, pero es preciso que sea luego que Vd. reciba esta. En Jackmel y en los Cayos debemos recibir ciertos objetos.

Estoy asombrado de ver que hasta hoy no me haya Vd. escrito ninguna carta, temo algún trastorno.

Estoy resuelto a salir de aquí el sábado a mas tardar y aunque sea solo me voy antes de doce días para la Costa Firme, dejando al cuidado de Vd. el conducir la expedición.

Reclute Vd. todos los militares que se puedan conseguir para ir con nosotros. Dígale Vd. a nuestros oficiales nacionales y extranjeros que se preparen a marchar.

Estoy desesperado por ver llegar alguno de parte de Vd. para combinar nuestras operaciones. Ofrezca Vd. patentes de corso a los buques que quieran seguir nuestra expedición. Esta vez la corbeta no nos molestará más; pero reserve Vd. la especie como todo lo que debe ser reservado, pero debemos temer los buques de guerra franceses por razones particulares que tengo, aunque quizás no nos harán nada.

Mañana escribiré a Vd., pues yo soy tan activo en participar a Vd. cuanto ocurre que quisiera hacerlo a cada ocurrencia.

Soy de Vd. afmo. servidor y amigo,

BOLIVAR

Archivo de Yanes.

---

*43.—Larrazabal, 1, 446).*

Puerto Príncipe, 11 de noviembre de 1816

*Al señor Pedro Gual*
*Filadelfia.*

Las relaciones mercantiles entre Venezuela y los Estados Unidos serán ventajosas a ambas partes: armas, municiones, vestidos y aun buques de guerra, son artículos que tendrán en la primera una segura y preferible venta, bastante lucrativa para los que emprenden negociaciones de esta clase en la segunda. Los puertos de Cumaná, Margarita y Barcelona ocupados por nosotros, ofrecen ya puntos seguros donde dirigirse, que nos facilitan la ocupación de los de Caracas y su provincia. El comercio frecuente entre los americanos del Norte y la protección que el Gobierno concederá a los extranjeros honrados que quieran establecerse entre nosotros reparará nuestra despoblación y nos dará ciudadanos virtuosos. Sírvase Vd. difundir estas ideas entre todos los extranjeros de probidad, haciéndoles ver las ventajas que les esperan.

BOLIVAR

Este fragmento es de una de las tantas cartas originales perdidas en el naufragio de Larrazábal.

*44.—De fotografía del original).*

Puerto Príncipe, noviembre 16 de 1816

*Al señor Maxwell Hyslop*

Muy señor mio y amigo:

Vd. sabrá ya los triunfos de nuestras armas. El general Mariño ha ocupado a Cumaná, y el general Gregor a Barcelona; este último con el general Piar han batido en el Juncal, inmediaciones de Barcelona, al general Morales. La Margarita está perfectamente libre.

Mac Gregor ha marchado sobre Caracas con el designio de reunirse antes de ocupar esta capital, con la División de la Nueva Granada, que ha tomado la provincia de Barinas, y baja por el Apure a San Fernando. Estas fuerzas son más que suficientes para someter toda la de Caracas, principalmente después de derrotado Morales, que había reunido casi todas las fuerzas españolas.

Dentro de ocho días debo partir a Venezuela con una nueva expedición que he organizado. Llevo a mi patria nuevos recursos de hombres, armas, municiones y buques. Si, contra toda esperanza nuestras tropas han tenido algún revés, puedo repararlo con ventajas.

Luego que esté en Venezuela puede Vd. contar con los servicios que dependan de mí; nada me será más agradable que probar a Vd. los sentimientos de gratitud con que soy de Vd. su mejor amigo Q.B.S.M.

BOLIVAR

*45.—Del original).*

Puerto Príncipe, noviembre 17, 1816

*Señor Almirante Luis Brion*

Mi querido Almirante:

He recibido ayer la carta de Vd. del 12 en que Vd. me dice que viene con la Diana a buscarme. Yo creo que si no ha salido ya de ese puerto es inútil que venga, porque dentro de cuatro días debemos partir de aquí con todo lo que tenemos. La goleta de Belgard, otra que lleva armas y la Bermudiana que lleva víveres deben transbordar una parte de estos efectos a los buques de Vd. y al Decatur que debemos instar a que vaya con nosotros.

Mr. Doran va a mandar su bergantín dentro de ocho días con víveres y municiones, si Vd. quiere escribir a Jackmel, irán sus cartas. Me pide 80 pesos por cada carronada de a 12 con su cureña y demás útiles; son ocho del mismo calibre, al pasar por Jackmel puede Vd. verlas y tomarlas.

Si en los Cayos hay plomo tómelo Vd., yo pagaré su importe. Repito a Vd. que estoy desesperado por partir y que ya Vd. habrá vencido una gran parte de las dificultades con la llegada de la Diana. Aquí hay 50 marineros para Vd. que irán conmigo, si Vd. no viene.

Haga Vd. que todos los oficiales que puedan ir con nosotros estén prontos para marchar lo mismo que cuantos voluntarios se presenten. Tenemos víveres bastantes, y aun sobrantes sobre todo romo, arroz, bacalao y galletas; así no compre Vd. de estos artículos.

Por Dios que no nos detengamos un día en los Cayos; que esté Vd. a la vela si es posible el día que yo llegue, porque cada momento que perdemos es un peligro inminente en nuestra situación. Adiós mi querido Almirante, consuélese Vd. de lo que dice Piar, que si yo tengo fortuna, Vd. será pagado.

BOLIVAR

Archivo de Yanes

*46.—Del original).*

*Señor Almirante Luis Brion*

Au Port au Prince le 29 novembre 1816.

Mon cher Amiral: Le Président a offert aujourd'hui de nous donner quelques vivres de plus que la quantité que Villeret vous a marquée hier, nous aurons en outre des gibernes, des sacos (*), et d'autres effets, dont il vous a rien dit.

Mons. Jastran m'écrit au Jacquemel en date du 26 de ce mois:

"Je m'empresse de vous informer qu'il nous est entré aujourd'hui une goélette de Curacao qui nous annonce la nouvelle positive de la prise de Cumaná, et que les forces qui avaient été expédiées de Puertorico au secours des Espagnols se sont rendues armes et bagages aux Patriotes:—il confirme aussi l'évacuation de la Marguerite".

Adieu mon cher Amiral, tout parait nous favoriser.

Votre ami
BOLIVAR

---

*47.—De una copia).*

Villa del Norte, 29 de diciembre de 1816.

*Al Exmo. Señor General Santiago Mariño.*

Mi querido compañero y amigo:

Estos títulos para mi corazón los más caros, los más santos, han sido por mucho tiempo nuestro honor, nuestra garantía recíproca. Vd. a la cabeza de cuarenta amigos entró por el Oriente a tiempo que yo por el Occidente hacía otro tanto. Mutuamente nos ayudamos y por nuestros propios servicios nos elevamos a una

(*) El amanuense debió escribir *shakos*. Prenda de uniforme para cubrir la cabeza.

igual dignidad. Desde entonces fuimos compañeros: Vd. me auxilió con las tropas de su mando y yo le vi como al bienhechor de la patria. El infortunio no pudo romper los lazos de nuestra unión. Juntos arrostramos la tempestad de Carúpano, la de Cartagena y la de Güiria; en estas circunstancias hemos sido un modelo de amistad. Esta virtud debe acompañarnos hasta el sepulcro: debe ser nuestra guía en nuestra vida y nuestro epitafio en la muerte; que gloria será para ambos vernos rivales de la misma gloria y unidos por un mismo sentimiento. Al frente de Güinimita escribí a Vd. una carta expresándole el estado de mi corazón y los proyectos que pensaba ejecutar. Aquel es el mismo en el día que lo fue entonces y mis pensamientos no han cambiado a pesar de tantas ocurrencias extraordinarias. General, yo soy el mejor amigo de Vd. Desgraciadamente los de Vd. no lo son míos, de aquí nacen todas las alteraciones que hemos sufrido, y que yo espero no volveremos a sufrir, tanto para salvarnos como para salvar a nuestra patria querida. La conducta de Vd. puede haber variado; pero yo estoy cierto que su corazón no varía nunca. El general Mariño no es el general Castillo, y así a pesar de todos los Montillas yo no me puedo persuadir que Vd. sea capaz de degradarse al infame rango del traidor cobarde, que lo envió a Vd. a los calabozos de la inquisición, destruyó nuestro ejército y perdió quizás para siempre su desgraciada patria. Compañero, amigo, acuérdese Vd. siempre de Castillo. Solo porque él fue disidente no debe Vd. serlo jamás. El fin de aquel miserable es en general el de todos los que siguen sus pasos. Acuérdese Vd. de Ribas: él fue tan desgraciado como fue inicua la conducta que tuvo con Vd. Temamos los mismos escollos donde otros han perecido, o sucumbido. Por último, tenga Vd. presente a la posteridad que debe juzgarnos sin cábalas y sin chismes solo por los hechos: Vd. tiene la pasión de la gloria; procure Vd. conservarla como la ha adquirido: la ambición es una mancha para la verdadera gloria y el mayor esplendor de este brillante adorno, le viene más de la moderación que del poder. El poder sin la virtud es un abuso y no una facultad legítima: Vd. posee todo el que conviene a la felicidad del país y a su propio honor: en busca de otro mayor no pierda Vd. el que tantos sacrificios le ha costado.

Querido amigo, no crea Vd. que yo deseo mandarlo, por el contrario debe Vd. persuadirse que yo deseo someterme a un centro de autoridad que nos dirija a todos con la más severa rectitud. Deseo cordialmente que nuestro jefe común sea de un carácter inflexible e imparcial, y en caso de que no sea así vamos a tener mucho que sufrir por los partidos que se aumentan siempre en razón de las desgracias y del tiempo. En fin compañero reciba Vd. esta carta con indulgencia y véala como la expresión más ingenua de la amistad más franca.

Recomiendo a Vd. muy particularmente a la ciudadana Petronila de Mata, mujer del ciudadano coronel Gómez, para que procure Vd. cangearla por cualquiera persona, y principalmente por cuatro o cinco señoras que están aquí y son esposas, o pertenecen a españoles o sus partidarios.

Espero que Vd. me escriba a Barcelona para donde parto mañana y también espero que Vd. se ponga en comunicación conmigo a fin de que podamos obrar de acuerdo, bien separados, bien reunidos, pues de otro modo ni Vd. podrá tomar a Cumaná, ni yo defender a Barcelona.

Los enemigos parece tienen un fuerte ejército bajo las órdenes de Morales y deben marchar contra nosotros para socorrer a Cumaná y arrollarnos de paso. Deseo ardientemente que haya una frecuente comunicación como se lo expresará a Vd. el capitán de navío ciudadano Juan Fermín que va comisionado por mi para entregarle estos pliegos y explicarle de palabra otras muchas cosas que sería demasiado largo escribir.

Cuanto Vd. crea conveniente no confiar al papel puede Vd. convenirlo con el mismo Fermín.

Es copia,
Moxó,
Rubricado.

Archivo General de Indias. Sección Estado. Caracas. Signatura antigua. Leg. 12. Papeles tomados a Bolívar en Unare. Copiada por Francisco Vetancourt Vigas.

# 1817

*48.—De una copia).*

Cuartel General de Barcelona, a 5 de enero de 1817.

### SIMON BOLIVAR

Jefe Supremo de la República, Capitán General
de los Ejércitos de Venezuela y de la
Nueva Granada, &., &., &.

*A los señores general de brigada Lino de Clemente y Dr. Pedro Gual.*

Muy señores míos y compatriotas:

Ya habrán llegado hasta Vds. las noticias de los brillantes sucesos de nuestras armas. Una serie de triunfos nos han dado no sólo la isla de Margarita, provincias de Barcelona y Cumaná, excepto la capital, sino la mayor parte de los llanos de la de Caracas. El ejército granadino a las órdenes del general Urdaneta ha tomado desde el 7 de diciembre la Villa de San Fernando de Apure, su vanguardia se ha reunido ya al general Zaraza, y bien pronto yo con el mío de Aragua me reuniré a estos dos y marcharé rápidamente sobre Caracas. Los generales Piar y Sedeño a la cabeza de otro respetable ejército estrechan a Guayana reduciendo los españoles al casco de la ciudad, y el general Mariño con 3.000 hombres sitia a Cumaná con el mayor suceso.

La opinión cambiada absolutamente en nuestro favor vale aún más que los ejércitos. Esta feliz mutación nos ha puesto en estado de contar con grandes medios para procurarnos objetos militares y satisfacer las obligaciones que contraigamos, y de autorizar a Vds. para que con respecto a las instrucciones que les acompaño puedan negociar los artículos que contienen, seguros de la exactitud con que serán pagadas y cumplidas las que ustedes contraigan.

Incluyo a Vds. algunos papeles públicos. La falta notable de la imprenta nos priva de la satisfacción de publicar los triunfos de nuestros ejércitos. Por ahora han quedado sepultados hechos inmortales; algún día verán la luz.

He comisionado en Londres para los mismos fines que a Vds. a los señores Luis López Méndez y Andrés Bello. Pueden Vds. comunicarse recíprocamente cuanto estimen conveniente al servicio de la República.

Reciban Vds. las expresiones de mi consideración y respeto.

B.L.M. de Vds.

Bolivar

El original pertenece al Dr. Rafael Ricardo Revenga.

---

**49.—Del original).**

Cuartel General de Barcelona, a 6 de enero de 1817. 7º
Nº 2º.

### SIMON BOLIVAR

Jefe Supremo de la República, Capitán General
de los Ejércitos de Venezuela y de la
Nueva Granada, &., &., &.

*A S.E. el Benemérito Almirante de la República Luis Brion.*

Si las circunstancias y acontecimientos de la guerra interrumpieran alguna vez la comunicación entre V.E. y yo, vengo en autorizar plena y suficientemente a V.E. para que durante nuestra incomunicación, pueda conceder y despachar patentes de corso, a los buques que tenga a bien bajo las reglas, condiciones y fianzas que previene el reglamento sobre el caso; las que serán tan firmes y valederas como las que haya dado yo mismo.

Dios guarde a V.E. muchos años.

Bolivar

Archivo de Yanes.

---

*50.—Del original).*

Cuartel General de Barcelona a 6 de enero de 1817. 7°
Nº 1º.

## SIMON BOLIVAR

Jefe Supremo de la República, Capitán General
de los Ejércitos de Venezuela y de la
Nueva Granada, &., &., &.

*A S.E. el Benemérito Almirante de la República Luis Brion.*

Siendo de absoluta indispensable necesidad la formación de
un cuerpo de Marina, que se oponga a la enemiga, guarnezca
nuestras costas, las purgue de corsarios, proteja el comercio, y en
caso necesario obre de acuerdo con nuestros ejércitos de tierra;
he tenido a bien autorizar a V.E. para la formación y organización de dicho cuerpo, y para que tome cuantas medidas estime
necesarias para este fin.

Dios guarde a V.E. muchos años.

BOLIVAR

Archivo de Yanes.

---

*51.—De una fotografía del original).*

Cuartel General de Barcelona, a 6 de enero de 1817

*Ciudadano Martín Tovar.*

### En Tórtola

Muy amigo mío:

He llegado a esta ciudad en perfecta salud y sigo hoy mismo
mi marcha para Caracas, todo está en el mejor estado posible y los
enemigos no pueden ya formar ningún cuerpo capaz de resistir-
nos.

El general Mariño ha puesto el sitio a la ciudad de Cumaná,
el general Piar marcha para Guayana y las tropas de Santa Fe

están ya en los llanos de Caracas, habiéndose reunido ya con la división del general Zaraza. Este ejército trae consigo por más de dos mil pesos (*), de alhajas de las iglesias de Chiquinquirá, Santa Fe y otras provincias de la Nueva Granada con que podemos abastecer nuestros almacenes de armas y municiones para poder seguir el enemigo a Santa Fe y el Perú si fuese menester. En fin querido amigo todo está en el mejor estado posible.

El ciudadano Francisco Zea, intendente general de ejército y hacienda pasa a las colonias en comisión de la República; te lo recomiendo para que lo ayudes en cuanto sea a tu alcance y para que le facilites los fines de su comisión.

Espero tener en poco tiempo el gusto de escribirte de Caracas en donde sin duda nos veremos.

Quedo como siempre tu afmo. amigo

BOLIVAR

———

52.—*Del copiador*).

Barcelona, a 7 de febrero de 1817.

Señor General Santiago Mariño:

Tengo el mayor gusto de anunciar a Vd. que al fin los españoles nos hacen el favor de venirnos a visitar. Hoy han llegado a San Bernardino y al Pilar. Ya creíamos que no venían, pero gracias a nuestra buena fortuna, mañana los tendremos delante de esta plaza; donde tendremos algunas corridas de cañas para festejarlos hasta que Vd. llegue a darles la gran función. Estoy perfectamente preparado, no me falta nada, nada; podemos contar con más de mil quinientos hombres buenos, y ellos traerán dos mil cuando más; mi defensa es formidable, de modo que con los enfermos y los paisanos nos defenderemos en tanto que con las fuerzas disponibles podemos ofender activamente; cuando Vd.

(*) Así está. Seguramente al dictar expresó una suma mayor. El original lo posee el doctor E. Gantaume Tovar.

llegue puede Vd. dirigirse a esta plaza por donde quiera y lo mejor será remontar con los buques hasta la ciudad, que yo con mis tropas protegeré el desembarque. Si Vd. viniese por tierra, yo haré una salida para reunirme con Vd. y reunidos atacaremos la espalda de la línea enemiga, a fin de que la llegada de Vd. se señale por la completa destrucción de los españoles y se selle para siempre la independencia de Venezuela.

Querido compañero: yo estoy loco de contento; más deseo la llegada de las tropas españolas que la de Vd. La Providencia trae a estos hombres a sacrificarlos en el altar de la Patria. Sólo temo que retrograden cuando sepan que Vd. se acerca; más ya será demasiado tarde y es de esperar que la destrucción de su ejército será la consecuencia de una vergonzosa retirada; sobre todo, estando Zaraza por la espalda con más de mil hombres de caballería perfectamente montados y los enemigos sin caballería según son todas las relaciones, o por lo menos es poco numerosa.

Si Vd. viene por el rio tire Vd. dos cañonazos al acercarse; pero si viene Vd. por tierra lo observaré desde la azotea de la Casa Fuerte que domina todo el país.

Publicada por error en forma de oficio por Blanco y Azpurua, Tomo V, p. 599 y reproducida en O'Leary de la versión de Azpurua, Tomo XV, pág. 165.

---

53.—*De una copia*).

Cuartel General de Ipire, abril 18 de 1817. 7º.

*Exmo. Señor Almirante de la República Luis Brion.*

Exmo. Señor:

Con el importante objeto de incorporar la división que obra contra Guayana al ejército de Barcelona, marché de esta ciudad el 25 del próximo pasado, y ordené a S.E. el Jefe de la Fuerza Armada marchase a Aragua con el resto de las fuerzas que debe componer el ejército de operaciones, y encargué de la plaza de

Barcelona al señor general Freites con una guarnición suficiente para rechazar cualesquiera fuerzas que la invadieren mientras debía ser auxiliado por el Jefe de la Fuerza Armada a quien le ordené expresamente volase en su socorro al primer aviso.

El 4 del presente llegué a La Mesa frente de Angostura, y tuve el placer de revistar un ejército poderoso y bien disciplinado, y de ver el brillante aspecto que presentan nuestros negocios en aquella provincia, ocupada toda por nosotros, sin poseer los españoles mas que los cascos de las dos Guayanas. Me impuse además de los inmensos recursos que suministra en hombres, ganados, caballos, mulas y frutos preciosos de que somos dueños, y sobre todo de la extremidad a que están reducidos los enemigos. Tantas ventajas me determinaron a dejar aquel ejército para que terminase la reducción de la provincia y previne a los señores generales Piar y Sedeño enviasen a Barcelona 300 mulas *maniás* para extraer el parque, y todos los caballos necesarios para montar la caballería del señor general Monagas que no estaba en el mejor estado.

En marcha para Barcelona supe el 12 que los enemigos habían ocupado el 7 aquella plaza después de tres días de una defensa gloriosísima del general Freites y su guarnición, en que se perdió una gran parte de nuestros elementos militares, que a pesar de mis esfuerzos no pude extraer de aquella plaza.

Tan funesta noticia me hizo precipitar mis marchas hacia el cuartel general de nuestro ejército, y a mi llegada a él he sido sorprendido con una carta del Jefe de la Fuerza, que bajo pretextos frívolos, y aun especiosos, me participa que se retira con su guardia de honor a Cumanacoa. Esta deliberación, sin orden mía, y en circunstancias en que debemos más que nunca reunir nuestras fuerzas, me obliga a mi pesar a desaprobar la conducta del Exmo. Señor Jefe de la Fuerza Armada, porque se separa de la cooperación con el gobierno, formando planes y acordando medidas por sí, que no le ha dictado ni prevenido este para tales acontecimientos.

Tenemos aun fuerzas suficientes para salvar la república. Esta división incorporada a la que obra contra Guayana no bajará de 2.500 infantes, y más de 1.500 caballos, con los que es infalible la rendición de Angostura antes de ocho días. Con este objeto, pues, marcho rápidamente a aquella plaza, y ordeno a V.E. que a la brevedad posible haga que nuestras flecheras y todas las fuerzas marítimas vengan al río Orinoco: que V.E. no dé licencia ni permita salir de esta isla ni pólvora ni plomo, ni fusiles, ni ninguna especie de elemento militar sin expresa orden mía; enviándome los mil fusiles de la última contrata de la Diana y la pólvora de Pardo de que V.E. me habló en su último oficio que recibí en Barcelona el 25 del próximo pasado al acto de montar a caballo.

Guayana libre nos dará no sólo mil recursos sino una importancia política extraordinaria, y con que satisfacer los créditos que hemos contraído y contraigamos en lo venidero. Allí espero tener la satisfacción de ver a V.E. muy pronto: tan seguro estoy de tomarla. Dios guarde a V.E. muchos años.

BOLÍVAR

Francisco Javier Yanes. Historia de Margarita, página 73 bis.

Aunque esta colección es de cartas particulares, para llenar lagunas publicamos notas oficiales que llenen el objeto. En la presente Bolívar explica su política en los llanos de Barcelona en relación con la actitud de Mariño, Jefe de la Fuerza Armada, y su proyecto de trasladar al Orinoco todas las fuerzas marítimas de la República, buques de guerra, corsarios y flecheras, como único medio de rendir las dos plazas fuertes. Los otros oficios reproducidos adelante contienen también datos preciosos para la historia, y casi todos son inéditos.

54.—*Del original*).

*Exmo. Señor Almirante de la República.*

Exmo. Señor:

Reitero a V.E. mi orden del 18 de abril, de enviarme a la mayor brevedad los mil fusiles de la última contrata de la Diana y la pólvora que V.E. me participó había contratado con el señor Pardo. Deberá V.E. enviar igualmente todo el plomo que exista perteneciente al Estado. No permitiendo de resto que salga de la isla ningún objeto militar de la propiedad del Gobierno, sin expresa orden mía. Como en las circunstancias actuales solo nos faltan algunos elementos de guerra, para equipar nuestro ejército, autorizo a V.E. para que a nombre del Gobierno de Venezuela pueda contratar mil fusiles, cien quintales de pólvora y algunos de plomo, pagaderos en ganados, caballos, mulas y algodón en Guayana, satisfecho de que tan pronto que lleguen serán pagados.

Es de tanta importancia la pronta remisión de los 1.000 fusiles de la Diana y toda la pólvora y plomo que haya, que no puedo significarla a V.E. Me prometo pues que V.E. en el momento mismo que reciba esta orden tomará las más extraordinarias y activas medidas para ejecutarlas.

No es de menos importancia la remisión de algunas piezas pequeñas para armar las piraguas y flecheras que estoy haciendo construir.

Si por alguno de los inconvenientes que yo no puedo prever, no pudiere V.E. introducirme por el río de Orinoco los 1.000 fusiles de la Diana y sobre todo la pólvora y plomo, que pido, me los introducirá V.E. por Maturín pues la falta de estos dos últimos objetos es extraordinaria y su retardo nos es sumamente perjudicial. No perdone pues V.E. medio alguno para proporcionármelos a la mas pronta brevedad.

Dios guarde a V.E. muchos años. Cuartel General de La Mesa, frente de Angostura Mayo 13 de 1817 7º.

BOLIVAR

Este oficio y los siguientes dirigidos al Almirante Brion los encontramos en el archivo de Francisco Javier Yanes.

---

55.—*Del original*).

*Exmo. señor Almirante de la República.*

Exmo. Señor:

Dadas las órdenes para que se pasasen del otro lado mil mulas para remitirlas a V.E. a Maturín, me ha hecho presente el señor general Sedeño y otros varios individuos de inteligencia, que ya es imposible pasar mulas al otro lado, porque el río de Orinoco está demasiado abundante y de mil apenas se salvarán trescientas; siendo casi cierto que todas las demás se ahoguen. Con este motivo he ordenado al señor general Zaraza remita a Maturín a la disposición de V.E. dos mil reses, y al señor general Monagas otras dos mil, todas a la disposición de V.E. En consecuencia V.E. debe conferir su poder a una persona que reciba este ganado en Maturín.

Por San Miguel enviaré a V.E. doscientas mulas enjalmadas para trasladar a este lado las armas y municiones que V.E. haya conducido al Guarapiche.

Repito a V.E. que ocupado el río por nuestra marina es infalible la rendición de Angostura, y entonces sin rodeos podemos hacer el lucrativo y rico comercio que presenta esta Provincia y poner a la disposición de V.E. cuanto es necesario para cubrir sus créditos, lo que se efectuará luego que V.E. entre en el Orinoco, mientras tanto escriba V.E. a todos sus amigos de los países extranjeros, para que nos traigan armas y municiones ya sea a Maturín, o a esta Provincia, por los canales más fáciles y seguros; en la inteligencia de que serán satisfechos en dinero o frutos del país con la mayor ventaja, pues estamos en circunstancias de pagar estos objetos preciosos aunque sea por las nubes.

Si por San Miguel no pudieren pasar las 200 mulas enjalmadas que pienso enviar, haga V.E. que vengan sin pérdida de tiempo las municiones y armas que V.E. haya conducido al Guarapiche; tomando cuantas providencias sean necesarias y ofreciendo reemplazar las mulas y caballos que se empleen para conducirlas, dos por una en esta Provincia.

Dios Guarde a V.E. muchos años. Cuartel General de la Mesa frente a Angostura, mayo 16 de 1817 7º.

Exmo. Señor

BOLIVAR

*56.—Del original).*

*Honorable Almirante Capitan General Ciudadano Luis Brion.*

El Gobierno por razones interesantes al servicio de la República, ha determinado trasladarse con el R.P. Judicial a Maturín; y debiendo acompañarle los Secretarios del Despacho, sus oficiales, y respectivas familias, os incluyo lista de los que las componen para que dispongais el Buque en que deben ser recibidos. Palacio del Gobierno Pampatar mayo 29 de 1817.

F. Javier de Mayz
Presidente en turno.

Archivo de Yanes. Publicamos aquí esta curiosa nota como ejemplo de las disposiciones del gobierno nombrado por el Congresillo de Cariaco. Pocos días después Bolívar nombró al señor Mayz administrador de rentas del pueblo de Upata.

———

*57.—Del original).*

*Exmo. Señor Almirante Luis Brion.*

Exmo. Señor;

Instruído por la correspondencia de V.E. fecha 5 del ppdo. de que se acercaba con la escuadra al puerto de Barrancas, dirigí al de Piacoa al señor general Torres con un batallón para que protegiese a V.E., e hice que la pequeña escuadrilla de 9 flecheras, que había armado en este astillero, bajase a incorporarse a V.E., y a ilustrarlo de la situación del enemigo.

Mil incidentes desgraciados concurrieron a la pérdida de aquella flotilla que cayó toda en poder del enemigo, y este suceso, junto con la ignorancia absoluta en que estaba de V.E., me obligaron a retirar el destacamento de Piacoa, hasta que por V.E. o por otro medio estuviese seguro de su aproximación.

Afortunadamente la victoria, con que ha empezado a hacerse

sentir V.E. ha llegado hoy a mi noticia y aprovechando los momentos he ordenado que vuelva a situarse el general Torres en el puerto que ocupó antes, y que lleve consigo al Ingeniero que V.E. me pide, y los víveres que han podido encontrarse a las manos.

La cooperación de V.E. con el ejército de tierra va a terminar la campaña. Reducidas hoy las dos plazas a una horrorosa miseria, solo fundaban sus esperanzas en los auxilios que les prestaba su diligente marina; pero privadas ya de este único recurso por las medidas que V.E. tomará, me lisonjeo con que antes de ocho días serán rendidas ambas.

Esfuércese V.E. por arribar pronto a Piacoa. Allí o en Barrancas podrá establecerse el apostadero, y recibirá V.E. con seguridad los socorros que el pais presta para la subsistencia.

Las fuerzas sutiles y marítimas del enemigo son aparentemente muchas, pero en la realidad son muy débiles. Apenas tienen una corbeta mercante armada en guerra, un bergantín de la misma especie de armamento, dos goletas, un falucho, 8 cañoneras y 10 flecheritas muy despreciables. Todos estos buques están faltos de tripulaciones, de modo que los marineros enemigos no alcanzan al número de 300. Por otra parte tienen que atender a puntos muy distantes desde Cabruta hasta las Bocas, y con mucha dificultad lograrán reunir sus fuerzas con el peligro inminente de perder inmediatamente la ciudad de Angostura, pues el enemigo no puede hacer ningún movimiento con sus fuerzas sutiles sin entregar aquella plaza, cuya principal defensa la forman los buques de guerra y sus marineros. Yo insto, pues, a V.E. porque remonte lo más prontamente posible para impedir el que los enemigos puedan reunir su marina, y evitar un combate general con todas sus fuerzas a la vez.

Antes de ayer recibí pliegos del señor general Zaraza, que contienen las más interesantes noticias. Un escuadrón de su brigada penetró hasta la Villa de Cura en la Provincia de Caracas, porque los habitantes de los llanos todos, se han sublevado a los españoles, y proclamado la República. Aquel escuadrón se ha engrosado tan extraordinariamente, que es ya una división de más de 1.000 hombres de caballería, empleados parte en libertar a Orituco, y el resto en sitiar a Chaguaramas. Los valles del Tuy y los de Aragua se han conmovido también, de manera que no pueden contar los españoles en la Provincia de Caracas, sino con las plazas que tienen fortificadas.

El ejército del general Mariño se ha refugiado a Güiria, a consecuencia de dos pequeños sucesos que obtuvieron sobre él los españoles en Cariaco y Carúpano. Morillo parece que se obstina en perseguirlo hasta allí. Si es (asi) su miserable expedición de 1.500 hombres quedará sepultada en la Costa por la guerra y por la dureza del clima.

Dios guarde a V.E. muchos años. Cuartel General de San Miguel, julio 13 de 1817.

Exmo. Señor

BOLIVAR

───────

58.—*Del original*).

*Exmo. Señor Almirante Luis Brion.*

Exmo. Señor:

Con fecha de ayer dirigí a V.E. un pliego por Tabasca, en que detallé a V.E. las fuerzas navales del enemigo en el río, y le instaba para que se esforzase por llegar a Piacoa a la mayor brevedad. La ocupación de aquel puerto por V.E. es tan interesante, que ella sola decide la suerte de las dos Guayanas, si, como es de esperar, V.E. cierra la comunicación del enemigo con los paises extranjeros, único recurso que le queda, para procurarse la subsistencia.

El señor general Torres que marcha hoy con un batallón a apostarse en Piacoa, para proteger el arribo de la escuadra, informará a V.E., más extensamente de todo, caso que aquel pliego se retarde o extravíe.

Yo aguardo con impaciencia
que se me participe
Escuadra en el puerto
conferenciar con V.E.
y combinar las operaciones

con las del ejército de tierra.
sabrá V.E. las ventajas que por
partes hemos obtenido, y el estado miserable y lastimoso a que
están reducidas las dos plazas sitiadas.

Dios guarde a V.E. muchos años. Cuartel General de San
Miguel, julio 14 de 1817-7º.

Exmo. Señor

BOLIVAR

Tiene parte destruída por la humedad.

---

59.—Del original).

*Exmo. Señor Almirante Luis Brion.*

Exmo. Señor:

Se han librado ya las órdenes que V.E. reclama sobre el ganado para la mantención de esas tropas. Las flecheras pueden venir por la carne cuando V.E. tenga a bien.

Según las declaraciones dadas por algunos pasados de Angostura ha llegado aquella ciudad un clérigo que viene del ejército del general Morillo. Este sacerdote cuyo nombre es Máximo Perez informa que la expedición española está empeñada ya en la rendición de Margarita, y que Morillo advertía al Gobernador de esta Provincia que le era imposible socorrerlo en estos momentos.

Acabo de saber que anoche se han desertado de los Castillos 100 hombres que se han presentado a nuestras tropas, y aseguran que Angostura debe ser evacuada de una hora a otra, si no lo hubiese sido ya.

Dios guarde a V.E. muchos años. Cuartel General de Casacoima, julio 18 de 1817-7º.

Exmo. Señor

BOLIVAR

P.D. El general Sedeño que ha marchado hoy para la Mesa de

Angostura, va en la confianza de que la hallará rendida, o próxima a entregárse.

Remito a V.E. las tres cajas de guerra únicas que hay aquí. Vale.

_____

60.—*Del original*).

*Exmo. Señor Almirante Luis Brion.*

Abordo de la Comandanta.

Exmo. Señor:

El comandante del apostadero de San Miguel con fecha de hoy me participa: que habiendo avistado esta mañana 7 buques que flotaban río abajo sin gente, se acercó a ellos, los tomó y encontró a bordo de uno de ellos un hombre que le informó la evacuación de la plaza de Angostura el 19 del corriente a las 10 de la mañana en cinco buques grandes, tres cañoneras, y cinco flecheras, que se dirigen a los Castillos. Aquel Comandante me ofrece que molestará al enemigo en su paso, y hará lo posible por apresar aunque sean los buques (roto el papel, faltan tres o cuatro palabras).

Por más esfuerzos que haga el enemigo, nunca podrá llegar a los Castillos hasta mañana o pasado. Entretanto V.E. debe tomar sus medidas para oponérsele si intenta salir al mar, o para resistirle si pretende dar un combate naval.

Yo marcho al amanecer para la Mesa, donde mi presencia es sumamente importante por el momento. V.E. por su parte me parece muy conveniente que permanezca ahí, porque su valor y acierto contribuirán poderosamente al buen suceso de cualquiera operación o choque que deba sostener la marina.

Dios guarde a V.E. muchos años. Cuartel General de Casacoima, julio 20 de 1817. 7°, a las 8 de la noche.

Exmo. Señor

BOLIVAR

_____

*61.—Del original).*

*Exmo. Señor Almirante Luis Brion.*

Abordo de la Comandanta.

Exmo. Señor:

Por siete hombres que se nos han pasado hoy de los Castillos estoy seguro que mañana al amanecer será atacada nuestra escuadra por todas las fuerzas marítimas del enemigo que se han estado alistando este día para venir al combate. Tan persuadido estoy de esta verdad que además del dicho de los pasados lo confirma el edecán que llevó la carta que dirigí a la plaza, por haberlo amenazado con el ataque.

Para que V.E. tome los informes que tenga a bien de los mismos pasados se los dirijo. V.E. tomará todas sus medidas para prepararse al combate.

Según me informa el edecán el enemigo recibió el pliego. Las noticias que se le dió acabarán de aterrarlo, y contribuirán no poco al suceso feliz por nuestra parte.

Dios guarde a V.E. muchos años. Cuartel General de Casacoima, julio 21 de 1817-7°, a las ocho de la noche.

Exmo. Señor

BOLIVAR

---

*62.—De una copia).*

Cuartel General de Casacoima,
22 de julio de 1817.

*Señor general de brigada Carlos Soublette, sub jefe de estado mayor general, o al comandante de la línea contra Guayana.*

Señor General:

Un prisionero que ha tomado el capitán Carbajal en uno de los conucos que están en la parte de abajo de esas fortalezas, me informa que todos los preparativos del enemigo son para ejecutar mañana el ataque: que tres o cuatrocientos hombres de infantería vienen destinados a ejecutar un desembarco para apoderarse del ganado que hemos traído aquí y que han visto ellos pasar.

Para asegurar más el suceso, caso que tenga lugar esta operación, redoblará su vigilancia a fin de observar los movimientos enemigos esta noche, y personalmente los que se hagan al amanecer. Si en efecto la escuadra se diere a la vela con esta dirección hará Vd. venir volando los cien hombres que haya mejor montados en esa línea procurando que vengan más bien de más que de menos, y que sean los mejores soldados. En esta misma noche se escojerán los que deban ser, de modo que al moverse el enemigo marchen sin detención. Vd. les dará las instrucciones y prevenciones necesarias para que lleguen directamente a nuestro campo, y no se confundan con el que pueda haber elegido el enemigo, si está ya en tierra a la llegada de ellos.

Los fusiles que haya sobrantes en la línea y todo lo que sea embarazoso para ejecutar una marcha rápida, a la hora que se les mande, los hará Vd. trasladar a San Felix a la mayor brevedad.

Yo espero que Vd. velará sobre el enemigo y me participará volando, volando las novedades que ocurran.

Dios guarde a Vd. muchos años.

BOLIVAR

P.D. Los cien hombres de caballería traerán 30 fusiles buenos de los sobrantes que hay. Se necesitan urgentemente para armar igual número de infantes que están sin armas aquí. Por consiguiente los traerán junto con sus lanzas. Vale.

Publicada por Joaquin Quijano Mantilla. El Tiempo, Bogotá, número del 7 de enero de 1931.

*63.—Del original).*

Casacoima, julio 22 de 1817-7°.

*Al Exmo. Señor Almirante Luis Brion.*

Fuerte Brion.

Mi querido Almirante y amigo:

Si no se necesita muy urgente el maiz que tiene Vd. a bordo, me hará el favor de enviarme dos sacos de él para mi servicio aquí.

El general Arismendi habrá pasado a Vd. las noticias que le he comunicado. Estoy aguardando el parte del general Soublette, sobre su último reconocimiento.

Mande Vd. a su afmo. amigo,

BOLIVAR

*64.—Del original).*

*Exmo. Señor Almirante Luis Brion.*

Abordo de la Comandanta.

Exmo. Señor:

Una gran parte de los cartuchos de fusil que teníamos se han deteriorado o perdido del todo con las lluvias. Las balas de ellos y algunas otras que teníamos sueltas pudieran emplearse en fabricar otros nuevos si hubiese pólvora para ello. Espero que V.E. me remitirá a tierra la que tenga disponible a bordo sin que sea necesaria para el servicio de la marina.

Los pasados de ayer a hoy alcanzan a 16. Todas las fuerzas de Guayana vendrán a engrosar las nuestras, si el enemigo difiere algunos días más la salida.

El señor general Soublette me participa que las flecheras de

San Miguel están ya en Puga dispuestas a perseguir al enemigo.

He mandado salar carne para dotar los buques, pero desgraciadamente la estación nos es adversa para este trabajo, porqué las lluvias continuas hacen corromper la carne, impidiendo que se seque pronto. Si en la escuadra hubiera algún marinero que supiese salarla como en el Norte de América sería muy conveniente que viniese a encargarse de esta operación. De otro modo yo dudo que podamos preparar la carne necesaria, y lo peor es que se perderá ella y la sal que se emplee.

Dios guarde a V.E. muchos años. Cuartel General de Casacoima, julio 24 de 1817-7º.

Exmo. Señor

BOLIVAR

------

65.—*Del original*).

*Exmo. Señor Almirante Luis Brion.*

Exmo. Señor:

En este momento acabo de llegar de la Mesa. Ninguna novedad había ocurrido en la plaza.

Por las declaraciones de 21 hombres que se nos han pasado ayer entre los cuales está el capellán de las tropas de Guayana, sé que la evacuación será mañana para lo cual están tomadas todas las medidas; pero se ignora la hora en que lo hagan.

Entre los efectos tomados en Angostura hay algún plomo de que es necesario elaborar balas. Si V.E. tuviere a bordo algunas turquesas me las dirigirá cuanto antes, porque no tenemos ninguna en tierra, y es preciso asegurar alguna antes que salga la escuadra o sufra por cualquier accidente alguna desgracia.

Deseo tomar algunos informes del oficial que ha venido ultimamente. Envíelo V.E. a este Cuartel.

Dios guarde a V.E. muchos años. Cuartel General de Casacoima, julio 27 de 1817.

Exmo. Señor

BOLÍVAR

————

*66.—Del original).*

*Exmo. Señor Almirante Luis Brion.*

Exmo. Señor:

Por las declaraciones de 23 hombres, y multitud de mujeres que se nos han pasado ayer sabemos: que ayer mismo se estuvieron haciendo en la marina enemiga nuevos roles, exigiendo la voluntad a cada marinero, y ofreciéndoles protección y toda especie de favor, si los acompañan a pasar por nuestra escuadra y salvar los buques: que aunque se aseguraba que la salida sería hoy, se ha dicho posteriormente que no será hasta mañana, porque aun no se han concluído las cureñas, ni se ha embarcado la artillería. También dicen que están resueltos a pasar en silencio, y no disparar un solo tiro, si nuestros buques no les hacen fuego.

El señor general Soublette observa que hay una gran variedad en los dichos de los pasados: que unos aseguran que solo embarcarán a los solteros y que los casados quedan en las fortalezas: que La Torre se queda dicen unos, y otros que el Gobernador; algunos, en fin, dicen que se van y otros que nó.

El comandante Rodriguez salió anoche con 9 flecheras a observar los movimientos del enemigo. Entre aquellas se cuenta la Bolívar, que está ya compuesta.

Dios guarde a V.E. muchos años. Cuartel General de Casacoima, julio 28 de 1817-7º.

Exmo. Señor

BOLÍVAR

————

*67.—De una copia).*

Cuartel General de Casacoima,
29 de julio de 1817.

*Señor general de brigada Carlos Soublette.*

Señor General:

S.E. el general Arismendi con fecha de hoy me participa que ayer ha salido en una flechera el Pbro. Máximo Pérez por el caño, que según parte de Vd., reconoció ayer mismo La Torre. Dicen que su objeto es ir a Margarita o adonde esté Morillo a apresurar la expedición que debe venir en auxilio de la plaza.

Para privarlos de toda esperanza de socorro será muy conveniente que Vd. les haga entender que el Pbro. Máximo ha sido apresado por una de nuestras flecheras: que no esperen auxilio ninguno, pues sus dos únicos ejércitos han sido destruídos, el uno batido en Margarita y el otro dispersado en el Chaparro: que Morillo ha sido apresado y no puede protejerlos. Vd., en fin, hará lo posible por hacer desvanecer cualquiera esperanza que puedan haber concebido en la plaza.

Dios guarde a Vd. muchos años.

BOLIVAR

Publicada por Joaquin Quijano Mantilla. El Tiempo, Bogotá, número del 7 de enero de 1931.

————

*68.—Del original).*

*Exmo. Señor Almirante Luis Brion.*

Exmo. Señor:

Incluyo a V.E. los pliegos que deben seguir para Maturín.

Desde anoche que se pasaron seis hombres entre los cuales

hay un sujeto muy decente, no ha vuelto a pasarse nadie a la línea. En San Miguel se ha presentado hoy una flechera tripulada con 10 hombres y armada con 9 fusiles y un pedrero. Ya tiene orden de bajar a incorporarse con nuestra flotilla en Puga.

Si V.E. quiere tomar algunos informes más del ciudadano Quiroga que es la persona de quien he hablado, se lo dirigiré a bordo mañana.

Dios guarde a V.E. muchos años. Cuartel General de Casacoima, julio 30 de 1817-7°.

Exmo. Señor

BOLIVAR

---

69.—*Del original*).

Guayana, agosto 24 de 1817-7.

*Exmo. Señor Almirante Luis Brion.*

Mi querido Almirante:

Desde que hemos tomado estas plazas todas nuestras comunicaciones son por agua tanto porque son más fáciles, como por evitar la ruina de los caballos y el servicio de la caballería que nos es muy costoso, así los víveres que han venido aquí para la tropa, oficiales, jefes, hospitales, se han trasportado por el río tanto de arriba como de abajo. Además para correos necesitamos de barquetas o flecheras, que vayan y vengan: para llevar enfermos y otra porción de cosas tenemos la misma necesidad. Según me han representado el general Urdaneta y el comisario en tierra se carece de todo, desde que ancló aquí la escuadra, por no tener los referidos transportes que se necesitan para el servicio de la plaza; y a fin de evitar este mal y los que podrían originarse, he pensado que debe tener el general de la plaza unas lanchas y unas barquetas a disposición del capitán del Puerto y a las inmediatas órdenes del general de la plaza, que él tendrá cuidado de tripular del modo conveniente. Si a Vd. no parece útil esta idea, propón-

game Vd.　　　　que el servicio no se retarde, y podamos con
　　de que carecemos absolutamente, porque parece que
venido en estos días se han tomado para la marina, y la comisaría
del ejército no recibe más que pura carne.

De los objetos que se desembarcaron del bergantín, a instancia de todos los oficiales que estaban desnudos y sin sombrero, mandé a los comisionados que librasen al general de la plaza unas mudas de ropa vieja que se encontró en los baules y algunos sombreros para que los repartiesen entre los oficiales y la tropa, puesto que el Estado había de participar del servicio de sus soldados y marina. La relación, inventario y avalúo de estos miserables objetos la he mandado formar, para que se cargue por cuenta del Estado, y no sufra el menor perjuicio ninguno de los individuos que tengan parte en las presas. Yo enviaré a Vd. un tenor de esta cuenta, a fin de evitar algunos chismes que han llegado a mis oídos sobre este particular.

Adios querido Almirante. Mande Vd. a su afmo. amigo Q.B.S.M.

BOLIVAR

———

*70.—Del original*).

*Exmo. Señor Almirante Luis Brion.*

Exmo. Señor:

He recibido los varios partes que V.E. me ha dirigido durante la persecución de la escuadra enemiga.

Creo que es absolutamente necesario que V.E. venga con toda la escuadra a este puerto, porque por el momento sería muy expuesto el de Angostura. El contagio de fiebre amarilla que se ha declarado en aquella ciudad destruiría sin duda una gran parte de sus tripulaciones, y V.E. sabe que es muy dificil reemplazarlas. Aquí me encontrará V.E., y espero tener muy pronto el placer de ver a V.E. y . . . (roto, faltan palabras) . . . da con los despojos.

Dios guarde a V.E. muchos años. Cuartel General de Guayana, (roto) Agosto de 1817,7°.

Exmo. Señor

BOLIVAR

---

*71.—De una copia).*

Cuartel General de Guayana,
3 de setiembre de 1817.

*A S.E. Sir Ralph Woodford, Gobernador de Trinidad.*

Exmo. Señor:

Tengo el honor de anunciar a V.E. la completa libertad de la provincia de Guayana rendida a nuestras armas desde el 3 del mes pasado. Quedando ahora abolido como queda el bloqueo del Orinoco, su comercio está expedito para la Nación Británica, y yo me apresuro a ponerlo en conocimiento de V.E. a fin de que se sirva comunicarlo a los súbditos de S.M.B. que quieran frecuentar nuestros puertos. Según el estado de nuestros negocios en la Costa Firme muy pronto los demas puertos de Venezuela serán igualmente libres que Guayana, pues que nuestras armas triunfan por todas partes y los enemigos están reducidos a la última extremidad.

Yo me aprovecho de esta oportunidad para textificar a V.E. los sentimientos de alta consideración con que soy de V.E. el más atento, adicto servidor Q.B.S.M.

BOLIVAR

Record Office. C.O. 295/44. Trinidad & Copiada por el doctor Carlos Urdaneta Carrillo y Elena Lecuna de Urdaneta.

72.—*De una copia*).

Guayana, 3 of September 1817.

My dear Sir:

I dont know, if I shall be able to fill the charge I have under-taken, I dont know, if I ought to condole you, or to receive con-dolence myself; I dont know, if I ought to judge as a misfortune or as a glory, the noble death of your honorable son, Major Wil-liam Chamberlain. He that insures his honor dedicating his life to the service of humanity, to the defence of justice, and to the destruction of Tyranny, acquires a life of inmortality at his leav-ing the frail convering that man receives from nature. A glorious death triunphs over age, and prolongs to the most remote poster-ity a sublime existence: Major Chamberlain has obtained this favor from destiny.

Placed by my orden as Governor of the fortified house, which formed the defence of the city of Barcelona, he mixed his blood with the rest of his comrades, and was buried below the ruins of that fortress. He would have prolonged the term of his life, but he preferred one day of glory to all the years that Providence would grant him. Thus Sir, I am obliged to fill at the same mo-ment two different duties, that of nature, sharing with you the cruel pain of seeing perish at such an early age, a soldier, who would have been the help of your declining years, and one of the most distinguished partisans of the cause of America: at the same time I congratulate you as the author of days of a son, who has added so much glory to his father's name, and to my country, for receiving in her bosom a defender who living and dying, has cov-ered with honor her flag.

Receive Sir my most fervent wishes for your happiness, and believe me Sir I remain with the highest respect your most obe-dient humble servant

BOLIVAR

To the father of Major William Chamberlain.

————

(Traducción por don Alejandro Santamaría Osorio).

Guayana, 3 de setiembre de 1817.

Mi apreciado Señor:

No sé si seré capaz de llenar el cometido que me he impuesto, no sé si debo manifestarle a Vd. mi condolencia o si debo recibir yo mismo las manifestaciones de condolencia; no sé si debo juzgar como una desgracia o como una gloria la noble muerte de su honorable hijo, el mayor William Chamberlain. Aquel que asegura su honor dedicando su vida al servicio de la humanidad, a la defensa de la justicia y al exterminio de la tiranía, adquiere una vida de inmortalidad al dejar el marco de materia que el hombre recibe de la naturaleza. Una muerte gloriosa triunfa sobre el tiempo y prolonga la sublime existencia hasta la mas remota posteridad: el Mayor Chamberlain ha obtenido este favor del destino.

Elevado, por mi orden, al cargo de Gobernador de la Casa Fuerte que formó la defensa de la ciudad de Barcelona, dejó su sangre mezclada con la del resto de sus compañeros, quedando enterrado bajo las ruinas de la fortaleza. El hubiera podido prolongar su vida, pero prefirió un día de gloria a todos los años que la Providencia hubiera querido concederle. Así, señor, me siento obligado a llenar en este momento dos deberes diferentes: el de la naturaleza humana, compartiendo con Vd. la cruel pena de ver desaparecer a tan temprana edad a un soldado que hubiera sido su personificación y apoyo al declinar la pendiente de sus años, y uno de los más distinguidos partícipes de la causa de América; y el de congratular al autor de los días de un hijo que ha agregado tanta gloria al nombre de su padre y al de mi patria, al recibir ésta en su seno a un defensor que en vida y muerte ha cubierto de honor su bandera.

Reciba señor mis más fervientes deseos por su felicidad y créame siempre su más obsecuente y humilde servidor,

BOLIVAR

Al padre del Mayor William Chamberlain.

Copiada por el señor Joaquín Quijano Mantilla de la original existente en un museo particular en Berlín.

*73.—De una copia).*

*Señor Intendente de la Provincia.*

Ordene V.S. se abone a los ciudadanos Manuel Millán y José Piñerua por cuenta de los derechos que deban pagar a la Tesorería pública los objetos siguientes:

Doscientas cuatro libras pólvora a razón de seis reales libra. Trescientas ochenta y una libras de plomo a razón de 16 pesos quintal y diez fusiles a 8 pesos uno; cuyos objetos han entregado en el parque general de artillería de esta plaza.

Dios guarde a V.S. muchos años. Cuartel General en Angostura a 9 de octubre de 1817-7º.

BOLIVAR

———

*74.—Del original).*

*Exmo. Señor Almirante de la República.*

Conforme al plan de defensa, presentado ayer por V.E. al Consejo de Estado, he dispuesto que se construyan y armen a la mayor brevedad veinte cañoneras y dos Bombardas, y se formen dos batallones de Marina.

Las cañoneras se armarán con un cañón de a 32 en proa, diez de ellas llevarán uno de a 18 en popa, y las diez restantes de a 12.

Las Bombardas llevarán una un obus real, y otra un mortero.

V.E. está autorizado plenamente para ejecutar esta resolución, haciendo que se construyan en el Astillero estos buques y que se armen del modo dicho.

Como ni en la plaza ni en los depósitos de la República hay toda la artillería necesaria para estos armamentos autorizo también a V.E. para que los solicite de los países extranjeros debiendo el Consejo de Gobierno ajustarlos y pagarlos.

V.E. que conoce la urgente necesidad de proveer de defensa

al Orinoco y nuestras costas, sabrá emplear en estos trabajos toda su actividad y celo. Yo los recomiendo a V.E. y espero verlos terminados tan pronto como el interés de la República exije.

Dios guarde a V.E. muchos años. Cuartel General de Angostura, noviembre 18 de 1817-7°.

BOLIVAR

Archivo de Yanes.

---

75.—*Del borrador*).

(*Al señor Luis López Mendez*)

La primera comunicación que he tenido la satisfación de recibir de V.S. ha sido la que me presentaron los tres señores oficiales recomendados por V.S. para que fuesen admitidos al servicio de la República. Los deseos de V.S. de acuerdo con los de aquellos quedaron satisfechos desde el momento mismo en que solicitaron su admisión. Puede V.S. estar satisfecho de que sus ofertas se han cumplido en los mismos términos en que me participa.

La libertad del Orinoco y de sus puertos facilitándonos comunicaciones seguras y prontas con las colonias europeas, nos ha proporcionado la doble ventaja de que vengan a ayudarnos en nuestra lucha multitud de oficiales extranjeros, ahorrándonos los crecidos gastos que nos costaba su solicitud en ese reino. Suspenda pues V.S. desde luego toda especie de contrata o comprometimiento con este respecto, y procure por todos los medios posibles disolver las que haya concluído siempre que esto pueda tener lugar sin desdoro de su crédito y del honor del gobierno a quien representa.

Pero al mismo tiempo que reencargo a V.S. la cesación del enganchamiento le recomiendo encarecidamente se esfuerce por procurarnos cuantas armas y municiones sean posibles, bien entendido que V.S. se limitará en este encargo a persuadir e instar a los comerciantes que emprendan esta negociación por su cuenta, ofreciendo solamente la pronta y ventajosa salida a aquellos dos artículos de guerra bien sea en plata, oro o frutos del país, que llevarán al precio corriente, pero con el privilegio de que no pagarán derecho alguno por la introducción.

Sin embargo de que el celo e interés que V.S. ha manifestado siempre por el mejor servicio de su país, me hacen descansar tranquilamente en la confianza de que por este medio nos proveeremos abundantemente de las armas y municiones que necesitamos para asegurar más y más la libertad de Venezuela y darla a la Nueva Granada y demás territorios ocupados por el enemigo, no será superfluo recordar a V.S. que excepto Cartagena todos los demás puntos de América que han vuelto a la servidumbre deben su ruina principalmente a la falta de elementos militares: que Venezuela no es libre hoy porque ha carecido de los mismos elementos en las circunstancias más urgentes y decisivas; y que el enemigo, por último, bien convencido de que sólo la falta de armas puede volvernos al yugo, dirige toda su atención a poseer las costas para impedirnos su entrada, es pues, preciso que nosotros por nuestra parte nos esforcemos por introducir en el interior tantos recursos militares cuantos sean bastantes para sostener una guerra obstinada y cuya duración nadie puede determinar ni aun prever. V.S. hará un servicio el más distinguido a su país y cooperará muy eficazmente a su conservación, si proveyéndolo de aquellos elementos precave su ruina haciendo vanos e ineficaces los esfuerzos del enemigo para privarlos de ellos. V.S. por otra parte colocado hoy en la capital de las artes, en la cabeza de la Europa, en el centro de la nación más poderosa y abundante de todos los auxilios necesarios para la guerra tiene más que ninguno otro la facilidad de servir a su patria en esta ocasión. V.S. que ha merecido la confianza de ella y la del gobierno sabrá emplear todos sus talentos, actividad y celo en su servicio. Tales son las esperanzas que yo concebí al nombrar a V.S. agente de Venezuela en ese reino, y tal es el resultado que me prometo de sus operaciones que creo excederá en mucho a mis deseos.

Dios guarde a V.S. muchos años. Cuartel General en la ciudad de Santo Tomás de Angostura a 20 de noviembre de 1817.

Biblioteca Nacional de Bogotá. En la sección titulada Archivo Histórico. Historia, volumen 23.

Boletín de Historia y Antigüedades. Nos. 231-232, pag. 347.

*76.—De una copia).*

## Al señor don Luis López Mendez.

Acabo de recibir el oficio de V.S. de 22 de julio último, desgraciadamente retardado por haberse dirigido a Margarita la corbeta "Los Dos Amigos". Ha venido su capitán en una flechera y se le ha satisfecho el pasaje de los oficiales que ha conducido por disposición de V.S.

Estoy muy satisfecho del celo, actividad y acierto con que V.S. ha trabajado en servicio de la República, a cuyo nombre, le doy con sumo gusto las más expresivas gracias. Acaso la concurrencia de un nuevo agente habrá entorpecido sus operaciones; pero no dudo que V.S. las continuará con mayor empeño en virtud de las nuevas credenciales que por quitar toda duda le dirijo al efecto. Este acontecimiento a que dió lugar la incertidumbre de mi paradero y aun de mi existencia en circunstancias muy críticas, tuvo por fortuna los mejores resultados. No hay que temer en adelante la menor innovación. El gobierno tiene ya un centro fijo, se ha organizado regularmente, sigue una marcha firme y concertada y ha adquirido toda la consistencia y toda la energía necesarias para asegurar el triunfo de la independencia. Puede V.S. estar seguro que si por desgracia del género humano, logra la España auxilios extranjeros, nada podrá por si sola contra la República de Venezuela.

Como yo me he propuesto no apartarme jamás de la verdad y de la buena fe en la dirección de los negocios públicos, no puedo menos de prevenir a V.S. que aunque nuestra situación militar y política es la más ventajosa, nuestra hacienda se halla en el estado más deplorable: todos los recursos de esta provincia se han agotado para comprar a precios exhorbitantes armas, municiones y vestuarios. Pero tenemos la satisfacción de que nuestra deuda pública es de poca o ninguna consideración, y contamos con los crecidos fondos que sabe V.S. pueden sacarse de las provincias de Barinas y Casanare, luego que tomado San Fernando de Apure, quede libre la comunicación con ellas. Este es el único punto que conservan allí los españoles; pero el general Páez, que tiene cerca una división considerable, sólo aguarda para tomarlo nuestras fuerzas utiles que van a dar la vela. Abstengámonos, pues, de contraer deudas hasta no estar seguros los medios de pagarlas. En esta atención prevengo a V.S. que se limite por ahora a las contratas de armas, municiones y vestuarios, no empeñándose en mandar oficiales y soldados hasta que yo le avise.

Hablo en el concepto de que las contratas sean para satisfacer durante la guerra, pues si son en los términos que V.S. ha proyectado para el crédito que negocia de 150.000 libras esterlinas, los apruebo desde luego y obligo al efecto todas las rentas del Estado. Como estoy seguro de pagar cualesquiera deudas contraídas bajo tales condiciones, no temo comprometerme.

He dispuesto se remita a V.S. una relación circunstanciada de todo lo ocurrido desde el 9 de enero hasta la fecha con las piezas oficiales y documentos correspondientes. Entre tanto me ceñiré a darle para su gobierno una ligera idea de nuestra situación militar y política.

No queda en toda la Guayana un solo enemigo de nuestra causa. El entusiasmo de la libertad es tal, que aun cuando yo no la dejase bien guarnecida, el pueblo sólo rechazaría cualquier ataque del enemigo. Sin embargo el general Sedeño, su gobernador, la defenderá con diez escuadrones de caballería, dos compañías de artillería, dos de guardia nacional y dos de infantería, La posesión de esta provincia, inaccesible al enemigo, nos asegura la independencia de Venezuela. Cualesquiera desgracias que puedan sobrevenirnos, siempre tenemos este asilo seguro, y mil veces renacerá la guerra de su seno, si mil veces perdemos todo el demás territorio de la República.

Somos dueños absolutos del Orinoco y tenemos en él una escuadrilla sutil de 60 cañoneras y flecheras, que, como V.S. sabe, son una especie de galeras. Tenemos, además, el competente número de buques mayores. Se están armando algunos corsarios y se trabaja con la mayor actividad en la construcción de nuevas flecheras. Como tenemos numerosa y buena caballería a una y a otra banda del río, nada adelantaría el enemigo con las más numerosas fuerzas navales, y sí intentase venir por tierra perecería de hambre todo su ejército.

El Orinoco nos ofrece, pues, una base firme de operaciones y nos asegura contra todo acontecimiento desgraciado.

El general Páez ocupa el Bajo Apure, a excepción del punto de San Fernando, con una división de 1.000 hombres de caballería e infantería. Tenemos allí 4.000 caballos escogidos para remontar nuestra caballería. Esta división que fue la que batió las tropas veteranas con que venía Morillo de la Nueva Granada, amenazando a Venezuela con su último exterminio, está muy aguerrida, muy disciplinada, y su caballería se ha hecho temible a los enemigos. Mucha parte de ella es la que nos hizo tan sangrienta guerra bajo las órdenes de Boves; pero animada por el resentimiento del engaño y de la perfidia de los españoles, pele a contra ella con todo el odio de que es capaz el corazón humano.

Toda la provincia de Casanare que sabe V.S. pertenece a la Nueva Granada, ha sacudido segunda vez el yugo de los españoles, ha reunido sus esfuerzos a los nuestros, y está mandada por uno de nuestros más intrépidos oficiales, el coronel Nonato Pérez. Tenemos allí un cuerpo de 1.000 hombres, dependientes de la división Páez. Las tropas del país se aumentan todos los días, y si hubiera armas para todos, sería ya una división formidable, porque aquel se ha hecho el punto de reunión de los independientes de la Nueva Granada, a la que Morillo con su atroz secreto de exaltar el patriotismo, ha puesto en combustión. Tenemos comunicaciones ocultas y frecuentes con sus principales provincias, y sabemos que del uno al otro extremo, sólo se respira odio y venganza contra los españoles; que muchos pueblos de los más considerables se han ya sublevado y que bastará la presencia de un jefe acreditado para ponerlos a todos en armas.

La provincia de Cumaná se halla toda por nosotros. El enemigo solo ocupa la capital y algunos pequeños pueblos de la costa que ya ha comenzado a abandonar, quemándolos y desolando las más bellas plantaciones, sin reparar en los males que tan bárbara conducta ha de traer necesariamente a la Europa. El general Bermúdez nombrado gobernador y comandante general de esta provincia, en que ha nacido y en que es generalmente amado la ocupa con una división de 2.000 hombres de todas armas, compuesta por la mayor parte de tropas aguerridas.

Lo que se ha dicho de la provincia de Cumaná conviene igualmente a la de Barcelona que ocupa el general Monagas con una división de 1.400 hombres de caballería e infantería.

Una división de 3.000 hombres al mando del general Zaraza se halla en Belén con varios campos volantes que están a la mira de las operaciones del enemigo, que sólo posee tranquilamente una parte de la provincia de Caracas, la más falta de recursos para la guerra, por la escasez de ganados y caballos.

Yo marcharé dentro de tres días con el cuerpo principal del ejército, sin que nadie sepa a donde me dirijo. Todas las divisiones se hallan en actitud de obrar, tienen los medios de que necesitan, están impacientes por batirse y sólo alguno de aquellos acontecimientos extraordinarios que suelen burlar todos los cálculos de la prudencia humana podrá hacer que un gran golpe no termine de una vez la campaña y la guerra.

Hablo por lo respectivo a Venezuela, pues por lo que hace a la Nueva Granada habrá que formar otros planes y nuevas combinaciones. No puede ser libre el un país sin que lo sea el otro, y el voto general de los pueblos es de reunirse para constituir un grande estado, según estaba ya decretado. No pierda V.S. de vista tan grande y capital objeto para dar a sus operaciones toda la extensión posible, en el concepto seguro de que toda la Nueva Granada piensa como Venezuela, y se halla animada de los mismos sentimientos.

No solo tiene el enemigo contra sí todas estas fuerzas que obran de concierto bajo mis órdenes, sino que por todas partes lo molestan partidas de guerrillas, y ultimamente se ha sabido por diversos conductos que un cuerpo considerable de patriotas sitiaba a Maracaibo. Hay también en las montañas de Chuao, sobre la costa una reunión bastante numerosa que extendiendo sus excursiones casi hasta la Victoria, debe causar en Caracas continuas inquietudes. Espero que bien pronto estaremos en comunicación con estos cuerpos aislados y que todas las fuerzas patrióticas recibirán el impulso y la dirección convenientes.

Tal ha de ser el efecto necesario de la regularidad y consistencia del gobierno, y del carácter de unidad que lo distinguen. Deben este beneficio a la experiencia de los funestos efectos que han producido entre nosotros el sistema federativo, exaltando el espíritu de provincia que forzosamente debilita y entorpece el de la nación. Así se perdió la Nueva Granada por el espíritu provincial de Cartagena, y así íbamos nosotros a sepultarnos en un abismo de males por el de Cumaná. Siento recordar la pérdida de Barcelona, debida unicamente a que el general Mariño animado de este fatal espíritu en lugar de ejecutar mis órdenes, de que no podía menos de resultar la completa destrucción de los españoles, hizo lo contrario. No era lo más sensible la pérdida de unos almacenes de armas y municiones, la desmembración de nuestro ejército de operaciones, ni aún el sacrificio de tantos valientes soldados y de todo un pueblo, sino los males en que se vió abismada la República por esta disidencia. Apenas quedó cortada la comunicación con nuestro ejército, cuando comenzaron a propagarse rumores peligrosos esparcidos tal vez por los españoles. Ya se decía que el general Páez rehusaba reunirse conmigo, ya que el general Piar me cerraba la entrada en la Guayana, ya que casi todas las tropas habían desertado, que los jefes me abandonaban, que yo no parecía en parte alguna, y que se me creía muerto. En estas circunstancias llegó a Margarita el canónigo de Chile anunciando con énfasis un encargo del gobierno inglés para que tratase conmigo de organizar un gobierno en el concepto de que verificándolo sería reconocida nuestra independencia. Este aliciente, en medio de tantos sobre saltos y de la incertidumbre de mi paradero, decidió a mis mejores amigos, a unir sus votos a los del cánónigo, y dirigiéndose al general Mariño como segundo jefe de la república, restablecieron bajo sus auspicios el antiguo gobierno federal. No bien se había instalado éste, cuando el mismo Mariño instituyó el provincial en una junta que le confirió todos los poderes, político, legislativo, ejecutivo y judicial. Esta era una violación manifiesta de la misma constitución que había jurado, y una desobediencia solemne al poder ejecutivo que había reconocido y cuyas órdenes sobre el particular eran las más terminantes y positivas. Cuando esto pasaba, ya la expedición española llegada a Cumaná, había obligado a nuestra escuadrilla a salir de Margarita con el nuevo gobierno, que teniendo noticias oficiales de mi situación, por despachos que recibió el señor Almirante, tomó la resolución de restablecer por un acto de renuncia la unidad del poder ejecutivo, para evitar la dilaceración del Estado, que el ejemplo de la disidencia del general Mariño podría producir, y que en efecto iba ya produciendo. Al instante comenzó el general Piar a provocar la guerra de colores. No faltó quien concibiese otros proyectos no menos funestos, y la república se vió amenazada de todos los horrores de la anarquía y de la guerra civil. El peligro común reunió entonces los ánimos, se conoció la necesidad y el precio de la unidad política, y ya no hubo en los pueblos y en los ejércitos, más que una voz y un solo sentimiento. Llegó por este tiempo la escuadrilla, se libertó rápidamente la Guayana, y Piar fue arrestado en Aragua de Cumaná en medio de sus tropas, que a la menor intimación del general Sedeño se sometieron al orden. Condújosele a esta plaza, en donde fue juzgado por el consejo de guerra permanente y sufrió la pena de muerte a que fue condenado. No quedaba ya otro disidente que el general Mariño, que últimamente ha reconocido el gobierno, viéndolo proclamado por los mismos que en otras circunstancias habían reproducido el federal bajo sus propios auspicios. Restablecida así la calma y la tranquilidad, hemos podido aprovechar los instantes concedidos al descanso de nuestras tropas, para mejorar y consolidar nuestras instituciones, fijar un centro de gobierno, darle todo el vigor de que necesita y ponerlo a cubierto de todas las vicisitudes de la revolución y de la guerra.

Era indispensable para esto una institución absolutamente nueva y desconocida en política, un consejo de estado compuesto de los principales jefes del ejército y de los funcionarios públicos. Las circunstancias exijen imperiosamente que este cuerpo no tenga más que voto consultivo, sin embargo de estar destinado a ejercer en parte las funciones del poder legislativo. A él toca la iniciativa de las leyes, reglamentos y estatutos que juzgue convenientes en el estado actual de nuestra naciente república. Por el decreto de su institución y por el acta de su instalación y el discurso que hice a este propósito, verá V.S. que reina en sus deliberaciones la más completa libertad, que será en todo consultado, y que sus resoluciones serán siempre atendidas, y tendrán un peso inmenso en las del gobierno. Aun el plan de campaña, la cosa más privativa del poder supremo y la más reservada, se ha puesto en discusión en la última sesión y ha sido unánimemente aprobado. Confieso que se necesita conocer a fondo las circunstancias en que nos hallamos para no extrañar esta novedad política, de cuya importancia no podrá juzgarse en Europa, si V.S. bien penetrado de ella, por los documentos adjuntos, no la hace manifiesta en los papeles públicos. Cuando propuse esta idea a mis amigos y de la República, en conferencia particular, todos la contradijeron desde luego; pero todos la aprobaron después que oyeron mis razones. ¿Y qué otro medio puede hallarse para concentrar las fuerzas del gobierno y precaver la divergencia que el movimiento revolucionario imprime a las pasiones, sino el de hacer que se reunan y tomen parte en sus deliberaciones y en todas sus operaciones y estatutos los jefes del ejército y los de los pueblos, los que defienden el estado y los que lo administran? Estos hombres son, sin disputa, los más distinguidos en sus carreras respectivas, los más ilustrados, los más firmes y los más decididos por nuestra causa, los que tienen más interés por su triunfo, y de consiguiente, los que tomando parte en el gobierno deben ser los más empeñados en sostencrlo, no puede, pues, discurrirse mejor institución durante la crisis revolucionaria, en que cada junta popular produciría una nueva idea, cuando nó un nuevo delirio y unas nuevas instituciones.

Se ha establecido también una Alta Corte de Justicia con las atribuciones soberanas que en ningún otro gobierno se han concedido a un poder, sin más dependencia del ejecutivo que la rigurosamente administrativa, indispensable para comunicarle el movimiento general del Estado. Bajo de estos principios se han organizado los tribunales y regládose la marcha de la administración judicial del mejor modo que permitan las circunstancias.

Se ha organizado también la administración civil y la de hacienda, se ha establecido un consulado y se han tomado providencias para favorecer el comercio y promover la agricultura. En fin, se ha hecho cuanto es posible hacer para que haya justicia y orden público, gobierno y rentas en una época en que el que no sigue el ejército, tiene que ser alternativamente soldado y labrador, magistrado y oficial.

La satisfacción que han causado estas instituciones y el bien y la tranquilidad que han producido, correrían la suerte de la guerra, si desde ahora no se les pusiera a cubierto contra cualquier acontecimiento. Con este objeto capital se ha establecido un consejo de gobierno, a quien dejo un pliego cerrado, que sólo ha de abrirse en caso que yo muera o caiga prisionero. Prevengo en este pliego cuanto me ha parecido necesario para asegurar la tranquilidad pública, y hacer que no se interrumpa un instante el curso de los negocios políticos y militares, que la guerra continúe con nuevo ardor, y se hagan mayores esfuerzos por la independencia de nuestro país. El Consejo mismo que queda revestido del poder supremo, por el término de sesenta días, pondrá en ejecución estas disposiciones.

Queda, además, encargado durante mi ausencia de proveer a todas nuestras divisiones de armas, municiones, vestuario y cuanto necesiten: celebrar contratas, pagar las deudas del Estado, admitir cónsules y enviados extranjeros, y en suma de cuanto concierne a las relaciones exteriores. Téngalo V.S. entendido para la correspondencia de oficio.

Se habla mucho de la debilidad y consternación del enemigo, de la agitación de los pueblos que oprime, y del sacrificio de más de 600 personas en Caracas. Aunque la circunstancia de venir las mismas noticias por diversos conductos, y la extraordinaria humanidad que Morillo comienza a afectar, parece darles probabilidad, yo tomo mis disposiciones como si el estuviera muy fuerte y tuviera un gran partido. Es de notar que no sólo haya mandado indulto al general Zaraza remitiéndole su hijo, que aunque niño retenía prisionero, así como a los generales Páez, Monagas, etc., sino que también lo haya ofrecido a los comandantes más acreditados de sus campos volantes, que se pasaron con su tropa a militar bajo nuestras banderas. Ha hecho publicar un indulto del Rey de España en que a nadie se exceptúa y en que se extraña tanta liberalidad de ideas y tanta humanidad.

Puede V.S. hacer de cuanto le comunico en esta carta el uso que juzgue conveniente.

Revalido las instrucciones que dí a V.S. con las anteriores credenciales.

Por lo que hace a los puntos particulares del oficio de V.S. acerca de sus urgencias y de la gratificación a que es ciertamente acreedor el señor Walton, sólo puedo decir que todo me parece muy justo; pero tengo el sentimiento de no poder en el momento satisfacer a V.S. por haber recibido sus despachos cuando los preparativos de la campaña habían agotado absolutamente nuestros recursos. El Consejo de Gobierno queda encargado muy particularmente de hacer a V.S. esta remesa luego que lo permitan nuestros más urgentes apuros, y yo cuidaré de que se verifique cuanto antes.

Angostura 20 de noviembre de 1817. Dios guarde a V.S. muchos años.

BOLIVAR

Publicado por descendientes de J. M. Vergara, en el Papel Periódico de Bogotá, II, 387.

---

77.—*De una copia*).

Cuartel General de San Diego de Cabrutica,
a 3 de Diciembre de 1817-7º.

## SIMON BOLIVAR

Jefe Supremo de la República, Capitán General
de los Ejércitos de Venezuela y de la
Nueva Granada, &., &., &.

*Al señor Jefe de Estado Mayor General.*

Devuelvo a Vd. la relación de los oficiales de caballería que reclaman despachos de sus graduaciones para que Vd. ordene que se verifique. Todas las antigüedades que ella expresa están equivocadas, y lo que es más la equivocación regularmente es adelantándolas. Tales son las de los tenientes coroneles José Antonio Franco, Venancio Riobueno, Fernando Figueredo y Rafael Rodriguez que no fueron ascendidos sino en abril, mayo y julio. Además de esta falta se observa el silencio sobre los que son efectivos y graduados. Los mismos defectos se notan en los subalternos de los cuales hay algunos que habiendo sido promovidos por mi en Guayana aparecen con antigüedades del año de 1816.

Advierta Vd. también al señor Gobernador Comandante General de la Provincia de Guayana que en la relación debe constar no solamente la fecha en que se libró el ascenso, sino también el grado que obtenía el agraciado al tiempo de la promoción, circunstancia indispensable para fijar y decidir las antigüedades entre oficiales que son ascendidos de diferentes grados a uno mismo en igual fecha.

Dios guarde a Vd. muchos años.

Bolivar

Copiada por el señor Joaquín Quijano Mantilla, de la original existente en un museo particular en Berlín.

———

*78.—De una copia).*

Cuartel General en Angostura, a 17 de<br>diciembre de 1817-7º.

## SIMON BOLIVAR

Jefe Supremo de la República, Capitán General<br>de los Ejércitos de Venezuela y de la<br>Nueva Granada, &., &., &.

*Al señor Gobernador Comandante General de Guayana.*

Prevenga V.S. al Comandante del Departamento de Caicara que ponga a la disposición del patrón de la lancha que destine el Exmo. Señor Almirante toda la carne salada que debe haber allí almacenada. Esta lancha que está ya preparada para dar la vela y solo aguarda la orden para la entrega de la carne, debe llevar de aquí una cantidad de sal considerable para que se continúe salando cuanta carne sea posible. V.S. lo ordenará así al comandante de Caicara, y dará las órdenes necesarias para que venga la sal en esta ocasión.

Dios guarde a V.S. muchos años.

Bolivar

TOMA DE LAS FLECHERAS
En la Galería.

# 1818

*79.—De una copia).*

San Fernando, 20 de mayo de 1818.

*Al señor William Walton.*
*Londres.*

Es Vd. acreedor a la consideración y a los premios de este
gobierno, yo me apresuro a ordenar al señor Mendez que inmediatamente ponga a las disposición de Vd. 300 £ para suplir en
parte los muchos gastos que Vd. hace en servicio de nuestra causa.
Yo continuaré iguales suplementos según lo permitan las circunstancias y los sucesos, pero estos suplementos irán aumentando
en razón de nuestras ventajas.

BOLIVAR

Fragmento tomado de carta de Walton de 1º de agosto de 1827. Archivo
del Libertador. Sección J. de Francisco Martín. Tomo XIII.

———

*80.—De una copia).*

Cuartel General de Angostura, 6 de julio de 1818-8.

## SIMON BOLIVAR

Jefe Supremo de la República, Capitán General
de los Ejércitos de Venezuela y de la
Nueva Granada, &., &., &.

*Al señor general Jefe del Estado Mayor General.*

Para que en San Fernando se haga la investigación necesaria
sobre la causa que se sigue al coronel Wilson: se reciban declara-

ciones y se practiquen las diligencias que exige la ordenanza para la sustanciación de los juicios de esta naturaleza, oficie V.S. como fiscal de la causa al señor general Páez para que cometa de este encargo a un oficial que no esté complicado en ella, y que deberá devolverlas a V.S. luego que estén practicadas, Dios &.

BOLIVAR

El original pertenece al doctor Carlos Arbeláez Urdaneta de Bogotá. Debemos la copia al doctor R. Botero Saldarriaga.

———

*81.—Del borrador*).

Cuartel General de Angostura, 12 de julio de 1818.

*Al señor Joine Oddy.*

Muy señor mío:

El gobierno no tiene ninguna dificultad en dar a Vd. un almacén en que deposite hasta la resolución de los señores Hurry Powles & Harry el cargamento que condujo el bergantín Sara.

No sé cual sea la razón porque se deba pagar de pronto el flete de las mercancías pertenecientes a los señores Thompson & Compañía pues no estando aún por cuenta del gobierno, nada debe éste satisfacer, y, aun en el caso de que las tome sólo pagará su valor más no el flete al menos que estén cargadas al precio de Inglaterra. Si Vd. quiere estas, así como las de los señores Hurry serán depositadas hasta las órdenes que Vd. reciba de los dueños principales. Este es en mi concepto el medio que Vd. puede elegir, el que dicta la prudencia y le previene sus instrucciones.

Si los dueños del cargamento del Sara quieren venderlo al gobierno a cuenta de derechos, éste los tomará, no obstante que casi todos los objetos de él son absolutamente inútiles en Venezuela, los dueños percibirán su valor en los derechos de importación o exportación de mercancías y frutos que hayan en los puertos de Venezuela; o pactando con el gobierno un tiempo determinado en que puedan dichos señores entrar y salir en nuestros puertos, libres de registro. Vd. pues, está en actitud de proponerlo a sus principales.

Siento que el señor Luis López Mendez haya fomentado una expedición de artículos que repito a Vd. que son enteramente inútiles por ahora en este país, despreciando los que nos hacen una verdadera falta, y de que tanto abunda la Inglaterra.

El gobierno está pronto a satisfacer a Vd. en ganado a diez y seis pesos cada res, el pasaje de los oficiales y sargentos que condujo el Sara de Inglaterra.

Biblioteca Nacional. Bogotá. Archivo Histórico. Vol. 24. Boletín de Historia y Antigüedades Nºs. 231-232, pag. 354.

---

82.—*De una fotografía*).

Angostura, 29 de julio de 1818, 8º.

*Al señor Agente de los Estados Unidos de la América del Norte, Bautista Irvine.*

Señor Agente:

Tengo el honor de acusar la recepción de las dos notas del 25 y 27 del corriente, que antes de ayer se sirvió V.S. poner en mis manos.

La primera no puede ser contestada de un modo formal y razonado sin consultar antes el proceso seguido para la condena de las goletas mercantes Tigre y Libertad pertenecientes a los ciudadanos de los Estados Unidos del Norte Peabody, Tucker y Coulter. Sólo me atreveré por ahora a adelantar a la consideración de V.S. las siguientes observaciones relativas a la segunda nota:

Los ciudadanos de los Estados Unidos, dueños de las goletas Tigre y Libertad, recibirán las indemnizaciones, que por el órgano de V.S., piden por el daño que recibieron en sus intereses, siempre que V.S. no quede plenamente convencido de la justicia, con que hemos apresado los dos buques en cuestión. Tengo demasiada buena opinión del carácter elevado de V.S. para no referirme en todo al juicio que debe formar V.S. en su conciencia de nuestro procedimiento con los ciudadanos americanos, que olvidando lo que se debe a la fraternidad, a la amistad y a los principios liberales que seguimos, han intentado y ejecutado burlar el bloqueo y el sitio de las plazas de Guayana y Angostura, para dar armas a unos verdugos y para alimentar unos tigres, que por tres siglos han derramado la mayor parte de la sangre americana, ¡la sangre de sus propios hermanos! Yo siento con V.S. un sumo placer esperando que este sea el primero y el último punto de discusión que haya entre ambas Repúblicas Americanas; pero siento un profundo dolor de que el principio de nuestras transacciones en lugar de ser de congratulaciones, sea, por el contrario de quejas.

Permítame V.S. observarle que, cuando el Gobierno de Venezuela decretó el bloqueo del río de Orinoco, no solamente se propuso, sino que efectuó sitiar las plazas de Guayana y Angostura. Y yo pienso que el sitio de una plaza o plazas es algo más estrecho que un bloqueo marítimo, y pienso que los sitiadores gozan, por lo menos, de los mismos derechos que los bloqueadores. El ejército de Venezuela puso sitio a estas dos plazas en los primeros días de enero, y en esos mismos días publicó el bloqueo y lo hizo efectivo de varios modos, como después se manifestará.

En cuanto *al daño de los neutrales,* que V.S. menciona en su nota, yo no concibo que puedan alegarse en favor de los dueños del Tigre y la Libertad los derechos, que el derecho de gentes concede a los verdaderos neutrales. No son neutrales los que prestan armas y municiones de boca y guerra a unas plazas sitiadas y legalmente bloqueadas. Si yo me equivoco en esta aserción tendré grande satisfacción de reconocer mi error.

Concluyendo, por donde he empezado, repito que yo me refiero al juicio que V.S. forme de la justicia con que hemos procedido en la condena de las goletas Tigre y Libertad pertenecientes a ciudadanos de los Estados Unidos, en vista de la respuesta que me propongo pasar a V.S.

Tengo el honor de ser con la mayor consideración de V.S. el mas atento servidor,

BOLIVAR

Debemos al eminente profesor Lewis Hanke, de la Biblioteca del Congreso de Washington, copias fotográficas de esta carta y de las demás dirigidas al señor Irvine, reproducidas a continuación.

Los originales se hallan en el informe final de Irvine a J. C. Adams, volumen grueso titulado "Notas Referentes a Venezuela". Sección del Archivo "Special Agents Series", Departamento de Estado, Washington.

---

*83.—De una fotografía).*

Angostura, agosto 6 de 1818-8º.

*Al señor B. Irvine, Agente de los Estados Unidos de la América del Norte, cerca de la República de Venezuela.*

Señor Agente:

Tengo el honor de responder a la nota de V.S. de 25 de julio próximo pasado relativa a las indemnizaciones pedidas por las condenas hechas de las goletas americanas Tigre y Libertad, apresadas por las fuerzas marítimas de Venezuela.

Para proceder con más orden y claridad se expondrán primero los hechos distintamente, según constan de los procesos seguidos, y de los diarios de los buques; y después se aplicarán los principios del derecho. Empezaré por la goleta Tigre, en que parecen aquellos más dudosos y complicados.

La Tigre salió del Orinoco a cumplir una contrata celebrada entre el gobernador español de esta Provincia coronel Fitz Geral y Mr. Lamson, en que se obligaba a este a retornar en armas y municiones el cargamento de tabaco que le dió aquel. En efecto, el 17 de marzo de 1817 (y no el 12 como alega el defensor) salió de Salem con el cargamento que había ofrecido, y entró en este puerto por el mes de abril: saliendo después, del Orinoco por el mes de julio fue apresada el día 4 con un cargamento, que era en parte el producto de negociaciones anteriores y en parte del último cargamento que introdujo.

Tanto el capitán Tucker como el defensor Lamson alegan que ignoraban el bloqueo y sitio; pero el primero se contradice, cuando asegura en su declaración que, estando en este puerto, vió salir un convoy español contra las fuerzas que tenían los patriotas en el río cerca de San Miguel, y el segundo, cuando en su representación confiesa que se hallaba en esta plaza, donde no podía ignorar que había un ejército frente de ella y de las fortalezas de la Baja Guayana. Además el diario del buque contiene noticias de haber sido apresados por los patriotas algunos buques dentro del río, como en efecto se tomaron por nuestras fuerzas sutiles un bergantín, una goleta y un guairo mercantes, y después todo el apostadero enemigo situado en la Isla de Fajardo. Pero aun cuando no les constase esto, es sabido que el decreto de bloqueo expedido en 6 de enero de 1817, fue publicado en la Gaceta de Norkfolk, de 6 de marzo de aquel año, y consiguientemente es de presumir que lo publicasen otros papeles de los Estados Unidos. Habiendo sido esta publicación en aquella fecha, y no habiendo salido la Tigre sino el 17 del mismo mes es en sumo grado probable que no ignoraba el bloqueo.

Los hechos con respecto a la Libertad no permiten ningún género de discusión. Ella salió de Martinica en el mes de junio con municiones de boca para esta plaza, y estando ya dentro del río encontró con los buques nuestros que lo bloqueaban. Por el comandante de estos supo que no debía seguir: se le mandó regresar y se le auxilió con un práctico. Después de una conducta tan liberal por nuestra parte, la Libertad fue encontrada de nuevo remontando el río en contravención del bloqueo ya notificado. Pruebas que constan de la declaración de su capitán Guillermo Hill y de las deposiciones del señor Almirante y comandante Díaz.

De los hechos expuestos nacen dos argumentos contra la Tigre. El uno es haber violado el bloqueo y sitio de Guayana, entrando y saliendo de puerto bloqueado y sitiado efectivamente, y el otro haber violado la neutralidad introduciendo armas y municiones a nuestros enemigos. Nadie puede disputar al Gobierno de Venezuela el derecho de declarar en estado de bloqueo un puerto o puertos, poseídos por el enemigo. Sus fuerzas marítimas son capaces de hacer efectiva semejante declaratoria, y lo han manifestado de un modo positivo en el bloqueo del Orinoco. La publicación del decreto de bloqueo en los Estados Unidos, doce días antes de que saliese la Tigre responden a todas las excepciones alegadas. Si el capitán de la Tigre no lo supo como debió, ningún gobierno está obligado a intimarlo a los individuos sino a las Naciones y nadie puede dudar que uno de los medios de publicarlo es por las gacetas.

Prescindiendo de estas consideraciones el segundo argumento es por sí solo bastante para condenar a la Tigre como buena presa. Desde el momento en que este buque introdujo elementos militares a nuestros enemigos, para hacernos la guerra, violó la neutralidad, y pasó de este estado al beligerante: tomó parte en nuestra contienda a favor de nuestros enemigos, y del mismo modo que, si algunos ciudadanos de los Estados Unidos tomasen servicio con los españoles, estarían sujetos a las leyes que practicamos contra éstos, los buques que protejen, auxilian o sirven su causa deben estarlo y lo están.

Es verdad que si la Tigre hubiese logrado evadirse y hubiera adoptado posteriormente la conducta neutra, de que no debió apartarse, no podría ser condenada; pero ella no lo logró y fue apresada en circunstancias en que actualmente llenaba las funciones de enemiga: estaba en las aguas de nuestro territorio con este caracter y conducía a su bordo parte del producto del contrabando que había introducido. Todas estas circunstancias agrevan su causa y doblan nuestro derecho para confiscarla.

No es ni aun probable que el viaje redondo que hizo La Tigre, en virtud de la contrata, fuese por cuenta del consignatario Lamson, y no por la de la casa de Peabody y Tucker sus dueños. Ningún documento se ha presentado para calificar esta excepción, y el Gobierno tiene en contra los informes que dió el gobernador Cerruti, cuando fue tomado prisionero, de haber celebrado su predecesor una contrata de armas con una casa de los Estados Unidos. Puede, sin embargo, suponerse que sea cierta la exposición de Mr. Lamson; pero no por esto se destruye el derecho, que nos dá contra el buque la infracción del bloqueo, y, lo que es más de la neutralidad. La Tigre es condenable y debe sufrir la pena; sus dueños no debieron fletarla para una negociación que quebrantaba la neutralidad, y si lo hicieron, se sujetaron a todos los riesgos. Si alguna cosa tienen que reclamar será contra el consignatario Lamson, y no contra el Gobierno de Venezuela, que solo ha aplicado las leyes y las prácticas de las naciones que la condenaban.

Que la prestación de auxilios militares a una potencia beligerante es una declaratoria implícita contra su enemiga, es un principio incontrovertible y que está confirmado por la conducta de los mismos Estados Unidos, donde no se permite que se hagan armamentos de ninguna especie por los independientes contra los países españoles, donde han sido detenidos y aprisionados algunos oficiales ingleses que venían para Venezuela, y donde se ha impedido la extracción de las armas y municiones que podrían venir para el gobierno de Venezuela. La diferencia única que hay es, que cuando es el Gobierno quien los presta la Nación se declara enemiga y cuando son los particulares, sin conocimiento de él, ellos solos se comprometen, y no se hace responsable la Nación. La Tigre, pues, trayendo armas contra Venezuela es nuestra enemiga, y no puede de ninguna manera acogerse a las leyes de la neutralidad, que había despreciado y violado.

Sólo falta responder a la excepción de que el juicio se siguió de un modo ilegal, sin permitir el uso de un intérprete y sin oir la defensa. Confesando el capitán Tucker los hechos que se han expuesto, y no habiéndolos contradicho el defensor Lamson en su defensa, sino confirmádolos; no eran necesarios otros procedimientos, que sólo servirían para hacer más costoso el juicio a las partes. Esta misma consideración se tuvo presente para no practicar por escrito todos los demás actos e informaciones que se tomaron, y los dueños de la Tigre deberían agradecer, que no se les hubiese agravado con más gastos, originados de su más larga detención y de las costas del proceso.

No puede concebirse como el capitán Tucker alega que no se le permitió hacer su defensa, ni usar de intérprete. Lo primero es evidentemente falso, pues además de la que verbalmente se le oyó, consta en el sumario la que presentó por escrito Mr. Lamson. En vano intenta probar su falsa aserción diciendo que la sentencia siguió inmediatamente a su declaración. Basta abrir el sumario seguido, para ver que ésta se le tomó el 24 y aquella no se pronunció sino el 27 de setiembre. Lo segundo lo es igualmente, porque preguntándole si necesitaba de intérprete respondió que nó, y el haber firmado con su nombre su declaración manifiesta que supo lo que firmó a menos que quiera decirse que se le forzó a hacerlo. Creo que nadie podrá acusar al Gobierno de Venezuela semejante conducta, ni el capitán Tucker alega esta excepción.

El derecho para la condena de la goleta Libertad no admite ningún género de duda. Los hechos están uniformemente testificados: son incontestables. Alegar ignorancia del bloqueo y sitio un buque, que salió de Martinica en el mes de junio de 1817, cinco meses después de publicado aquel y establecido éste cuando las relaciones mas frecuentes de esta plaza en el gobierno español eran con aquella Isla, es manifestar un alto desprecio por la verdad y buena fe. Sin embargo, el comandante de nuestras cañoneras fue tan liberal, que pasó por un simple dicho, y la mandó salir sin detenerla y auxiliándola. Si después se le ha encontrado remontando otra vez el río en abuso de nuestra liberalidad y confianza, su infracción ha sido doblemente grave.

Otra excepción opuesta por el capitán Hill es que *no sabía por donde bajar*. Pero un buque que ha podido encontrar las bocas del Orinoco y entrar por ellas hasta cerca de la Antigua Guayana ¿no podrá hacer el mismo viaje para salir aun cuando no se le hubiese dado práctico? Si el capitán Hill dijera que después de haberse separado de nuestros buques la escuadrilla española lo obligó a subir, podría pasar por probable su excepción, y a lo menos le daría derecho para reclamar contra esta nación los males que se le siguieron de haberlo forzado a quebrantar el bloqueo contra las leyes de la neutralidad.

Si el almirante Brion hizo uso de los buques en cuestión, antes de ser juzgados, pudieron sus capitanes haber añadido, cuando fué, y las circunstancias que precedieron a este hecho. Los buques fueron siempre respetados y no se habrían empleado nunca en el servicio de la República si los mismos capitanes no se hubiesen prestado voluntariamente a las proposiciones que se les hicieron, y si, en prueba de la cordialidad de sus consentimientos, no hubiesen ofrecido hasta sus personas. El Gobierno no puede dar una prueba más irrefragable de esta verdad que el haber sido empleados en los buques, después de armados, parte de las mismas tripulaciones, que antes tenían, y algunos de los oficiales.

Resumiendo la cuestión podríamos presentarla bajo estos dos aspectos: si se ha seguido el proceso con regularidad y si ha habido derecho para dar las condenas. Examinada atentamente la causa seguida contra las goletas Tigre y Libertad, sin duda, se encontrarán informalidades, que se podrán calificar de esenciales por el efecto inevitable de las circunstancias. Pero si estas faltas perjudican a alguno es más bien al Tribunal que las cometió que a las partes que V.S. representa. Seguido el juicio por los trámites más rigurosos, los ciudadanos americanos no habrían ganado más que multiplicar, sin necesidad, las pruebas que existen contra ellos, y aumentar sus perjuicios y los gastos del proceso que habrían crecido en la misma proporción. Además si nuestras prácticas judiciales han sufrido algunas alteraciones en la secuela de este juicio, el mayor agravio ha sido hecho a nuestras leyes, y el único derecho que podría reclamar el extranjero, que se cree ofendido, es que se vuelva a seguir el juicio conforme a los trámites ordinarios. La cuestión se debe reducir a examinar escrupulosamente si el almirantazgo de Venezuela ha tenido derecho para condenar las goletas Tigre y Libertad. La cuestión no se cambia por el modo con que se ha examinado el hecho, y el derecho no cambia porque está fundado sobre el hecho.

Desde los primeros días de enero de 1817, las plazas de Guayana y Angostura fueron sitiadas hasta el mes de Agosto del mismo año. En este tiempo las goletas Tigre y Libertad han venido a traer armas y pertrechos a los sitiados, y por esto cesan de ser neutrales, se convierten en beligerantes, y nosotros hemos adquirido el derecho de apresarlas por cualquier medio que pudiésemos ejecutarlo. En los primeros días de enero hemos publicado el bloqueo del Río Orinoco, y desde aquella época empezamos a poner en ejecución dicho bloqueo con todas las fuerzas que el Gobierno tenía a su disposición. Nuestros buques mayores cruzaban en las bocas aunque por intervalos, y nuestras fuerzas sutiles que se hallaban estacionadas entre la vieja y la nueva Guayana, apresaron en los meses de marzo, abril y mayo, un bergantín, una goleta, un guairo mercantes, y el apostadero militar de la isla de Fajardo. Si a principios de junio tuvimos un combate con los enemigos en las aguas de Casacoima donde perdimos la mayor parte de nuestras cañoneras, estas fueron inmediatamente reemplazadas por las del comandante Díaz y la escuadrilla del almirante Brion. De este resumen se deduce, que el río estaba bloqueado por nuestras fuerzas y que ningún neutro podía auxiliar con armas y municiones las plazas sitiadas y bloqueadas, sin ejecutar actos hostiles que le harían perder los derechos de neutralidad, si fuese apresado por los sitiadores y bloqueadores en su entrada o salida, pues que contra ambas operaciones se oponen las fuerzas enemigas. Tanto se contraviene en entrar como en salir de un puerto bloqueado, donde se ha entrado después de establecido el bloqueo, y por consiguiente ni el Tigre ni la Libertad tienen legítimos reclamos que hacer contra el almirantazgo de Venezuela.

Si las Naciones neutrales hubiesen obligado a nuestros enemigos a respetar estrictamente el derecho público y de gentes, nuestras ventajas habrían sido infinitas, y menos tendríamos que quejarnos de los neutros. Pero ha sucedido lo contrario en todo el curso de la presente guerra. La España ha extendido el derecho de bloqueo mucho más allá que la nación Británica: ha hecho confiscar cuantos buques neutrales han podido apresar sus corsarios por cualquier causa o pretexto. En la plaza de Cartagena el general Morillo ha prolongado el bloqueo después de tomada por las armas del rey, y ha tratado como prisioneros de guerra a cuantos neutrales cayeron en sus manos, haciendo de este modo una innovación tan escandalosa en las leyes publicas de las Naciones. No se ha visto, sin embargo, que ninguna potencia marítima haya reprimido este abuso tiránico y atroz, cuando todas las naciones marítimas son más fuertes que la España. Pretender, pues, que las leyes sean aplicables a nosotros y que pertenezcan a nuestros enemigos las prácticas abusivas, no es ciertamente justo, ni es la pretensión de un verdadero neutral, es, sí, condenarnos a las más destructivas desventajas.

¿No sería muy sensible que las leyes las practicase el débil y los abusos los practicase el fuerte? Tal sería nuestro destino si nosotros solos respetásemos los principios y nuestros enemigos nos destruyesen violándolos.

Sería sin duda, muy glorioso para Venezuela que, pareciendo la última en la escala de las Naciones, fuese la más religiosa en respetar el derecho escrito de las gentes, y nada sería tan conforme con sus instituciones y objeto, como el ver restablecer la justicia entre los pueblos y los pactos generales que ligan a todos los hombres de todas las Naciones. Pero siendo infinitamente lamentable que en esta última época de turbulencia, de agresión y tiranía, nada haya sido tan hollado como el derecho público ¿con que fuerzas podrá oponerse Venezuela al imperio de las prácticas opresivas de casi todas las potencias marítimas?

No obstante todas las antecedentes consideraciones yo vuelvo a someter al juicio de V.S. la decisión de esta cuestión, refiriéndome confiadamente a la rectitud del discernimiento que tan eminentemente distingue a V.S.; bien convencido de que el gobierno de Venezuela está pronto, por generosidad, a la devolución de los intereses confiscados a los dueños de las goletas Tigre y Libertad siempre que V.S. no se persuada íntimamente de la justicia con que ha obrado el almirantazgo de esta República.

Tengo el honor de ser con la más alta consideración de V.S. el más atento y obediente servidor.

Bolivar

---

84.—De una fotografía).

Angostura, 20 de agosto de 1818.

Al señor Bautista Irvine Agente de los Estados Unidos de la América del Norte cerca de Venezuela.

Señor Agente:

Sin embargo de que la nota de V.S. fecha de 17 del presente que tuve el honor de recibir ayer, no puede considerarse sino como preliminar o preparatoria a la que ofrece dirigirme en contestación a mi respuesta del 6, creo muy conveniente anticipar algunas reflexiones que nacen de los mismos principios admitidos en ella por V.S.

V.S. considera como justa mi indignación con respecto a los protectores o auxiliadores de nuestros feroces enemigos; pero añade V.S. que es infundada si se atiende a que *comerciantes neutros, ne deben abandonar su profesión por hacerse partidarios políticos*. Sin sostener lo contrario, puedo observar que no encuentro la necesidad de que un neutro abrace este o aquel partido si no quiere abandonar su profesión, ni concibo que pueda hacerse aplicación de este principio a los puertos bloqueados sin destruir los derechos de las naciones beligerantes. Si la utilidad de los pueblos neutros es el origen y fundamento para nó excluirlos del comercio de las potencias en guerra, estas interesan contra el que se hace en puertos bloqueados no solamente la misma razón sino también el mal que resulta de la prolongación de una campaña o guerra que podría terminarse rindiendo o tomando la plaza reducida a asedio. *La imparcialidad que es la gran base de la neutralidad* desaparece en el acto en que se socorre a una parte contra la voluntad bien expresada de la otra, que se opone justamente y que además no exije ser ella socorrida.

La conducta de la Francia y la Inglaterra en los últimos años de su célebre lucha viene muy a propósito en apoyo de esta opinión. Pero yo no intento justificarla, porque ni creo que nuestro caso en cuestión sea de aquella naturaleza, ni necesito otros argumentos que los mismos propuestos por V.S. la doctrina citada de Vattel que es sin duda, la más liberal para los neutros no solamente sostiene poderosamente el derecho con que Venezuela ha procedido en la condena de las goletas Tigre y Libertad sino que da lugar a que recuerde hechos que desearía ignorar para no verme forzado a lamentarlos. Hablo de la conducta de los Estados Unidos del Norte con respecto a los independientes del Sur, y de las rigurosas leyes promulgadas con el objeto de impedir toda especie de auxilios que pudiéramos procurarnos allí. Contra la lenidad de las leyes americanas se ha visto imponer una pena de diez años de prisión y diez mil pesos de multa, que equivale a la de muerte, contra los virtuosos ciudadanos que quisiesen proteger nuestra causa, la causa de la justicia, y de la libertad, la causa de la América.

Si es libre el comercio de los neutros para suministrar a ambas partes los medios de hacer la guerra, ¿porqué se prohibe en el Norte? ¿porqué a la prohibición se añade la severidad de la pena, sin ejemplo en los anales de la República del Norte? ¿No es declararse contra los independientes negarles lo que el derecho de neutralidad les permite exigir? La prohibición no debe entenderse sino directamente contra nosotros que éramos los únicos que necesitábamos protección. Los españoles tenían cuanto necesitaban o podían proveerse en otras partes. Nosotros solos estábamos obligados a ocurrir al Norte así por ser nuestros vecinos y hermanos, como porque nos faltaban los medios y relaciones para dirigirnos a otras potencias. Mr. Corbett ha demostrado plenamente en su semanario la parcialidad de los Estados Unidos a favor de la España en nuestra contienda. Negar a una parte los elementos que no tiene y sin los cuales no puede sostener su pretensión cuando la contraria abunda de ellos es lo mismo que condenarla a que se someta, y en nuestra guerra con España es destinarnos al suplicio, mandarnos exterminar. El resultado de la prohibición de extraer armas y municiones califica más claramente esta parcialidad. Los españoles que no las necesitaban las han adquirido fácilmente, al paso que las que venían para Venezuela se han detenido.

La extrema repugnancia y el dolor con que recuerdo estos actos, me impiden continuar exponiéndolos. Sólo la necesidad de justificar al gobierno de Venezuela podría haberme forzado a manifestar unas quejas que he procurado sofocar hasta ahora y que habría sepultado en el silencio y en el olvido si no fuesen necesarias ya para desvanecer los argumentos con que ha querido V.S. probar la ilegitimidad de las condenas dadas contra las goletas Tigre y Libertad.

Quiero sin embargo suponer gratuitamente por un momento que la imparcialidad ha sido guardada. ¿Qué deduciríamos de aquí? O es preciso negarnos el derecho de bloqueadores y sitiadores, o es preciso decir que pueden los buques neutros entrar y salir de los puertos que han sido excluídos temporalmente del comercio por un decreto de bloqueo llevado a efecto. Para lo primero sería necesario declararnos fuera del derecho de las gentes, y consiguientemente sin obligación de respetarlo; y no sería menos monstruoso sostener lo segundo que choca contra todas las prácticas y leyes de las naciones.

Podría extender infinitamente las observaciones que he hecho; pero como no es mi objeto responder definitivamente sino cuando haya visto y meditado la contestación de V.S. que acabo de recibir, reservo para entonces explanar estas mismas razones y añadir las más que ahora omito por no cansar su atención.

Con la más alta consideración tengo el honor de repetir a V.S. los sentimientos de distinguida estimación con que soy de V.S. atento obediente servidor.

BOLÍVAR

---

85.—*De una fotografía*).

Angostura, 24 de agosto de 1818. 8º.

*Al señor B. Irvine Agente de los Estados Unidos de la América del Norte cerca del Gobierno de Venezuela.*

Señor Agente:

Yo esperaba haber satisfecho a V.S. en mi nota de 6 del presente sobre los hechos que sirven de fundamento al derecho con que el almirantazgo de Venezuela procedió a dar las condenas contra las goletas Tigre y Libertad, y en consecuencia me preparaba a entrar en conferencias, que, lejos de tener el carácter de quejas, fuesen satisfactorias para ambos gobiernos, y he visto con sentimiento la contestación de V.S. que me ha hecho el honor de dirigirme con fecha de 19 del corriente.

Insiste V.S. en su reclamo intentando probar la ilegitimidad de aquel acto; niega los hechos alegados por mí, que constan de los procesos seguidos, y pretende que prevalezcan sobre estos documentos judiciales las representaciones y protestas que los interesados han dirigido al Secretario de Estado de los Estados Unidos. Si los dueños y fletadores de las Goletas Tigre y Libertad han graduado de injusto ultraje el apresamiento de sus buques, que estaban sujetos, por lo menos, a una rigurosa discusión, no hallo un epíteto con que distinguir la revocación a duda de la fe de nuestros actos y procedimientos jurídicos. Yo no me habría

atrevido a hacer uso de deposiciones que no constasen, y cuando
me referí a los procesos, fué en la resolución de manifestarlos a
V.S. siempre que los exigiese para convencerse más. Ellos reposan
originales en la Secretaría de Estado, y serán presentados a V.S.
cuando V.S. desee verlos.

Antes he confesado, sin dificultad: que, *examinadas atenta-*
*mente las causas seguidas contra las goletas Tigre y Libertad, se*
*encontrarían informalidades, que podrían calificarse de esencia-*
*les, por el efecto inevitable de las circunstancias.* Podría haber
alegado, en apoyo de estas informalidades, el derecho que tiene
cada pueblo para decidir sobre el modo, con que deben averi-
guarse los hechos, en que debe fundarse la aplicación de la ley.
Apareciendo aquellos, poco importa que sea por esta o aquella
vía: el derecho es siempre el mismo y en nada se altera. Podría
también haber citado el artículo 12° de nuestras ordenanzas de
Corso, en que se previene: que los juicios de presas se sigan *su-*
*mariamente en el término de veinticuatro horas o antes si es po-*
*sible;* pero he preferido no hacer uso de este derecho por dar una
prueba relevante de amor a la causa de la justicia. Pretender que
un pueblo, que trata ahora de constituirse y que para lograrlo sufre todo género de males de parte de sus enemigos, tenga las
mismas instituciones que el pueblo más libre y más tranquilo del
mundo, es exigir imposibles. Basta contemplar por un momento,
con imparcialidad, la situación de Venezuela para justificar su
conducta, y admirar su celo por el orden, y su amor y respeto por
la justicia y la propiedad.

Previendo con V.S. que mientras no nos penetremos de las
circunstancias, y mientras no convengamos en el principio a que
debamos referirnos con respecto a los hechos hay pocas esperanzas de una composición satisfactoria, convine en mi oficio del 6
en que podrían las partes exigir que se rehiciese el proceso. Es el
único derecho, que la más ilimitada generosidad puede conceder,
y siento que no haya V.S. detenido en esto su atención como el
medio más propio para una transacción. En mi presente respuesta
me propongo, pues prescindir de los hechos, que supongo conformes a las declaraciones tomadas en nuestro Almirantazgo, y
sólo me contraeré a los principios del derecho. El método exije
que empiece por los que V.S. atribuye a las naciones neutras, y

que exponga al fin los que corresponden a las beligerantes, limitándolas ambos a nuestro caso en cuestión.

Constituido a la cabeza de un pueblo que, proclamando los principios mas perfectos de libertad, no ha ahorrado los sacrificios de todo género por sostenerlos, desearía no admitir sino las máximas más liberales en esta discusión; pero contrariadas éstas por la doctrina y práctica general de las naciones, y muy particularmente por las de nuestra enemiga, me veo obligado a ceder a su poderoso imperio.

El principal argumento, que ha traído V.S. como convincente es el derecho de comercio que no puede negarse a los neutros, y que puede consistir en cualquiera especie de mercadería y aun en elementos de guerra. No me atreveré a impugnar directamente esta opinión: me limitaré a señalarle los términos y justas excepciones a que la creo sujeta para conciliar a la vez ambos derechos.

Es indudable que observando una estricta imparcialidad no pueden los neutros ser excluídos del comercio de las naciones en guerra. Los publicistas, sin embargo, se han esforzado en probar que está expuesto a ser condenado como contrabando, todo cargamento de armas y municiones que se encuentre en camino para cualquier puerto enemigo, y han sostenido sus opiniones con leyes escritas del derecho de gentes, como verá V.S. después. A la verdad es bien sensible que haya prevalecido esta limitación sobre la generalidad de aquella máxima, que es a mi parecer muy conforme al interés de las naciones, porque es el único medio de proveerse de elementos militares las que carecen de ellos. Pero aun admitida con toda esta extensión, no debe nunca aplicarse a los puertos bloqueados y a los sitiados, porque dejarían de estarlo siempre que pudiesen recibir socorros de fuera, y en vano se bloquearía o sitiaría un puerto o plaza, si estuviesen los neutros autorizados para prestarle impunemente los auxilios que necesitase. Semejante principio destruiría los derechos de la guerra.

La perfecta y estricta imparcialidad es otra consideración que debe tenerse muy presente. Sin ella no hay neutralidad, y desvanecida esta cesa todo derecho que se deriva de ella. En mi nota del 20 he hecho algunas observaciones, aunque con suma repugnancia, sobre la conducta del Gobierno de los Estados Unidos con respecto a nosotros, menos con el objeto de probar su parcialidad, que con el de demostrar la falsedad del principio de absoluta libertad de comercio entre neutros y beligerantes. Los hechos citados en mi oficio del 6, las palabras de la acta del Congreso de 3 de marzo del año próximo pasado, y los resultados o efectos de aquella prohibición, que han sido todos contra los independientes, manifiestan, o que el gobierno de los Estados Unidos ha guardado con los españoles consideraciones que no han obrado en nuestro favor, o que no nos ha creído con derecho para comerciar como neutros, armas y municiones, cuando ha prohibido su extracción. No hago mérito de esto sino como en adición a las otras muchas razones que justifican las condenas de las goletas Tigre y Libertad. Y estoy intimamente convencido de que, por más estricta que hubiese sido su neutralidad, los buques en cuestión la habían violado y eran condenables.

Otro principio de V.S. es, que los buques neutros tienen derecho para venir a examinar por sí la realidad del bloqueo, puesto que deben ser avisados por la escuadra bloqueadora. Permítame V.S. que yo niegue este principio, y que, añada además, que los buques en cuestión están fuera de este caso, aun cuando se admitiese. Para negarlo tengo la autoridad de las decisiones de los almirantazgos de Inglaterra, que han condenado los buques tomados en camino para puerto bloqueado aunque su aprehensión sea en alta mar, y la práctica de nuestros enemigos los españoles que han aprehendido y condenado cuantos han podido apresar, aun después de rendida la plaza bloqueada, por la sola sospecha de que venía a auxiliarla. La goleta Tigre entró en esta plaza después de establecidos el sitio y el bloqueo, después que habíamos aprehendido varios buques, y si tuvo la fortuna de burlarse de nuestros apostaderos, tal vez al favor de la escuadrilla enemiga, no prueba esto que el bloqueo y sitio se hubiesen levantado. En todo el mes de abril se aprehendieron buques que conducían víveres y emigración de esta plaza para las Colonias y para el Bajo-Orinoco, y a principios de mayo un bergantín que venía de Europa fue también apresado. Nadie puede dudar que es tomado *in delicto* un buque, que sale de un puerto bloqueado, a donde se ha entrado contra sitio y bloqueo. La Tigre no había concluído su viaje y estaba todavía en el acto del delito. Mi nota del 6 lo demuestra evidentemente. La goleta Libertad ha sido tratada con el respeto que V.S. quiere exigir: ella fue avisada y sin embargo prosiguió su viaje en desprecio de nuestro aviso.

Si los interesados alegan ignorancia del bloqueo, yo conservo y presentaré a V.S. la gaceta de Norfolk de 6 de marzo. Además puedo presentar el testimonio de los almirantes y gobernadores de las Antillas. Si los Estados Unidos no tienen una comunicación directa con nosotros, si no nos reconocen, ni nos tratan, ¿de qué modo les haremos entender nuestros decretos? Los medios indirectos, que son los que nos quedan, se han empleado, y como prueba puedo citar la gaceta indicada.

Antes he dicho, y ahora repito, que no es creíble la excepción de que las propiedades apresadas pertenecían a otro, que al dueño de las que se introdujeron en contravención del bloqueo. El capitán Tucker ha confesado que eran en parte el producto de la negociación de armas y en parte el de negociación anterior; pero sin calificar esto, como podía haberlo hecho presentando las facturas, registros y libros de comercio, (como en tales casos se acostumbra) en vano se intenta el argumento propuesto por V.S. aun cuando fuese del caso.

Creo haber resumido los derechos que V.S. atribuye a los neutros. Pasemos ya a exponer los de los beligerantes. Suponiendo que V.S. no niega a Venezuela el derecho de declarar en estado de bloqueo este o aquel puerto o puertos, poseídos por sus enemigos, y que consiguientemente concede la legitimidad del decreto expendido en enero de 1817, declarando en este estado los del Orinoco, expondré lo que los publicistas españoles han juzgado como derecho público, y lo que han ejecutado. La retaliación es el derecho más seguro y legítimo de que puede servirse un pueblo en guerra. Las Ordenes del Consejo de Inglaterra a consecuencia de los decretos de Milán y de Berlín son un ejemplo bien terminante y decisivo.

Olmedo en el capítulo 15º, tomo 2º del derecho público de la guerra, (recapitulando los tratados y prácticas de la Europa) dice: "que aunque las naciones neutrales tienen derecho para exigir el comercio libre en cosas que no son de contrabando (1) hay ciertos casos en que de ningún modo les es permitida esta facul-

(1) Se entienden por de contrabando toda especie de armas, municiones y equipamentos militares para hacer la guerra en mar o tierra.

tad; por ejemplo, en el sitio de alguna plaza especialmente cuando está cercada por hambre, en cuyo caso ninguna nación puede socorrer con víveres a los sitiados bajo la pena de perderlos, y aun de ser castigados gravemente los infractores; pues de otro modo sería inútil la guerra, habiendo quien pudiese estorbar los progresos de ella". Esta doctrina universal y antiquísima está confirmada por el artículo 33 de las Ordenanzas de Corso españolas, concebidas en estos términos: "serán siempre buena presa todos los géneros prohibidos y de contrabando que se trasportaren para el servicio de enemigos en cualesquiera embarcaciones que se encuentren" (2), y luego continúa: "También se considerarán como géneros prohibidos y de contrabando todos los comestibles de cualquier especie que sean en caso de *ir destinados* para plaza enemiga bloqueada por mar o tierra; pero no estándolo se dejarán conducir libremente a su destino, *siempre que los enemigos de mi corona observen por su parte la misma conducta*".

Esta es la regla que se observa en los juicios de presas por los tribunales españoles: es la que han seguido en todos tiempos, y si ha sufrido algunas alteraciones es más bien extendiendo su derecho contra los neutros. Tal ha sido su conducta en el bloqueo de Cartagena de que he hablado, ya a V.S. en otra ocasión.

Venezuela, que hasta ahora no ha podido ocuparse sino de combatir, se ha visto forzada a continuar las leyes y prácticas que la habían regido durante el duro yugo de la España, en cuanto no han sido contrarias a su sistema de libertad e independencia. Si esta ley es injusta, si es contra los derechos de la neutralidad la nación Española, que la ha promulgado y cumplido desde el siglo pasado, debe ser la responsable y no Venezuela, que sin deshacerse de los monstruos que la despedazan y devoran, no puede aplicarse a mejorar las instituciones que deben ser la consecuencia y no las premisas de su reconocimiento e inscripción en el registro de las naciones libres e independientes.

Los términos expresos de la ley, que se ha aplicado contra las goletas Tigre y Libertad, me eximen de entrar en nuevos detalles sobre si fue o nó efectivo el bloqueo marítimo hasta el mes de junio, como V.S. ha dicho, si una vez establecido se levantó o relajó, y si nuestras fuerzas eran o no suficientes para llevarlo a

---

(2) Se entienden y expresan los mismos objetos.

efecto. La Ley condena a todo buque que trata de introducir socorro de armas o municiones de boca o guerra a una plaza bloqueada por mar o por tierra.

Me parece fuera de propósito probar que nuestros apostaderos estaban situados de modo que exponían a inminente peligro cualquier buque, que intentase entrar o salir de este puerto. Antes de entrar la Tigre, es decir, en el mes de marzo, fueron apresados en frente de San Miguel varios buques y sostuvimos también allí algunos choques contra los apostaderos militares del enemigo, hasta que al fin apresamos el de Fajardo. Si unas fuerzas que interceptan el comercio, y que baten y apresan los buques de guerra enemigos, no son suficientes para bloquear un puerto de río, y si las naciones en guerra no son las que deben decidir de la especie y número de las fuerzas que emplean en sus operaciones militares, el derecho de bloqueadores será tan vario e indefinido como lo son los intereses de cada pueblo.

Si el almirante Brion no entró en el río hasta el mes de junio, fué porque sus fuerzas no se creyeron necesarias dentro de él, sino cuando quisimos estrechar más las plazas y yo no creo que para bloquear un puerto de río sea necesario remontarlo. El río estaba bastantemente bloqueado con nuestras fuerzas sutiles y con nuestro ejército de tierra que las sostenía mientras que nuestros buques mayores hacían sus cruceros en el mar.

Sería prolongar demasiado mi respuesta añadiendo más razones y contestando a cada artículo de la nota de V.S. Me persuado que he satisfecho los principales. No puedo, sin embargo, terminar esta carta sin suplicar a V.S. me permita observarle cuan extraña debe parecer la conducta de los capitanes y sobrecargos de las goletas Tigre y Libertad por lo injuriosa que es al almirantazgo de Venezuela. La sentencia contra sus buques fue pronunciada por el tribunal de Almirantazgo, que es un tribunal inferior. Si ellos se creyeron ofendidos, porque se les hubiese faltado a la justicia en la forma o de otro modo, ¿porqué no protestaron la sentencia? ¿porqué no apelaron a la autoridad Suprema? Pero lo que colma el agravio es la declaración, en que el capitán Hill afirma haberse sustituido en su juicio otras respuestas a las que él dió. Sin duda que el capitán Hill se ha imaginado que el simple dicho, o el dicho jurado de un interesado, puede destruir el testimonio de un juez, que autorizó su deposición con dos testigos, que no tienen siquiera la nota de extranjeros para él, puesto que eran sus paisanos. Si se le substituyeron las respuestas ¿para qué firmó la declaración? El capitán Hill habla y entiende el español y si desconfiaba de su juez debió leer él mismo lo que firmaba, para no comprometerse.

Creyendo sin ninguna relación con el derecho, que discutimos, el hecho de que V.S. se queja contra el Almirante, por haber expuesto a venta la goleta Libertad antes de ser condenada, omito las consideraciones que puedo presentar para excusarlo, ya que no sea para justificarlo. Son hechos particulares que no dañan al asunto principal, sino en el modo.

Me lisonjeo con la esperanza de que satisfecho V.S. plenamente, quedará transado de un modo satisfactorio el reclamo intentado, que contra todos mis deseos, he visto prolongar hasta llegar a hacerse molesto para una y otra parte, distrayéndonos del objeto principal con discusiones prolijas sobre el derecho, y con episodios, que sin tener una estrecha conexión con los hechos no pueden servir de base a la resolución. La cuestión debe quedar reducida a este pequeño círculo: si los puertos del Orinoco estaban bloqueados o sitiados en el mes de abril cuando entró a esta plaza la Tigre: si continuaban sin interrupción el bloqueo y sitio en el mes de julio cuando fueron apresadas ésta saliendo y la Libertad entrando. Demostrado el sitio y bloqueo, o uno de los dos en aquellas fechas, será preciso confesar la infracción de los dos buques encontrados en el teatro de nuestra lucha, y la ley que los condena se aplicará fácilmente.

Acepte V.S. las renovaciones del aprecio y alta consideración con que soy de V.S. el más atento adicto servidor.

BOLÍVAR

*86.—De una fotografía*).

Angostura, 6 de setiembre de 1818-8º.

*Al señor B. Irvine, Agente de los Estados Unidos de la América del Norte, cerca de Venezuela.*

Señor Agente:

A su tiempo he tenido el honor de recibir las dos notas de V.S. fechas de 25 y 29 del mes próximo pasado. Como V.S. se queja en la primera de ver introducida en la discusión una nueva materia, he querido aguardar su segunda carta para contraer a ella sola mi respuesta y no extender más una digresión que, mezclada accidentalmente en nuestras comunicaciones, no debe distraernos del asunto principal. Mi presente contestación será breve.

No me detendré sino en satisfacer a la única razón que ha reforzado V.S. ahora, dándole un valor que yo no le encontré cuando en mi oficio del 6 de Agosto la toqué de paso. Tan insignificante me pareció entonces, que no creí necesario rebatir en mi último lo que V.S. repuso en el suyo del 19, porque me parecía que en nada perjudicaba al derecho para la confiscación el acto de servirse de los buques antes de la condena, cuando el Gobierno era responsable de ellos, y cuando los interesados prestaron sus consentimientos. Yo suplico a V.S. que relea con detención lo que dije en aquel oficio.

La simple conversión de los buques en nacionales podría llamarse *apropiación,* si hubiese sido contra la voluntad de los que hacían veces de dueños, y si no hubiesen precedido proposiciones aceptadas en que el Gobierno se comprometía a la satisfacción de los perjuicios, que recibiesen, caso de ser apresados o deteriorados en aquel servicio *y que resultasen absueltos.* Los buques debían sufrir mucho estando detenidos sin ejercicio mientras no fuesen juzgados, y yo no veo qué mal se les podía seguir de que fuesen empleados, quedando el Gobierno responsable a cualquier accidente de apresamiento &. Además se tuvieron presentes otras razones que no eran despreciables. Esperábamos por momentos que el enemigo evacuase el río y las plazas que ocupaba y para esto debía forzar nuestra línea de bloqueo. Si los buques, que estaban detenidos, no se armaban serían probablemente apresados, y servirían al enemigo no solamente para transportes, sino para proveerse de los víveres que contenían. Debíamos impedir al enemigo toda especie de socorro, y no teníamos otro medio para conseguirlo que armarlos. Un cúmulo de circunstancias concurrieron a hacer más urgentes estas razones: nuestros puertos en la Isla de Margarita y Costa de Cumaná estaban unos ocupados por Morillo y otros bloqueados; no teníamos, pues, a donde enviarlos mientras terminaba la campaña del Orinoco. Medite V.S. por un instante nuestra delicada situación y se convencerá de que elegimos el partido más prudente y aun el más moderado. Podíamos a ejemplo de los españoles forzar los buques a que nos sirviesen.

En el año de 1814 hemos apresado buques neutrales que estaban empleados en trasportar tropas enemigas contra nosotros con la bandera Inglesa. En la causa, que se les siguió no alegaron los capitanes otro pretexto que el de haber sido compelidos a ello por los españoles que fueron, sin embargo, bien servidos, y no se ha visto que ninguna nación haya reclamado contra esta infracción. Si ellos abusan impunemente de los buques neutros en nuestro daño ¿porqué derecho estaremos nosotros obligados a respetarlos más? ¿Y no parece al contrario que nuestro estado de insurrección hace más excusable nuestras faltas?

La observación de V.S. con respecto al bloqueo, que no cree efectivo porque no pueden unos pocos botes situados arriba de San Miguel bloquear los sesenta o setenta caños del Orinoco, ni los puertos que están abajo de aquel punto, no tiene ninguna fuerza, si considera V.S. que el único puerto habilitado del Orinoco ha sido siempre la Angostura: este era el que nosotros bloqueábamos más particularmente: a él entró y de él salió la Tigre. Aun cuando admitiésemos, pues, que antes de la llegada del almirante Brion no había un bloqueo efectivo para todo el Orinoco, es preciso confesar que lo había para Angostura. Más: el artículo 33 de las Ordenanzas de Corso, que antes he citado establece terminantemente que incurren en pena de confiscación los buques neutros que vayan destinados con víveres o efectos de contrabando para plaza *bloqueada* por már o *por tierra*. Si V.S. no se convence de que el bloqueo marítimo de los puertos del Orinoco era efectivo basta que lo haya sido el de tierra. Esta ley española, única que puede regir nuestra conducta, así porque no conocemos otra, como porque la represalia nos obliga a aplicarla, fué promulgada en 1796, y desde entonces ha estado en uso en presencia de toda la Europa y de los mismos Estados Unidos del Norte. Ninguna potencia la ha reclamado y todas han sufrido y visto con indiferencia las escandalosas transgresiones del derecho público en nuestra lucha actual. Las intenciones de los neutros han sido adivinadas y las adivinaciones han sido bastante causa para pronunciar confiscación contra los buques y efectos, y prisión contra las tripulaciones de los buques apresados en el bloqueo de Cartagena. La conducta de Venezuela ha sido incomparablemente más regular: no se le puede atribuir un acto semejante.

V.S. se desentiende en su nota del 29 de este argumento que es uno de los más poderosos que propuse en mi anterior. Yo sé que la España no puede dictar leyes a las naciones; pero también sé que las que establezca y practique en odio de Venezuela, deben ser practicadas por esta en odio de ella. Mientras V.S. no me persuada que el derecho de retaliación es injusto, creeré que este solo argumento (prescindiendo del bloqueo marítimo) es suficiente para calificar la justicia con que procedimos en las condenas de las goletas Tigre y Libertad. Los errores o faltas que se observan en el modo y en los procedimientos, son como he dicho antes, efectos inevitables de las extraordinarias circunstancias en que nos hallábamos, y no perjudican en nada a lo principal que es el derecho fundado en los hechos constantes porque han sido confesados judicialmente.

Insensiblemente he prolongado esta carta más de lo que deseaba. Para una materia de tan poca importancia hemos extendido demasiado nuestra discusión, que no quiero hacer más molesta añadiendo nuevas razones. Si las que he expuesto en mis cinco comunicaciones no prueban la justicia y rectitud con que se dictaron las condenas, las más en que pudiera detenerme, solo servirían para hacer difusa la conferencia, contra los deseos de V.S. y contra los míos propios.

Renuevo a V.S. los testimonios de apreciación y alta consideración con que soy de V.S. el más atento servidor.

BOLIVAR

*87.—De una fotografía).*

Angostura, 25 de setiembre de 1818.8°

*Al señor B. Irvine, Agente de los Estados Unidos de la América del Norte cerca de Venezuela.*

Señor Agente:

La nota que tengo el honor de incluir a V.S. responde a algunas de las razones que V.S. me expuso en las suyas de 6 y 10 del corriente. No estando ni V.S. ni yo convencidos con los argumentos hasta ahora presentados sería prolongar interminablemente la conferencia continuarla del mismo modo que se ha conducido hasta aquí. Como una prueba de la sinceridad de mis deseos por verla terminada y porque la imparcialidad y rectitud sean las que dicten la decisión, propongo en conclusión el juicio de árbitros que se elegirán y procederán a formar sus acuerdos inmediatamente que V.S. me participe su aceptación.

Mientras que la cuestión no sea decidida ninguna disposición puede librarse con respecto al pago. Si en la sentencia que se pronuncie se declaran injustos los apresamientos, yo ofrezco a V.S. que se harán todos los esfuerzos posibles por complacer a V.S. socorriendo a los señores Leamy y Ledli, o se harán los arreglos que se crean convenientes conforme a la situación de los interesados y del gobierno de Venezuela.

Soy con la mayor consideración de V.S. el más atento adicto servidor.

BOLIVAR

88.—*De una fotografía*).

Angostura, 25 de setiembre de 1818.8º.

*Al señor B. Irvine, Agente de los Estados Unidos de la América del Norte cerca de Venezuela.*

Señor Agente:

Por más atención que he prestado a las notas de V.S. de 6 y 10 del corriente, y por más que interese la descripción que V.S. hace en ellas de las calidades y circunstancias de los señores Leamy, Ledli y Lanson, yo no he podido convencerme de la ilegalidad que pretende V.S. probar en las condenas de las goletas Tigre y Libertad. Añadiendo constantemente razones, sin responder a las que por mi parte le presento, haremos interminable la discusión, que estaría ya concluída, si desde el principio hubiésemos limitado y dirigido nuestros argumentos a los dos puntos principales de la cuestión. Demostrar si las plazas de Angostura y Guayana estaban, o nó, bloqueadas por mar o tierra desde el mes de enero del año próximo pasado, y si durante el bloqueo entró y salió la Tigre de este puerto, e intentó hacerlo la Libertad, debió haber sido nuestro único objeto.

Lejos de ser injusto el apresamiento de estos dos buques ha sido hecho conforme a la doctrina misma que sirve de regla a la conducta de los capitanes de los buques americanos. (Véase la obra The American Ship Master daily assistant, or compendium of marine Laws and mercantile regulations and customs—pag. 30 —Edición de Portland). El bloqueo siguiendo esta doctrina es de *hecho o por notificación*. Para el primero se exije actual investidura de la plaza bloqueada; para el segundo basta la notificación acompañada de una fuerza competente o *incompetente;* y sin embargo los derechos que dá este último son más extensos que los del otro.

Yo he probado a V.S. que el decreto de bloqueo se expidió oportunamente y se publicó directa o indirectamente conforme a nuestras relaciones con los países extranjeros. El gobierno de Venezuela no estaba obligado a hacer más. He probado también que conservamos sin intermisión fuerzas en el río y cruceros en el mar, consiguientemente ninguna duda puede quedar sobre la realidad del bloqueo marítimo. Quiero, no obstante, prescindir de este argumento y ceñirme solo al derecho que nos daba el bloqueo por tierra. Si nuestras fuerzas marítimas han parecido a V.S. insignificantes y *sombra de una sombra,* creo que no tendrá la misma idea del ejército de tierra que era por lo menos cuádruplo respecto de las tropas enemigas que bloqueábamos.

El medio más breve que yo encuentro para una pronta transacción es que sometamos la cuestión al juicio de árbitros que decidan: si por fuerza competente, incurrieron en la pena de confiscación, según las ordenanzas y prácticas españolas, los buques neutros que entraron o intentaron entrar en ellas. Los deseos de ver terminada la parte especial de la misión de V.S. me han dictado este medio que espero sea aceptado por V.S. como el más breve y que puede tener un resultado más satisfactorio.

Las observaciones de V.S. relativamente a la goleta Libertad están fundadas sobre informes falsos o equivocados. No solamente no venía en auxilio de nuestra escuadra el cargamento de víveres que ella traía, sino que se ha denunciado como propiedad de españoles que habían mandado aquellos fondos a Martinica para comprar víveres. Esta denunciación fué despreciada porque no se creyó necesario saber a quien pertenecía el cargamento cuando no admitía duda la violación del bloqueo.

El derecho de retaliación de que he hablado a V.S. nos autoriza para ejecutar contra nuestra enemiga la España las leyes y prácticas que ella ejerce contra Venezuela, sean, o nó, en perjuicio de los neutros, sin que en este caso nuestra conducta pueda caracterizarse de innovación o transgresión de la ley pública. La nación que quebrante primero la ley, es la única que puede llamarse infractora: y es la sola responsable de este atentado. El enemigo que se sirve de las mismas armas con que se le ofende, no hace sino defenderse. Esta es la ley más antigua y la más universalmente conocida y practicada.

Yo no sé que fuerza puede darse al papel dirigido por el almirante Brion al sobrecargo Lanson ofreciéndole que sería bien tratado. El almirante suponía que la Tigre no hubiese violado el bloqueo, porque habiéndolo hecho ni el Almirante ni nadie podía absolverla de la pena a que la ley la condenaba.

El nombramiento de árbitros que pronuncien sobre la legalidad del bloqueo, según he propuesto arriba, me exime de extender más esta contestación. Yo recomiendo, pues, a V.S. que tome en consideración este medio, y me participe su resolución acerca de él. Creo que es este el testimonio más claro que puedo dar de la rectitud e imparcialidad de mis intenciones.

Tengo el honor de reiterar los homenajes sinceros de respeto y alta consideración con que soy de V.S. el más atento adicto servidor

BOLIVAR

---

89.—*De una fotofrafía*).

Angostura, 29 de setiembre de 1818-8°.

*Al señor B. Irvine, Agente de los Estados Unidos de la América del Norte cerca de Venezuela.*

Señor Agente:

Al proponer a V.S. en mi comunicación del 25 el juicio de árbitros para terminar nuestra presente conferencia, fue mi objeto principal abreviarla, y apartar de la decisión hasta la más ligera sombra de parcialidad. No aceptando V.S. aquel medio, y extendiendo sus razones sobre los mismos principios, antes alegados, me veo forzado por su última nota del 26 a resolver de una vez la cuestión.

En 24 del próximo pasado agosto dije a V.S., que los procedimientos judiciales de nuestro tribunal de almirantazgo serían la regla a que me referiría en la discusión del derecho. Los hechos, que V.S. ha presentado, no destruyen la verdad de los que constan en los procesos seguidos en nuestro almirantazgo, ni es posible despreciar estos en contraposición de informes particulares sin faltar gravemente al respeto debido a las leyes.

Aunque V.S. en sus últimas notas se ha esforzado por probar que la Libertad venía a buscar un mercado entre Angostura y

Paria, yo no encuentro fundado en ninguna probabilidad este argumento, y mucho menos el que se inclinase a buscar nuestra escuadra con preferencia. En el *conocimiento* del buque constaba que su destino era para Demerari, y el capitán Hill en su declaración añade que haciendo camino hacia allí, supo el estado en que se hallaba Angostura, y se dirigió aquí. La segunda parte del argumento es, no solamente falsa, sino inverosimil. La Libertad fue encontrada por nuestras fuerzas sutiles, avisada del bloqueo y mandada salir previniéndole hablase antes con el Almirante Brion, que estaba ya en el río. Ella manifestó querer salir mientras estuvieron presentes nuestras cañoneras; pero inmediatamente que se separaron éstas siguió su viaje para esta plaza, y fue alcanzada remontando el río. Si su destino hubiera sido proveer a nuestra escuadra, ella habría ido a buscarla, o por lo menos, la habría aguardado. Lejos de ser esta su conducta, ella nos huye y procura burlar nuestro bloqueo. Yo no veo en todo esto un solo hecho que acredite los deseos de servir a nuestros buques.

La consunción de los víveres por nuestras tropas o tripulaciones no liberta a los dueños de la Libertad de la pena que merecían por su violación. No puede concebirse, como es que la justicia o injusticia de un hecho depende de las circunstancias o situación en que nos encontrábamos. Según el argumento de V.S. podría decirse que la miseria o abundancia, en que nos hallásemos, debía influir en el derecho para confiscar la Libertad; pero con la notable diferencia de que V.S. quiere que por lo mismo que necesitábamos el cargamento, debimos pagarlo y dejar absuelto el buque.

Si V.S. no se ha convencido de que el derecho de retaliación es aplicable a los neutros, es porque quiere V.S. confundir la ley pública con la civil de cada pueblo. Un individuo, es verdad, no tiene derecho para faltar a otro, porque éste le haya faltado: la conducta de cada uno debe ser conforme a la ley y no conforme a la de sus conciudadanos. Las naciones se gobiernan por otras reglas. Entre estas no se conoce ley que pueda obligar a una parte, cuando la contraria se cree fuera de ella. Por repetidas ocasiones he demostrado a V.S. que Venezuela está en este caso en su actual lucha con la España y además he añadido que aún cuando por derecho de retaliación no fuesen confiscables los buques en cuestión, lo son por las ordenanzas de corso, que rigen en nuestros tribunales de almirantazgos, hasta que pacificada la República podamos mejorar nuestro código e instituciones.

Después de las muchas razones que he presentado a V.S. para demostrar la realidad del bloqueo por mar y tierra, cuando me bastaba el segundo, no hallo a que atribuir la pertinacia de V.S. en sostener la nulidad de ambos, sino a los informes siniestros o equivocados que habrá recibido. La última nota de V.S. me acaba de persuadir que es esta la verdadera causa. De otro modo no se atrevería V.S. a citarme hechos que habiendo pasado por mi vista, los desconozco cuando V.S. los describe. Tal es el del *bergantín favorecido por el viento y las corrientes apresado por un destacamento de nadadores*. Sin duda, el que dió a V.S. este informe, había oído hablar de los pasajes del Caura y del Apure, en que algunos nadadores abordaron las cañoneras enemigas, y confundió estos sucesos con el apresamiento del bergantín, tomado por nuestras flecheras en frente de Panapana. Pero es bien lamentable que la fuente de que V.S. extrae todas las noticias, a que se refiere con respecto al bloqueo de esta plaza, esté tan viciada o mal instruída de ellas. El apostadero de flecheras, situado arriba de la boca del Infierno, se llama en su relación cuerpo de Caballería, y el acto de remontar el río la Libertad, según las declaraciones del capitán Hill y del Almirante, V.S. dice que es bajarlo a encontrar la escuadra. Estoy seguro que si V.S. hubiese tenido exactos informes de todas las circunstancias, y si no hubiese creído parciales los que yo le he dirigido, habríamos convenido desde el principio en la legitimidad de las condenas.

Sin embargo de todo lo que V.S. ha expuesto para probar la nulidad del bloqueo por la insuficiencia de nuestras fuerzas, yo creo que él ha sido efectivo. Aun prescindiendo de que cada pueblo en guerra es árbitro absoluto para decidir sobre la especie y número de tropas que debe emplear en sus operaciones militares, sin que ningún neutro pueda mezclarse en definir las que se necesitan para la empresa, porque esto sería dictar leyes fuera de su jurisdicción, tengo en apoyo de mi opinión el resultado de nuestro bloqueo y el conocimiento de las fuerzas bloqueadas que es la regla más cierta.

Fundado pues, en todas estas razones y las más de que he

instruído a V.S. en mis anteriores comunicaciones, a que me refiero, creo haber satisfecho y persuadido a V.S. la justicia con que fueron dictadas las condenas. Las leyes se han cumplido en ellas, y no me juzgo autorizado para alterarlas o infringirlas a favor de los dueños de las goletas Tigre y Libertad. Esta es la única propuesta que puedo dar a V.S. en conclusión de nuestra presente conferencia.

Con sentimientos de la más alta consideración y sincera amistad tengo el honor de repetirme de V.S. atento, adicto servidor.

Bolívar

---

90.—*De una fotografía*).

Angostura, 7 de octubre de 1818-8°.

*Al señor B. Irvine, Agente de los Estados Unidos de la América del Norte, cerca de Venezuela.*

Señor Agente:

Tengo el honor de acusar a V.S. la recepción de su nota de 1° del corriente, en que se despide V.S. de la conferencia sobre las capturas que V.S. insiste en llamar ilegales. Después de haber recibido V.S. una respuesta conclusiva y final y *cuando ya no existen las ilusorias esperanzas de compensación ni de persuación parecía excusado el poco provechoso y superfluo empeño de refutar mis asunciones y errores.* Si en efecto juzgaba V.S. de este modo cuando escribía su nota, habría sido mejor que se hubiese ahorrado la pena de responder mis argumentos reincidiendo en las mismas faltas, que procuró corregir de sus comunicaciones de 6, 10, y 15 del pasado.

Si los testimonios que V.S. tiene en su poder, siete meses ha, son los que ha extractado en el párrafo 2° de su nota, no sé de donde deduzca V.S. que el 3er párrafo de mi anterior los confirma. Jamás pude decir que la Libertad fue escoltada por nuestras flecheras, ni que la casualidad de haberse barado fuese la causa de haberse separado de ellas. Seguramente V.S. habrá leído muy precipitadamente el párrafo en cuestión, o no lo ha entendido. Pero aun cuando fuese efectiva la escolta o guardia que V.S. quiere suponer, esto no significaría sino que nuestras flecheras temían que la Libertad procediese de tan mala fe como su conducta posterior demostró. Además de esta observación me permitirá V.S. que añada que nuestra Escuadra tenía un verdadero interés en no abandonar la Libertad mientras no estuviese segura de que no emprendería entrar a las plazas bloqueadas. La orden que se le dió para que hablase con el Almirante, fué con el objeto de que él la examinase, y no para despojarla del cargamento, como tan gratuitamente se ha querido suponer.

Es bien extraño que remita V.S. la fuerza de mis argumentos sobre retaliación a la opinión de cualquier autor que yo pueda citar. La razón y la justicia no necesitan de otros apoyos que de si mismas para presentarse: los autores no les dan ninguna fuerza. En toda mi correspondencia he evitado las citas porque solo sirven para hacerla pesada y enfadosa, y porque he notado que las pocas que he hecho, instado por el ejemplo de V.S. han merecido su desprecio.

Desearía saber el nombre del *comandante de la partida de caballería llanera nadadora* que instruyó *a V.S. del apresamiento del bergantín favorecido por el viento y la corriente. V.S. reitera este singular pero ilustrativo incidente* con tal firmeza y seguridad que me inclino a creer sea este algun suceso (que no haya llegado hasta ahora a mi noticia), diferente del que expuse a V.S. en mi anterior. Es muy difícil que así sea; pero tampoco puedo persuadirme que haya habido quien se divierta engañando a V.S. con cuentos. V.S. me obligaría muy particularmente citándome el autor de este.

Hasta aquí he podido contestar la nota de V.S. en cuestión: pero al llegar al párrafo *"Pleasant enough in all conscience!"* debo suspender la pluma como he suspendido mi juicio, para que no degenere en farsa nuestra correspondencia. No me atrevo a creer que sea el objeto de V.S. convertir en ridículo una conferencia seria por si misma, y por las personas que la tratan, ni puedo persuadirme que ignore V.S. el paso estrecho y peligroso del Orinoco por entre dos peñas, que forman la *boca* llamada del *Infierno,* única causa de equivocación que encuentro en el párrafo de mi nota transcrito por V.S. en la suya. El proverbio jocoso de la *Caballería nadadora,* si es que lo ha sido, debe aludir a las brillantes y gloriosas jornadas en que pequeños cuerpos patriotas de esta arma han atravesado a nado los caudalosos ríos Caura, Caroní y Apure, desalojando y batiendo las tropas españolas que se les oponían y abordando buques de guerra. El amor a la Patria y a la gloria solos han dirigido estas empresas, que, lejos de ser risibles, merecen la admiración y aplausos de los que tienen una Patria y aman su libertad. Repito a V.S. lo que he dicho arriba suplicándole que relea con más atención mi oficio del 29. Es preciso querer trastornar su sentido e invertir sus frases para atribuirse V.S. lo que yo decía de las noticias que ha recibido, privadamente, de fuentes que, a la verdad, no están mal instruídas sino viciadas.

Quisiera terminar esta nota desentendiéndome del penúltimo párrafo de la de V.S. porque siendo en extremo chocante e injurioso al gobierno de Venezuela sería preciso para contestarlo usar del mismo lenguaje de V.S. tan contrario a la modestia y decoro con que por mi parte he conducido la cuestión. El pertinaz empeño y acaloramiento de V.S. en sostener lo que no es defensible sino atacando nuestros derechos, me hace extender la vista más allá del objeto a que la ceñía nuestra conferencia. Parece que el intento de V.S. es forzarme a que reciproque los insultos; no lo haré; pero si protesto a V.S. que no permitiré que se ultraje ni desprecie al Gobierno y los derechos de Venezuela. Defendiéndolos contra la España ha desaparecido una gran parte de nuestra populación y el resto que queda ansía por merecer igual suerte. Lo mismo es para Venezuela combatir contra España que contra el mundo entero, si todo el mundo la ofende.

Concluyo celebrando con V.S. la despedida del asunto, que doy por terminado, y renovándole los testimonios del aprecio y consideración con que tengo el honor de ser de V.S. el más atento adicto servidor.

BOLIVAR

*91.—De una fotografía).*

Angostura, 12 de octubre de 1818. 8º

*Al señor Bautista Irvine, Agente de los Estados Unidos de la América del Norte, cerca de Venezuela.*

Señor Agente:

Con mucha razón dice V.S. en su nota de 8 del corriente (que tuve el honor de recibir oportunamente) que mi comunicación del 7 fue leída con sorpresa de parte de V.S., porque no esperaba una nueva carta sin que hubiese precedido una nueva proposición. Si la nota de V.S. de 1º del corriente se hubiese limitado a despedirse del asunto y no hubiese V.S. añadido otras observaciones, su sorpresa habría sido justa, como lo ha sido la mía al ver renovar una cuestión que, después de la más prolija discusión, ha sido terminada formalmente por mi parte.

Aun cuando los argumentos de que V.S. se sirve, fueran nuevos, y no una repetición de los que he respondido ya, no me empeñaría en contestarlos, para que no crea V.S. que acepto y entro otra vez en la conferencia. Reclamo, sin embargo, el permiso de V.S. para repetirle que si hay algunas apariencias o pretextos para negar el bloqueo marítimo de esta plaza, es preciso estar ciego a la luz y a la razón para afirmar, que el de tierra *era una fantasma,* o por lo menos, es necesario confundir el sitio con el bloqueo, y exigir para éste lo que no corresponde sino a aquel. La ley de las naciones y la española que he citado a V.S. no hablan sino de bloqueo, para el cual basta que se prive a la plaza la introducción de provisiones, tomando las avenidas o caminos sin necesidad de establecer atrincheramientos, ni formar líneas de circunvalación, ni contravalación. Jamás fue nuestro objeto sitiar a Angostura: nuestras operaciones y posiciones siempre fueron de bloqueadores.

El hecho de haber incendiado el bergantín no arguye contra la existencia de nuestras fuerzas sutiles, ni prueba que fué abordado nadando. Nosotros no teníamos gente de mar para tripularlo, ni puerto cómodo y seguro para conservarlo. Esta es la causa para haberlo quemado, lo mismo que hicimos con los demás buques mayores que se apresaron, aun cuando eran tomados a gran distancia de las cañoneras enemigas. Las mismas flecheras que se apoderaron del bergantín, reforzadas poco después con las del apostadero de San Miguel, batieron y tomaron los buques de guerra españoles situados en Fajardo y pasaron al frente de esta plaza, por medio de toda la escuadra española, para ir a batir la expedición que salió de aquí contra el apostadero que teníamos establecido arriba de la boca del Infierno. Logrado este suceso completamente, regresaron a sus antiguas posiciones volviéndose a burlar de la plaza y de los buques de guerra. El coronel Eugenio Rojas, a quien no conozco y el teniente coronel Rodriguez podían haber dado a V.S. noticia de todas estas operaciones efectivas en lugar de los cuentos que se han divertido en inventar.

Nada, de cuanto V.S. diga, puede destruir la superioridad de nuestro ejército de tierra sobre el enemigo, y lo que V.S. alega para probar la insuficiencia de nuestras fuerzas navales, convencerá, a lo más, que nuestra escuadra no constaba de tantos buques como la española, que al acto de evacuar las plazas y el río, fue engrosada con los buques mercantes armados y tripulados con parte de la artillería y con las guarniciones de los puestos que abandonaba. Pero si éramos tan inferiores ¿porqué no se atrevió a presentarnos batalla? ¿porqué en una persecución de más de cincuenta leguas no nos esperó, ni nos obligó a desistir de ella? ¿porqué huyendo en una dispersión espantosa se dejó apresar una multitud de buques, la mayor parte de ellos armados? El valor y la habilidad, señor Agente, suplen con ventaja al número. ¡Infelices los hombres si estas virtudes morales no equilibrasen y aun superasen las físicas! El amo del reino más poblado sería bien pronto señor de toda la tierra. Por fortuna se ha visto con frecuencia un puñado de hombres libres vencer a imperios poderosos.

Siento que las nuevas luces con que ha querido V.S. ilustrar la cuestión sobre las capturas, lejos de desengañarme, como V.S. espera, me confirmen más y más en mi opinión de su legalidad. No creo que haya ningún argumento bastante fuerte para que pueda contraponerse o balancear siquiera la autoridad de las leyes que se han aplicado. Así tengo derecho para esperar que cese la correspondencia de que han sido objeto.

Con sinceros sentimientos de amistad y consideración tengo el honor de ser de V.S. el más atento adicto servidor

BOLIVAR

---

92.—*De una copia*).

Cuartel General de Angostura, 16 de noviembre de 1818.

*Al señor Carlos Hurry.*

Muy señor mío:

Tengo el honor de contestar la apreciable carta que se ha servido Vd. dirigirme con fecha de 16 del último octubre participándome su arribo a esa isla con su respetable familia, y presentándome las medidas que su celo por la causa de Venezuela le ha dictado para cubrir los comprometimientos más urgentes del señor Méndez. Me es extremadamente sensible que la carta de Vd. haya llegado después de haber dispuesto de los fondos que Vd. pide. La situación de nuestra marina y los reclamos del almirante Brión me habían hecho disponer ya a favor de ella de la parte que pertenece al gobierno en las presas que han entrado en Margarita. Además la suma a que ascienden estos fondos es tan poco considerable que no creo que sea bastante para llenar los dos objetos que Vd. se propone.

Con respecto a las armas y demás efectos que Vd. ha traído serán tomados en los mismos términos que los del bergantín "Imogen" conforme a las estipulaciones que haya celebrado o celebre con Vd. el almirante Brión. Bien entendido que en el caso de que convenga a Vd. entregarlas al gobierno deberán venir a esta plaza junto con el cargamento del mismo bergantín porque es aquí donde lo necesitamos.

Después de felicitarme a mi mismo y a mi patria, como de una muy importante ventaja, por haber merecido la elección de Vd. para fijar en ella su domicilio y establecimiento, acepto y tributo a Vd. las gracias por los generosos servicios que me ofrece. El gobierno de Venezuela celebrará poder manifestar a Vd. su reconocimiento depositando en Vd. una plena confianza, y prestando toda su protección a uno de sus generosos bienhechores.

Entre tanto tengo el honor de ser de Vd. atento y adicto servidor

Bolivar

Publicada por el señor Eduardo Posada en El Espectador, de Bogotá.

# 1819

93.—*Del copiador de la Secretaría*).

Angostura, 20 de febrero de 1819.

*Al señor capitán de navío Nicolás Joly.*

No me es posible expresar a Vd. de un modo bastante lo satisfactoria que me ha sido la letra de su carta oficial del 29 de enero, contraída a participarme haber realizado su matrimonio con la digna hermana del Exmo. Señor general Juan Bautista Arismendi, pues promete los más lisonjeros resultados de este enlace, especialmente cuando aspira Vd. por tan recomendable título a ser incorporado a la gran familia de Venezuela y ofrece de nuevo con la mayor generosidad su fortuna e importantes servicios.

Persuádase Vd. que no habrá venezolano alguno que deje de felicitarse con la adquisición que hace en la persona de Vd. de un hermano que contribuirá sobre los términos que anuncia a expulsar al enemigo de la patria al paso que a consolidar los fundamentos de su libertad. Persuádase Vd. también que ninguno de aquellos excederá en semejantes sentimientos a quien tiene el placer de reiterarse su atento servidor q.b.s.m.

Archivo del Libertador. Sección Juan de Francisco Martín. Tomo III.

———

94.—*Del copiador de la Secretaría*).

Angostura, 24 de febrero de 1819

*Exmo. Señor general Juan Bautista Arismendi.*

Los esponsales perfeccionados por el señor capitán de navío

Nicolas Joly, con la señora hermana de V.E. Ana Josefa, de que me informa su carta de 29 del último diciembre, me han colmado de complacencia, así por la particular satisfacción con que ha sido aprobado por V.E. este enlace, como por las ventajas que se derivarán de él al Estado.

Penétrese V.E. de que estos han sido y serán siempre mis sentimientos con respecto a su persona y familia; sírvase también hacerlo así presente a la señora su hermana, y disponga con toda la franqueza que corresponde de la verdadera amistad con que lo distingue su invariable servidor y amigo q.b.s.m.

Archivo del Libertador. Sección Juan de Francisco Martín. Tomo III.

---

95.—*Del copiador de la Secretaría*).

Angostura, 24 de febrero de 1819.

*Exmo. Señor General Juan Bautista Arismendi.*

El contenido de la favorecida de Vd. de 30 de diciembre del año anterior, referente a las ficciones del gacetero de Caracas es un nuevo testimonio de la justicia que Vd. hace a la amistad con que siempre lo he distinguido y a la integridad de mis procedimientos.

Nada me ha sorprendido el discernimiento de Vd. sobre semejante particular, pues no esperaba menos de su carácter, sin embargo, afirmo a Vd. ha dado nueva fuerza y vigor al particular afecto que le profesa su verdadero amigo y servidor q.b.s.m.

Archivo del Libertador. Sección Juan de Francisco Martín, tomo III.

*96.—De una copia).*

Mantecal, 26 de mayo de 1819

*A la ciudadana Juana Bolívar.*

Querida Juanica:

Recibí tu carta, aunque muy atrasada: me alegro infinito te halles sin novedad, y te diviertas en todas las ocasiones que se presenten.

Al señor Zea le digo que te dé lo que necesites, y así puedes ocurrir a él Nosotros marchamos ahora mismo para Barinas, y creo tendrá muy buen resultado nuestra marcha. Nada puedo decir más, pues estoy montando a caballo, sino que cuentes con el hermano que más te quiere y desea verte tranquila. A Benigna mil cosas, que me alegro siga buena.

BOLÍVAR

Copiada del original existente en París, en los papeles de la señorita Teresa Ascanio y Ustáriz, por el doctor Emilio Antonio Yanes. En la cubierta dice: de su hermano. Angostura.

---

*97.—Del Copiador de la Secretaría).*

*Al Exmo. señor Vice-Presidente, Dr. Francisco Antonio Zea.*

Por fin después de las más serias meditaciones me he determinado habiendo consultado antes a los jefes del ejército, a ejecutar la más importante operación que en nuestro presente estado puede emprenderse. Mi pensamiento es marchar a Cúcuta con la mayor parte de este ejército, dejando aquí el resto para la seguridad del Bajo Apure. Entretanto el señor general Santander entrará por Soatá a incorporarse con nosotros por aquella parte. La rapidez será la divisa de esta campaña. No daremos tiempo a Morillo para que nos tome la espalda, pues para cuando él pueda emprender algo contra nosotros ya habremos vuelto sobre él con fuerzas dobles o triples de las que llevamos. La Nueva Granada se halla en el estado más propicio para ser libertada, y creemos con fundamento que lo será con poca dificultad, y entonces nuestros medios para finalizar la guerra se habrán aumentado muy considerablemente. Hace mucho tiempo que estoy meditando esta empresa y espero que sorprenderá a todos, porque nadie está preparado para oponérsele, así lo creo y es de desear.

El Bajo Apure dentro de quince días no puede ser invadido y el Oriente de Venezuela tampoco debe temer nada si se ejecuta exactamente lo que ahora ordeno.

Primero: que el señor general Mariño sea reclamado por el Congreso para que vuelva a ejercer sus funciones legislativas, para evitar las rivalidades que necesariamente deben trastornar nuestros negocios militares si este general tuviese que obrar de acuerdo con el señor general Bermúdez, con quien conserva antiguos celos, no menos que con V.E. mismo. De este modo cortaremos el origen del mal.

Segundo: que el señor general Bermúdez tome el mando en jefe de todo el ejército de Oriente, el cual se compondrá de 3.000 hombres lo menos, a saber: 800 de Cumaná, 800 de Guayana, 800 de Barcelona y 600 de Caracas. Sus desertores deben ser reemplazados sucesivamente por dichas provincias. El ejército de Oriente debe reunirse y obrar por la parte oriental de Caracas, donde hay víveres, caballos y enemigos. Este ejército cubrirá el Oriente, pero en masa, no dejando más que pequeñas guerrillas donde sean más necesarias. Los generales Sedeño, Monagas y Zaraza deben dar sus contingentes y ponerse a las órdenes del señor General Bermúdez. El general Montilla quedará de jefe de estado mayor.

Tercero: el ejército de Oriente debe amenazar constantemente al enemigo en Calabozo; pero obrando siempre con la mayor prudencia. Si los enemigos marchan como deben sobre el Occidente a buscarnos, el general Bermúdez debe obrar con rapidez, ponerse en comunicación inmediata con el Bajo Apure y tomar a los Valles de Aragua y a Caracas, si es posible.

Cuarto: La división del señor general Urdaneta, siempre que arribe a las costas de Barcelona, Cumaná o el Orinoco, deberá venir al Bajo Apure con todos los elementos militares que conduzca, porque ahora más que nunca necesitamos de armas y pertrechos para levantar nuevos ejércitos. Si fuese necesario que la división Urdaneta coopere con el ejército de Oriente para alguna importantísima operación, como batir un ejército que se acerque o marchar rápidamente a Caracas, el general Urdaneta estará facultado para ejecutarlo así, sin que jamás se entienda que esta División pertenece al ejército de Oriente.

Quinto: el general Urdaneta deberá venir rápidamente al Apure para obrar por esta parte, según las instrucciones que reciba a su tiempo; pero deberá enviarnos inmediatamente 1.000 fusiles, pólvora y plomo para hacer 300 o 400 mil cartuchos, por el Meta a Casanare. Estos renglones podrán aumentarse mucho más, siempre que sea posible, los cuales son de la mayor urgencia.

Sexto: siempre que haya dificultades invencibles para venir el general Urdaneta al Apure con su División, nos mandará todos los elementos militares de que pueda desprenderse y él obrará con su División conforme a las circunstancias; pero si por algún incidente imprevisto o mal suceso en su expedición, hubiere perdido la mayor parte de su división el general Urdaneta, dejará las tropas donde le parezcan más necesarias, y marchará él a donde quiera que esté mi cuartel general, trayendo la mayor cantidad posible de armas y municiones, que repito las necesitamos urgentísimamente. En todos los casos expresados en este, y los dos precedentes artículos, el general Urdaneta estará autorizado para obrar conforme a las circunstancias y al mejor servicio de la República.

Séptimo: de Apure irán para Angostura todas las embarcaciones que haya, luego que se sepa la llegada del señor general Urdaneta, pero será indispensable reclamarlas a tiempo.

Octavo: tanto el general Bermúdez como el general Urdaneta, mientras esté en el Oriente, recibirán órdenes e instrucciones de V.E. en inteligencia que yo no podré comunicar oportunamente otras en mucho tiempo y éstas sólo deben servir de regla y no de preceptos rigorosos. V.E. queda revestido de toda la autoridad militar que sea necesaria para dirigir la campaña en todo el Oriente de Venezuela, inclusive Margarita y la parte oriental de Caracas, como igualmente la marina militar de ambas aguas.

Con esta misma fecha se comunican estas instrucciones a los respectivos generales, para que las cumplan con la mayor exactitud y actividad, según lo exige el presente estado de las cosas. Como la ejecución de este plan depende en gran parte del secreto, yo lo recomiendo a V.E.

Quedando V.E. encargado del mando de la República en esa parte, yo espero que no se sentirá la falta de mi presencia; y que V.E. se esforzará, no sólo en defender y conservar el territorio libre, sino por extenderlo y cultivar nuestras relaciones exteriores, sacando de ellas todas las ventajas posibles, sobre todo para proveernos de armas y municiones, que será nuestra primera necesidad cuando hayamos ocupado algunas Provincias de la Nueva Granada.

Dios &. Mantecal, mayo 26 de 1819-9º.

BOLIVAR

---

98.—*Del copiador de la Secretaría.*

*Al Exmo. Señor Vice-Presidente del Estado, doctor Francisco Antonio Zea.*

En ejecución del plan que comuniqué a V.E. en mi oficio de 26 del pasado, marché el 27 y hoy ha llegado aquí todo el ejército.

Aunque la empresa es fácil del modo que la anuncié a V.E. para asegurar más el resultado he variado las operaciones. En lugar de ir a Cúcuta me dirijo a Casanare con la infantería. Reunido allí con el señor general Santander ocuparé a Chita, que es la mejor entrada a la Nueva Granada. Entre tanto el señor general Páez, con una columna de caballería, tomará los valles de Cúcuta y llamará la atención del enemigo hacia allí, lo que facilitará en gran modo la operación, porque obligamos al enemigo a concentrar sus fuerzas en Sogamoso o a dividirlas para atender a todas partes. En el primer caso nos abandona las provincias de Pamplona y Socorro, y parte de las de Santa Marta y Tunja. En el segundo nos será muy fácil batirlo y es mas seguro el resultado.

Cualquiera que sea el plan que el enemigo adopte luego que

hayamos entrado al interior de la Nueva Granada, quedaré yo mandando el ejército todo reunido y el señor general Páez volará a continuar en el mando de esta provincia y del cuerpo del ejército que la cubre.

La mayor parte o casi toda nuestra caballería queda aquí obrando en dos divisiones, una a las órdenes del señor general Torres sitia a San Fernando y defiende el Apure desde Nutrias para abajo. Otra al mando del señor coronel Aramendi marcha mañana hacia Barinas a hacer incursiones sobre el enemigo para entretenerlo y sacar todas las ventajas posibles.

Cuando el señor general Páez regrese de Cúcuta traerá las tropas que lleva y reunidas todas esas fuerzas les dará la dirección que sea conveniente. Como su ausencia no puede exceder de quince o veinte días a lo más, V.E. se dirigirá a él para todo lo que tenga que comunicar al ejército de Occidente.

En mi oficio del 26 olvidé decir a V.E. que será muy conveniente que V.E. mismo y el Presidente del Congreso hagan una invitación al señor general Mac Gregor para que active su expedición y la ejecute cuanto antes sobre la costa de Santa Marta, en combinación con la mía del interior. Esta operación abreviará infinito la entera libertad de la Nueva Granada, asegurará el resultado de las dos empresas y pondrá a los españoles en un grande embarazo sin saber a donde deberán atender con preferencia no teniendo tropas bastantes para ocurrir a ninguno de los dos ataques. Un buque debe salir expresamente a llevar este pliego con instrucciones de que busque al general Mac Gregor hasta ponerlo en sus manos.

Temiendo que se haya perdido mi correspondencia del 26 duplico ahora el oficio que con aquella fecha dirigí a V.E. Es ya muy tarde y mañana debo marchar a pasar el Arauca; por eso no tengo tiempo de duplicar también las órdenes a los señores generales Mariño, Bermúdez, Urdaneta, Sedeño, Monagas, Zaraza, Arismendi y almirante Brion. V.E. les trasladará los artículos que les corresponden caso que se haya perdido aquella correspondencia en que yo lo hacía.

Dios &. Guasdualito, junio 3 de 1819.9.

BOLIVAR

*99.—Del copiador de la Secretaría).*

*Al señor general Santander.*

Al pasar ayer el Arauca tuve la satisfacción de recibir dos oficios de V.S. fecha 27 del pasado, incluyendo en uno copia del documento que acredita haber sido reconocido solemnemente el gobierno de Venezuela por V.S. y las tropas de su mando, y el otro contestando a mi orden del 20.

Supongo a V.S. instruído ya por el señor coronel Lara del plan de operaciones que indiqué en aquella órden. En ejecución de él ha pasado ya el Arauca la mayor parte del ejército y he dejado al señor general Páez dispuesto para moverse sobre Cúcuta. Yo seguiré de aquí hoy mismo con el ejército que estará incorporado con V.S. dentro de siete u ocho días. Probablemente yo me adelantaré en la marcha para tener antes esta satisfacción.

Espero encontrar a V.S. preparado del todo para moverse y que no habrá olvidado tomar todas las medidas necesarias para tener abundantes trasportes para el parque, y de todos los caballos útiles que sean posibles para remontarnos, pues los que lleva el ejército apenas alcanzarán hasta el cuartel general de V.S. Dios &. Arauca, junio 5 de 1819-9.

BOLIVAR

---

*100.—Del copiador de la Secretaría).*

*Al Exmo. Señor Vice-Presidente del Estado, Dr. Francisco Antonio Zea.*

Desde Guasdualito, donde tuve la satisfacción de escribir a V.E. no había ocurrido novedad importante en el ejército. Todas nuestras operaciones se limitaban a marchar por país amigo, hasta el 27 del presente en que atacó la vanguardia al destacamento de 300 hombres que tenía aquí el enemigo. Este suceso ha dado principio a la campaña de la Nueva Granada, y si los primeros sucesos pueden ser presagio del resultado de una empresa, el de la nuestra será el más feliz: 300 hombres de la más selecta infantería enemiga, han sido desalojados de esta posición, tan fuerte por la naturaleza que 100 hombres son bastantes para detener el paso a 10.000. La ventaja de nuestra victoria se redujo a la ocupación del puesto, sin haber podido perseguir al enemigo porque pasó el puente del río Paya que no da vado, y lo cortó. Se le quitaron los pocos víveres que tenía aquí y se le mataron algunos hombres.

Pero no ha sido ésta la victoria que más satisfacción ha producido al ejército, ni la que más esfuerzo nos ha costado. La principal dificultad que hemos vencido es la que nos presentaba el camino. Un mes entero hemos marchado por la provincia de Casanare, superando cada día nuevos obstáculos que parece se redoblaban, al paso que nos adelantábamos en ella. Es un prodigio de la buena suerte haber llegado aquí sin una novedad con el ejército, después de haber atravesado multitud de ríos navegables que innundaban una gran parte del camino que hemos hecho en los llanos. Esta creo que fuese la principal dificultad de mi marcha y vencida nada me parecía lo demás, cuando he tropezado en obstáculos que sólo la constancia a toda prueba pudiera haber allanado. La aspereza de las montañas que hemos atravesado es increíble a quien no la palpa. Para formar una idea de ellas basta saber que, en cuatro marchas, hemos inutilizado casi todos los trasportes del parque y hemos perdido todo el ganado que venía de repuesto. El rigor de la estación ha contribuido también a hacer más pesado el camino. Apenas hay día o noche que no llueva: al fin, aunque no hemos concluído la marcha, podemos lisonjearnos de haber hecho lo más difícil y de que nos acercamos al término. Dentro de ocho días lo más tarde estaré en Sogamoso y para entonces espero que habrá mejorado mucho nuestra situación. Todas las noticias que recibimos de la Nueva Granada confirman y alimentan nuestras esperanzas. Unanimemente afirman todos que en el interior del país hay multitud de guerrillas que molestan sin cesar al enemigo: que éste nos teme, al paso que el pueblo arde por vernos llegar; que el general Mac Gregor amenaza en efecto la costa y aun se dice que obra ya en ella. Si estas noticias se confirman, podemos contar con que nuestra campaña quedará terminada muy pronto y muy gloriosamente. Nada hay que pueda detenernos si el pueblo nos ama. Las fuerzas del enemigo no alcanzan ni para contener a los paisanos.

El señor general Páez me participa con fecha de 15 del corriente, que ha batido la facción que había en Guaca; les ha quemado los ranchos destruído las sementeras con que se mantenían. El iba a marchar sobre Pedraza en solicitud de una división enemiga de 700 hombres que vino hacia allí y se promete un triunfo completo si tiene la fortuna de encontrarla.

Nada sé de V.E. ni de los negocios del Oriente, desde el 1º de mayo que es la data del último oficio que tengo de V.E.

Dios guarde a V.E. muchos años. Cuartel general de Paya a 30 de junio de 1819.9.

BOLIVAR

Correo del Orinoco 21 de agosto de 1819, Número 37

*101.—Del Copiador de la Secretaría).*

*Al Exmo. Señor Vice-Presidente de Venezuela, doctor Francisco Antonio Zea.*

Por el boletín que tengo la satisfacción de incluir a V.E. se impondrá V.E. de las operaciones y sucesos del ejército. Las dificultades que en mi última comunicación manifesté a V.E. había experimentado el ejército hasta Paya, parece que se multiplicaban de allí en adelante cada día. Me fué forzoso dividir el ejército para facilitar sus movimientos. Los señores generales Anzoátegui y Santander siguieron la marcha por Pisba y el señor general Soublette quedó en Paya con la columna inglesa y parte de nuestra caballería escoltando el parque y todos los bagajes. Las dos primeras divisiones llegaron a Socha, tan fatigadas de las marchas y tan resentidas de la variedad del clima, que no es posible emprender nada que sea decisivo mientras no se repongan. Por otra parte, la lentitud con que necesariamente debe moverse el señor general Soublette por la calidad del camino, por la especie de tropa que manda y sobre todo por los equipajes, han retardado su incorporación al ejército más de lo que yo esperaba y su tardanza me obliga a suspender las operaciones. Estas han sido las causas porque me he detenido tanto tiempo en ir a buscar al enemigo y que me han decidido a entretenerlo con combates y amenazas que no sean decisivos y que sólo tienen por objeto contenerlo hasta que esté reunido el ejército y remontada nuestra caballería. Según me dice el señor general Soublette, ayer habrá pasado el páramo y en este caso podrá reunírseme dentro de dos días.

Los tres combates que hemos sostenido hasta ahora nos han sido favorables. En todos se han manifestado nuestras tropas de ambas armas, infantería y caballería, muy superiores en disciplina y valor a las del enemigo, que no atreviéndose a presentársenos sino en posiciones muy fuertes, han sido batidos siempre.

Al abrir la campaña hemos tenido la fortuna de interceptar tres correos al enemigo, de los cuales incluyo a V.E. lo que se ha encontrado más importante. Por ellos me he instruído de sus planes, fuerzas, posiciones y aun de sus esperanzas. Los españoles temen, no solamente al ejército sino al pueblo, que se manifiesta extremamente afecto a la causa de la libertad. Muchos pueblos distantes del centro de mis operaciones han venido a ofrecer cuanto poseen para el servicio del ejército y aquellos que encontramos en nuestro tránsito nos reciben con mil demostraciones de júbilo, todas arden por vernos triunfar y prestan generosamente cuanto puede contribuir a darnos la victoria. Las vejaciones que han sufrido de los españoles han producido su efecto ordinario: el odio es general y todos claman venganza hasta el exterminio. Tan felices disposiciones de parte del pueblo y la superioridad de nuestras tropas, me aseguran casi de la victoria.

El 9 del corriente recibí las comunicaciones de V.E. fecha de 23 de mayo, incluyéndome dos partes del señor general Urdaneta y uno del Almirante. Es bien extraño que a aquella fecha no hubiese V.E. recibido aun mis despachos de 6 y 9 de mayo, que dirigí desde el Caujaral, muy recomendados para que siguiesen volando a Margarita. Afortunadamente los partes del señor general Urdaneta me dan esperanzas de que no saldría la expedición en mayo, y que por más que hayan tardado mis órdenes habrán llegado siempre a tiempo.

Reitero a V.E. con el último encarecimiento la orden de que me vengan cuanto antes los auxilios de armas y municiones que he pedido desde el Mantecal y Guasdualito. Sobre todo, importa que sea el señor general Urdaneta quien los traiga, así porque él lo hará con más interés y actividad, como porque necesitamos de sus servicios en el ejército.

Sin embargo de que ni V.E. ni el señor general Mariño me dicen nada sobre la fuerza del ejército de Oriente, he celebrado saber por el señor general Sedeño que su fuerza es ya bien respetable, sin incluir la división de Cumaná que debía incorporársele. Supongo que V.E. y el señor general Bermúdez se habrán esforzado por ejecutar las órdenes que libré para la organización de aquel ejército. En este caso, nada tengo que temer por esa parte, y aun puedo contar con que no podrá Morillo sacar de Venezuela un cuerpo de ejército capaz de socorrer a la Nueva Granada, sin perder todo el país que posee ahí. V.E. debe recomendar al general en jefe del ejército de Oriente el más exacto cumplimiento de las órdenes que le he comunicado y velar sobre su ejecución.

Dios &. Tasco, julio 13 de 1819-9.

BOLIVAR

---

102.—Del copiador).

*Al Exmo. Señor Vice-Presidente de la República, doctor Francisco Antonio Zea*

Desde que concebí el proyecto de adelantar mis marchas a lo interior de este reino, conocí que un temor alarmante debía poner en acción todos los recursos de los mandatarios españoles. En efecto, esta idea apoyada sobre la experiencia de mis observaciones la confirmé más cuando por los estados que se le aprehendieron al virrey don Juan Sámano hallé que una fuerza superior bien organizada y puesta en disciplina era el muro en que se intentaba que viniera a estrellarse el valiente ejército libertador.

Yo calculaba, sin embargo, que la imagen de tantos males con que estos pueblos habían sido y aún eran afligidos, habría preparado el espíritu de ellos a abrazar con gusto a sus heroicos defensores. Y a la verdad, apenas dí mis primeros pasos de este lado de la cordillera que divide el llano de los terrenos quebrados, limítrofes con la provincia de Casanare, cuando oí resonar delante de mí las bendiciones de unos hombres que esperaban mis armas con todo el entusiasmo de la libertad, como un remedio a las calamidades e infortunios que les habían llevado hasta el último grado de exasperación.

Un jefe experto al frente de un ejército de cuatro a cinco mil guerreros es lo primero que se me presenta en el campo de batalla. El general don José María Barreiro, encargado de su dirección, apura sus esfuerzos: mueve todos los resortes del valor y él me ha presentado acciones que faltaban a la república para el lleno de sus glorias.

La disciplina de sus tropas, su buena organización, las ventajosas posiciones que ocupaba y la multitud de recursos que oportunamente se habían proporcionado, me hizo creer que esta empresa sólo era propia de la intrepidez y denuedo de las armas de la República.

La jornada de Boyacá, la más completa victoria que acabo de obtener, ha decidido la suerte de estos habitantes; y después de haber destruído hasta en sus elementos el ejército del Rey, he volado a esta capital por entre las multitudes de hombres que a porfía nos prodigaban las expresiones de la más tierna gratitud y que precipitándose entre las partidas dispersas de los enemigos, no hacían caso de su propia indefección por cooperar activamente a su absoluto exterminio, tomando las armas y haciendo un gran número de prisioneros. Los pormenores de este triunfo los hallará V.E. consignados en los impresos que remito adjuntos.

No poco se ha conmovido mi sensibilidad al llegar a esta capital de la Nueva Granada en donde todavía se ven marcadas la depredación y la crueldad de los prosélitos de la Península.

El Virrey Sámano unido a todos los empleados, a la mayor parte de los españoles y al resto de las fuerzas que le quedó, salió precipitadamente fugitivo a la primera noticia que tuvo de la última victoria, y antes de mi llegada a esta capital hice marchar algunas divisiones hacia el Sur y Occidente de ella, que es la ruta que han tomado, con la fundada esperanza de aprehenderlos a ellos, y una numerosa emigración.

A pesar de la devastación general que ha sufrido este reino, la República puede contar con un *millón de pesos en metálico,* fuera de la cuantiosa suma que producirán *las propiedades de los opresores y malcontentos fugitivos.*

Yo trabajo con actividad en el arreglo de su economía interior y las bellas disposiciones de estos pueblos en donde apenas se cuenta un enemigo, me hacen presentir que el poder de los tiranos quedará confundido en la nada.

Reciba V.E. y toda la República mis tiernas felicitaciones y los sinceros votos del ilustre pueblo granadino, que sólo aspira a una felicidad común con el venezolano: dignándose igualmente presentar los triunfos de las armas de mi mando al Supremo Congreso como un tributo de mi deber.

Dios guarde a V.E. muchos años. Cuartel General en Santa Fe, a 14 de agosto de 1819-9.

BOLIVAR

Correo del Orinoco, número extraordinario, 19 de setiembre de 1819.

———

*103.—De una copia ).*

Cuartel General de Santa fe,
24 de agosto de 1819.

*Al ciudadano Cura de Mariquita, Benedictino Salgar.*

Puede Vd. asegurar de los tiernos votos de mi corazón a todo ese vecindario y de que mis fatigas me son más lisonjeras cuando refluyen más directamente en la felicidad común. Venga Vd. cuando quiera y encontrará en mi un general y un amigo que lo estima con sinceridad.

Dios guarde a Vd. muchos años.

BOLIVAR

El original existe en el Archivo de la Biblioteca Nacional de Colombia. Eduardo Posada. El Tiempo, 17 de diciembre de 1930. Bogotá.

———

*104.—De una copia).*

Santafé, 28 de agosto de 1819.

Instrucciones para el Mayor Ascanio del dinero que lleva:

1º—Cien mil pesos entregará al Exmo. Señor Vice-Presidente Francisco Antonio Zea.

2º—Al mismo mil pesos y una carta para el canónigo Caicedo en Sevilla procedente          hermana para socorrerlo a favorecer su escape.

3º—Mil pesos para la señora del general Anzoátegui.

4º—Mil pesos para la señora del general Soublette.

5º—Mil pesos para la señora Bolívar.

6º—Quinientos pesos para la señora del coronel Carrillo en el Bajo Apure.

7º—Quinientos pesos para la mujer del coronel Rondón, en Río Claro.

Se embarcará el mayor Ascanio por la provincia de San Martín y hará la mayor diligencia posible para llegar a Guayana sin la mayor demora.

Del General en Jefe

BOLIVAR

El original existe en los papeles de la señorita Teresa Ascanio y Ustáriz en París. Copiado por el doctor Emilio Antonio Yanes.

Véanse las cartas a Santander, 1º, 8, y 14 de noviembre de 1819.

105.—*De la Gaceta Extraordinaria de Santa Fe de Bogotá del domingo 17 de octubre de 1819).*

Cuartel General de Santa Fe
a 17 de setiembre de 1819.

*Al señor Gobernador Político de esta Provincia.*

El ejército acepta con trasporte los sentimientos y demostraciones de gratitud que a nombre de esta provincia me ha trasmitido V.S. en su oficio del 15 del corriente. El exterminio de los tiranos y la libertad de los pueblos oprimidos siendo el único objeto y ambición del ejército libertador, son también la única recompensa a que aspira. Así él se halla satisfecho con haber hecho desaparecer a los opresores de esta bella porción de nuestro Continente y con haber repuesto en sus derechos y restituido la dignidad de hombres a los granadinos que por tres años habían sido degradados en ella. La gratitud y reconocimiento que ha manifestado el pueblo de Cundinamarca por su libertad, ha multiplicado sin embargo nuestra satisfacción y es en testimonio de ella que permito el uso de la cruz decretada en el acta del 9 a favor de los vencedores de Boyacá. Este permiso será provisional como lo es su institución hasta que el Congreso General lo apruebe, reforme, o anule. De todos modos los sentimientos del virtuoso pueblo de Cundinamarca hacia sus bienhechores le harán un honor eterno y se conservarán indelebles en nuestros corazones.

Dios guarde a V.S. muchos años.

BOLIVAR

Biblioteca Nacional, Bogotá. Archivo Histórico. Volúmen 27. Boletín de Historia y Antigüedades Nos. 231-232, pág. 370.

# 1820

106.—*De una copia*).

(San Juan de Payara,<br>18 de enero de 1820)

*Al coronel Antonio Rangel.*

Mi querido coronel:

Lo que escribí a Vd. con Bolívar es que me lo voy a llevar conmigo, que yo voy a reunirme con el ejército de Urdaneta para entrar por Mérida y que como llevo una división de tropas de Oriente, necesito de alguna partida fiel de caballería que cubra nuestra espalda para que coja los desertores.

Esto es lo que deseo y mañana mismo parto. Los caballos que Vd. pueda tener por allá, téngalos pronto pues nos vamos volando.

BOLÍVAR

Joaquín Quijano Mantilla. El Tiempo, Bogotá, 7 de enero de 1931. La fecha la hcmos fijado por varios documentos. Véanse cartas de Bolívar a Santander de 11 de enero y 1° de febrero de 1820. Lecuna Cartas del Libertador. II, 130 a 133.

---

107.—*De una copia*).

San Juan de Payara,<br>enero 20 de 1820.

(*Al señor general de división Manuel Sedeño*).

Mi querido general:

La escasez de víveres, la deserción de alguna tropa por los oficiales que dimos servicio en el Nuevo Reino de Granada y la falta de pasto para la caballería, obligó al general Páez a volverse para esta provincia después de haber estado en Barinas, sin oposición alguna, porque los enemigos evacuaron toda la provincia. El está reunido a mí, pero como la tropa está muy estropeada y los caballos muy atrasados, me he visto en la necesidad de suspender por ahora el plan de campaña que me había propuesto, mientras tanto se repone la tropa y los caballos convalecen, asegurándole a Vd. que en el día no hay para montar los oficiales. Pero yo me he resuelto a obrar con un cuerpo de 1.500 hombres de los mejores por la parte que sea más conveniente. El general Páez con el cuerpo principal del ejército quedará aquí para obrar según mis disposiciones. Vd. con la caballería de su mando correrá los llanos de Caracas y tomará cuanto encuentre para aumentarla y sostenerla. El general Bermúdez he dispuesto permanezca en el Orinoco con la columna inglesa y con el mando de las provincias de Cumaná, Barcelona y llanos de Barlovento de Caracas, hasta tanto sea tiempo de obrar.

Morillo ha establecido su cuartel general en el Tocuyo y ha dado órdenes a sus cuerpos avanzados de replegar hacia él luego que avisten el enemigo. Su proyecto es llevarnos a una acción campal en posiciones donde nuestra caballería no pueda obrar y alejarnos de la fuente de nuestros recursos, al mismo tiempo que él se acerque a los suyos. Yo en el movimiento que voy a hacer sin falta debo desconcertar sus planes. Yo espero que Vd. contribuirá en todo al buen éxito dándole cumplimiento a las órdenes de Bermúdez y comportándose como siempre con valor y energía.

Adiós mi querido amigo soy siempre su afectísimo

BOLIVAR

Copiada por el señor Andrés Eloy de la Rosa, en el Archivo Nacional, de Bogotá. Tomo 2, página 601-602.

Véase el oficio a Arismendi, de 20 de enero de 1820. O'Leary XVII, página 35.

*108.—Del Copiador de la Secretaría).*

*Al Vice-Presidente de Cundinamarca, general Francisco de P. Santander.*

La acta de reconocimiento que V.E. ha celebrado con los próceres de Cundinamarca, del Gobierno y República de Colombia, es el sello de nuestra libertad, es el título de inmortalidad de nuestra Nación. Cuando nuestras postreras generaciones lean la acta sagrada de la creación de la República de Colombia, y la sanción que ha recibido por los más beneméritos de Cundinamarca, no podrán impedir a su corazón reconocido el sufragio de admiración, debido a los progenitores de tanto bien. En medio del esplendor, del poder, de la gloria, de la dicha, del saber, de la libertad, que será el patrimonio de nuestros hijos, ellos pronunciarán con veneración los nombres de sus inmortales benefactores.

V.E. después de haber tributado a su patria los servicios más esclarecidos, ha puesto el colmo a su gloria por su moderación, obediencia y desprendimiento. V.E. estaba llamado por su nacimiento, valor, virtudes y talento, a ser el primer Jefe de la Nación Granadina, pero V.E. ha preferido ser el primer súbdito de Colombia. Yo que sé más que otro alguno a cuánto tenía derecho V.E. a aspirar, me asombro al contemplar cuánto V.E. ha renunciado por aumentar sus títulos a la gratitud nacional. Títulos que ya parecían completos. ¿No fué V.E. el primero que levantó un ejército para oponerse a la invasión de Casanare por nuestros poderosos enemigos? ¿No fué V.E. el primero que restableció el orden y una sabia administración en las provincias libres de Nueva Granada? ¿No fué V.E. el primero en apresurarse a dar el complemento a su libertad? ¿A abrirnos el camino por las Termópilas de Paya? ¿No fue V.E. el primero en derramar su sangre en Gámeza, y el primero en Vargas y Boyacá en prodigar su vida? ¿No ha justificado V.E. mi elección por su inteligencia, economía y rectitud en el Gobierno de la Nueva Granada? Es, pues, V.E. el más acreedor a la gratitud de Colombia, que por mi órgano la manifiesta a V.E. y a esos dignísimos Pastores, Magistrados, Jue-

ces, Defensores y Ciudadanos del Departamento de Cundinamarca.

Dios &. Cuartel General en el Socorro, a 25 de febrero de
1820.

BOLIVAR

Esta nota es el mejor y mas justo elogio del general Santander. En efecto,
su política en Casanare supo reunir y someter a disciplina a fuerzas levantis-
cas y celosas unas de otras: defendió la provincia de la invasión de Barreiro,
cooperó honrosamente a la campaña y fue cooperador insigne en la creación
de Colombia. Por su carácter oficial no se incluyó en la colección de Cartas
del Libertador. Con gusto la reproducimos en este tomo adicional.

———

*109.—De una copia).*

*Fragmento de carta del Libertador al coronel José
Manuel Olivares con motivo de la muerte del coronel José Francisco Sánchez*

(San Cristobal, abril de 1820).

Este hombre parece que tenía un encanto para mí: su celo
por la patria, la rectitud de sus principios, su desprendimiento y
sus inestimables servicios en la guerra lo habían colocado en el
más alto rango entre los beneméritos de Venezuela. Así hemos
hecho una pérdida irreparable: la humanidad un protector por
sus talentos y filantropía; la patria un defensor intrépido y generoso, yo un amigo fiel y el más digno de mis lágrimas.

BOLIVAR

Correo del Orinoco N° 65 del 3 de junio de 1820. Sánchez prestó sus
servicios de cirujano en los hospitales de Caracas y en el ejército, y de oficial
de infantería ascendió a coronel.

# 1821

*110.—De fotografía del original).*

Bogotá, 10 de enero de 1821.

*Al Exmo. Señor don José de San Martín, Capitán General del Ejército Libertador del Perú &.*

Exmo. Señor:

Tengo la honra de acusar a V.E. la recepción del despacho de V.E. de 12 de octubre, en Pisco, el año próximo pasado.

Este momento lo había deseado toda mi vida; y sólo el de abrazar a V.E. y el de reunir nuestras banderas, puede serme más satisfactorio. El vencedor de Chacabuco y Maipó, el hijo primero de la Plata, ha olvidado su propia gloria al dirigirme sus exagerados encomios; pero ellos le honran porque son el testimonio más brillante de su bondad y propio desprendimiento. Al saber que V.E. ha hollado las riberas del Perú, ya las he creído libres, y con anticipación me apresuro a congratular a V.E. por esta tercer patria que le debe su existencia.

Me hallo en marcha para ir a cumplir mis ofertas de reunir el Imperio de los Incas al imperio de la Libertad. Sin duda que más fácil es entrar en Quito que en Lima; pero V.E. podrá hacer más fácilmente lo difícil que yo lo fácil. Bien pronto la divina Providencia, que ha protegido hasta ahora los estandartes de la Ley y de la Libertad, nos reunirá en algún ángulo del Perú, después de haber pasado por sobre los trofeos de los tiranos del mundo americano.

V.E. verá por los adjuntos impresos las últimas ocurrencias por esta parte. Entre otros hay un armisticio y un tratado de la regularización de la guerra muy dignos de la atención de V.E.

Acepte V.E. con bondad los testimonios mas francos de mi profunda consideración y respeto.

De V.E. atento, adicto servidor.

S. BOLIVAR

Reproducida en el Boletín del ejército del general San Martín, Huaura, 5 de abril de 1821, según Arístides Rojas. Debemos la reproducción fotográfica al extinto diplomático e historiador señor Andrés Eloy de la Rosa. El original pertenece a la familia Billinghurst en Lima.

Nosotros la publicamos con errores de copia en nuestra colección, tomo II, 298.

————

*111.—De una copia).*

## REPUBLICA DE COLOMBIA

Cuartel General de Trujillo
a 8 de marzo de 1821.

*A la Ilustre Municipalidad de Cali:*

Las expresiones del oficio de V.SS. de 16 de enero próximo pasado me honran mucho mas de lo que merezco. Yo las aprecio altamente, y doy las mas debidas gracias por el concepto que esa Ilustre Municipalidad ha formado de mí, confundiendo tal vez los sentimientos que produce el entusiasmo de la libertad con los que pueden merecer los esfuerzos de un hombre consagrado a ella; pero que de ningún modo posee las eminentes cualidades que V.SS. le conceden. Yo me lisonjeaba ciertamente con la esperanza de visitar esa Provincia; pero mi marcha fue interrumpida por el arribo de los comisionados por el Gobierno Español que traían proposiciones de paz, objeto que me pareció en estas circunstancias de una importancia preferible a cualquiera otro. Acepto sin embargo con satisfacción las disposiciones que esa Ilustre Municipalidad tomaba para manifestar el grado de aprecio que hace de mi pequeñez. Aunque no pude pasar a ejecutar los deseos que me animaban por la seguridad y paz de esa Provincia, marchó en mi lugar, y penetrado de mis intenciones, el señor general Sucre, sujeto muy recomendable por sus virtudes. El, y después el general Torres que va a tomar el mando del Ejército, proporcionarán a esos pueblos los arreglos que permite el estado de una guerra como la presente. Acepten V.SS. mis sentimientos de gratitud y consideración y los más fervientes votos por la felicidad de V.SS. y del pueblo que representan.

Dios guarde a V.SS. muchos años.

BOLIVAR

Publicada por el Dr. D. García Vásquez, en su folleto "El Bolivarismo del Valle del Cauca". Cali, 1926, Apéndice de documentos págs. 2 y 3. Boletín de Historia y Antigüedades Nos. 231-232. pág. 376.

---

*112.—De la hoja suelta publicada por Nariño).*

## REPUBLICA DE COLOMBIA

Cuartel General de Achaguas,<br>a 24 de marzo de 1821.

### SIMON BOLIVAR

Libertador Presidente de la República, General en Jefe del Ejército etc. etc.

*Al general de División Antonio Nariño.*

Con trasportes de satisfacción he visto la nota que en 25 de febrero me dirigió V.S. avisándome su arribo a Colombia, y ratificando sus antiguos sentimientos y devoción a la República. Entre los muchos favores que la fortuna ha concedido últimamente a Colombia, cuento como el más importante el de haberle restituido los talentos y virtudes de uno de sus más célebres e ilustres hijos. V.S. merece por muchos títulos la estimación de sus conciudadanos, y muy particularmente la mía.

Celebraría infinito que acelerase V.S. su marcha, y me anticipase lo posible el placer de saludarle y estrecharle por la primera vez entre mis brazos. No es la amistad sola la que me instiga estos deseos, el bien a la Patria se mezcla tambien en ellos. Ocupado en estos momentos de negociar la paz con los comisionados españoles, y de instalar el Primer Congreso General de Colombia, las noticias y luces que V.S. puede suministrarme facilitarían el término de estas transacciones.

San Fernando de Apure es el punto que he señalado al enemigo para las conferencias. Allí me encontrará V.S. o en esta villa.

Dios guarde a V.S. muchos años.

BOLIVAR

Boletín de Historia y Antigüedades. Nos. 231-232, pág. 377.

---

*113.—De una copia*).

Guanare, 25 de mayo de 1821.

*Señor Alejandro Osorio.*

Mi querido amigo:

Hoy he tenido una noticia muy agradable: La Torre se ha ido para Caracas con sus mejores tropas y se dice que es por una insurrección en aquella capital. El hecho es que muy grande novedad lo ha llevado allá; pues solo la aproximación de Bermúdez no es bastante porque el ejército de Morales es suficiente para rechazar a Bermúdez. Una carta del Padre de Ospino dice que al entrar nuestras tropas en Caracas pereció el coronel Monagas con su batallón de Valencia; y que el que refiere la noticia ha visto en Valencia los emigrados de Caracas. También afirma otras muchas cosas que no son creíbles.

El ejército va a marchar mañana para San Carlos para impedir que destruyan a los patriotas de Caracas o al general Bermúdez que en efecto debía estar ya en sus cercanías. No espero por los cuerpos de Páez y Urdaneta porque esta demora puede sernos ruinosa. Sin duda alguna las circunstancias son demasiado favorables para no aprovecharlas.

En este estado he recibido el correo que Vd. me ha mandado del 16 que contiene las noticias más lisonjeras. Todo va bien por Europa, por el Sur y por acá. Si la fortuna no se burla descaradamente de nosotros Colombia será libre y reconocida en este año.

El boletín del Gobierno no es tal boletín ni es del Gobierno sino del Congreso. Perdóneme su autor que no conozco; pero este papelucho nos va a hacer risibles a los ojos de todos los hombres. Los mismos españoles, que son los últimos en la escala de la civilización, nos han dado un modelo en sus diarios de Cortes.

Sobre negocios extranjeros, de hacienda, de justicia y de interior no espere Vd. que yo me mezcle en nada. Si algo indico es como un simple ciudadano, estando resuelto a no mandar más un Estado en que todo va contra mi sentir y en que hasta los hombres más ilustrados obran como el señor Zea. Estoy como se dice aburrido con lo que se habla, piensa, escribe y hace. Con esto he dicho a Vd. todo. No puedo ser ciudadano de Colombia con cuyas leyes no me conformo. He presentado un proyecto de Constitución que no se aprobó. Aquel proyecto era mi condición para ser ciudadano de Colombia. No habiéndose adoptado estoy cierto de que no habrá estabilidad política ni social; y añado que aquel mismo proyecto no contiene todo lo que yo pienso que se requiere para asegurar nuestra existencia.

Si llego a Caracas llego al puerto que ando buscando ocho años ha; y de allí quien sabe para donde me voy. Esta resolución me la confirma lo que dice Zea de Vergara, lo que yo veo en el bajo pueblo, y el odio que se profesa a los libertadores de su patria por la vil canalla de los egoistas que se dice pueblo. Santander por ejemplo que ha servido divinamente a su Patria es el que está más odiado y de aquellos que profesan la indiferencia más absoluta del bienestar nacional.

Nada amigo, ni aún la perspectiva más lisonjera que se ofrece ahora a la vista aplaca el horror que le tengo al servicio público; solo los ambiciosos o los malvados pueden tolerar las penas anexas a una grande autoridad; o solos los angeles y Dioses son capaces de conducir con perfección la nave del Estado. Y no siendo yo ni uno ni otro no me atrevo a embarcarme en tal navío como piloto. Además yo estoy enfermo, aburrido y cansado hasta el extremo: he agotado mi paciencia en once años de servicio y mi primer impaciencia ha vuelto al galope para que se cumpla el adagio: Carácter y figura hasta la sepultura.

Adiós mi querido amigo, mande Vd. a su afmo.

S.S.Q.B.S.M.

BOLIVAR

El original pertenece al señor doctor Eduardo Santos. Publicada en la Revista de América, Nº 1, enero de 1945. Página 60.

El señor Félix Antonio Quijano nos había enviado una copia tomada del original perteneciente entonces a don Alejandro Santa María Osorio.

---

*114.—Del Copiador).*

*Al Exmo. Señor General José de San Martín.*

Exmo. Señor:

Destruído en Carabobo el ejército español opresor de Venezuela y reducidas sus reliquias a la plaza de Puerto Cabello, en la impotencia de amenazar la libertad y tranquilidad de la República que presido, tengo ya la satisfacción de anunciar a V.E. que me preparo a cumplir la agradable oferta que hice desde Pamplona en 1819 de ir a abrazar a los hijos del Sol.

Con este objeto y el de solicitar de V.E. los medios que creo indispensables para verificar el trasporte del ejército de Colombia y su reunión con el de Chile, que V.E. tan dignamente dirige, me atrevo a enviar cerca de V.E. a mi primer edecán el coronel Diego Ibarra que tendrá el honor de presentar a V.E. ésta y de informarle a la voz los planes que medito para cooperar a la grande empresa que V.E. con tanta gloria ha emprendido. Sin las explicaciones verbales de mi Edecán Ibarra sería demasiado difusa esta comunicación, si quisiese instruir por ella sóla a V.E. de las fuerzas que compondrán el ejército de Colombia auxiliar del Libertador del Perú, de las operaciones que debe previamente ejecutar, de los medios que necesita para su trasporte y finalmente sería imposible combinar el modo y término en que debe verificarse nuestra anhelada reunión. Permítame, pues, V.E. que me refiera para todos estos detalles a mi Edecán Ibarra, que bien penetrado de mis proyectos actuales, podrá satisfacer a V.E. dándole cuantas noticias e informes desee V.E.

Como la principal división del ejército existe ahora en Venezuela, y su trasporte por tierra es casi imposible, en atención a la inmensa distancia que nos separa, me he propuesto dirigirla por mar, con el doble objeto de abreviar sus marchas y de ejecutar de paso otra importante operación sobre el Istmo de Panamá. Si la situación de aquella Provincia ofreciere la ocasión de que la ocupen nuestras armas a poca costa y en poco tiempo, se emprenderá su ocupación; pero sin perjuicio del objeto principal de la división, que es atravesar el Istmo y apoderarse de un puerto cómodo en el mar del Sur, donde pueda con seguridad arribar y recibirla a su bordo la escuadra de Chile, con que V.E. bloquea las costas enemigas del Perú. Yo suplico a V.E. que con especial bondad oiga esta parte de la misión de mi Edecán Ibarra. Sin esta cooperación de parte de V.E. serán nulos e ineficaces todos mis esfuerzos para buscar mi reunión con V.E. La expedición estará lista y zarpará de Santa Marta en todo el mes de octubre próximo.

En el mismo mes estará en Panamá y V.E. conoce cuan interesante es que no se detengan en aquel clima mortífero. Más de cuatro mil hombres de desembarco serán la fuerza de esta expedición y por grandes que sean sus pérdidas, espero y debe V.E. contar con que 4.000 soldados aguardarán en Panamá u otro puerto inmediato, la escuadra y trasportes que V.E. envíe.

Además de esta división, irá al Perú la que obra sobre Quito por Guayaquil, compuesta hoy de más de 3.000 hombres, y que incesantemente irá recibiendo nuevos refuerzos. Más de 4.000 hombres, que están ya en marcha, se embarcarán en San Buenaventura y se reunirán en Guayaquil. Aunque he tomado medidas para reemplazar las bajas que puedan tener estos tres cuerpos, no me es fácil disponer del armamento que se necesita para estos nuevos soldados. Si V.E. tuviese dos o tres mil fusiles sobrantes para remitirme a Guayaquil, estos reemplazos aumentarían la fuerza de las divisiones, y el ejército de Colombia, que conduzco, no bajaría de 10.000 a 12.000 hombres.

Mientras no me acerque más a V.E. y tenga la satisfacción de recibir noticias exactas de la situación de V.E. me parece excusado aventurar mi opinión sobre el punto de reunión que deba elegirse, o sobre las operaciones que deban ejecutar ambos ejercitos en combinación. V.E. se servirá acordar esto con mi edecán Ibarra, y comunicarme por su conducto o por el que V.E. tenga a bien, todo lo que juzgue conveniente al mejor éxito del plan propuesto.

Dios &. Trujillo, agosto 24 de 1821.

SIMON BOLIVAR

O'Leary XVIII, 466.

_____

*Del copiador).*

*Al señor coronel Diego Ibarra, Edecán de S.E. el Libertador.*

Por una carta que se acaba de recibir escrita a 14 de junio en el cuartel general del ejército Libertador del Perú, ha sabido hoy S.E. el Libertador Presidente, que entre S.E. el general San Martín y el general español La Serna, se ha concluído un tratado de armisticio por 16 meses, ofreciendo proclamar y reconocer la independencia del Perú y constituir un gobierno provisorio mientras se recibia la resolución definitiva de la España, que debe además enviar un Infante de su casa reinante para que ocupe el trono del Perú. Según parece esta es la base fundamental del tratado.

Aunque S.E. supone que S.E. el Vice-Presidente de Cundinamarca habrá instruído a V.S. detenidamente de estos sucesos, me manda se los repita yo, y le comunique las siguientes órdenes en adición a sus instrucciones:

1º—Que debe V.S. proceder con la mayor circunspección hasta informarse de la verdad de estas noticias, y procurar saber lo que haya de cierto relativamente a ellas, para que lo participe a S.E. con todos los detalles y extensión posibles, de modo que pueda formarse un juicio exacto de este negocio, sus antecedentes, estado presente y resultados probables.

2º—Que si resultare verdadero el tratado en los términos en que se dice concluído, procure V.S. sondear y penetrar el ánimo de S.E. el general San Martín y aun persuadirle a que desista del proyecto de erigir un trono en el Perú; por el escándalo que causaría esto en todas las Repúblicas establecidas en nuestro Continente; por las nuevas divisiones que produciría en su ejército y en el país la proclamación de los principios monárquicos después de haberse todas pronunciado por los republicanos; por el aliento que esto inspiraría a los españoles para continuar la guerra en todos los Estados insurrectos, contando siempre con el apoyo del Perú y con las divisiones intestinas, o pretendiendo que sigamos el mismo ejemplo; y ultimamente por el peligro que hay de que halle aquí la Europa un pretexto para mezclarse en nuestras disenciones con la España, y trate de decidirla e imponernos la ley de la arbitrariedad del trono y su absoluto poder sobre el pueblo. Si después de haber V.S. expuesto todas estas razones con las explicaciones que su prudencia y conocimientos le sugieran, no alcanzare V.S. a disuadir del plan al general San Martín, protestará V.S. de un modo positivo y terminante que Colombia no asiente a él, porque es contra nuestras instituciones, contra el objeto de nuestra contienda, contra los vehementes deseos y votos de los pueblos por su libertad.

3º—Que en virtud de esta noticia y las que se han recibido del Departamento de Quito, S.E. va a acelerar el apresto de la expedición y sus operaciones; pero V.S. ve cuan importante es que S.E. sepa a la mayor brevedad el resultado de la comisión de V.S., para saber con lo que debe contar y para poder arreglar los movimientos subsecuentes. Añadiendo ahora el nuevo motivo del tratado de los generales San Martín y La Serna, es doblemente interesante esa comisión, y los partes que V.S. dé son de infinita importancia.

En todo el mes de octubre estará pronta y saldrá la expedición del puerto de asamblea que V.S. sabe, porque cada día aumentan y facilitan los medios para ella.

Dios &. Maracaibo, setiembre 7 de 1821.

PEDRO BRICEÑO MENDEZ

Adición: Si llegase el caso de que tenga que tratar con S.E. el Director Supremo de Chile, o creyere conveniente hacerle una comunicación sobre el tratado de que hablo, podrá V.S. hacerle la misma protesta a nombre de S.E. asegurándole la cooperación de Colombia para resistir al proyecto, caso que haya sido formado en oposición a los principios y sentimientos de la República de Chile y su Gobierno.

En la reproducción de O'Leary XVIII, 497 se omitió la adición.

---

*115.—De una copia).*

Bogotá, 10 de noviembre de 1821.

*Al señor Alejandro de Humboldt.*

Muy señor mío y respetable amigo:

Mr. Bollmann que parte mañana para Europa, ha querido encargarse con placer, de estas letras que llevarán a Vd. la expresión de mi recuerdo, de mi afecto y de mi consideración. El barón de Humboldt estará siempre con los días de la América presente en el corazón de los justos apreciadores de un grande hombre, que con sus ojos la ha arrancado de la ignorancia y con su pluma la ha pintado tan bella como su propia naturaleza. Pero no son estos los solos títulos que Vd. tiene a los sufragios de nosotros los americanos. Los rasgos de su carácter moral, las eminentes cualidades de su carácter generoso tienen una especie de existencia entre nosotros; siempre los estamos mirando con encanto. Yo por lo menos al contemplar cada uno de los vestigios que recuerdan los pasos de Vd. en Colombia me siento arrebatado de las más poderosas impresiones. Así, estimable amigo, reciba Vd. los cordiales testimonios de quien ha tenido el honor de respetar su nombre antes de conocerlo, y de amarlo cuando le vió en Paris y Roma.

Soy de Vd. con la mayor consideración y respeto, su más obediente servidor q.b.s.m.

BOLÍVAR

Tomada por el señor Eduardo Posada de las Memorias de J. B. Boussingault, pág. 281.

Nota del señor Posada: "La reproducción tiene varias erratas de imprenta que hemos podido enmendar fácilmente, pero la frase "con los días de la América", nos deja en la duda si es también un yerro tipográfico, o si así está en el original". El Tiempo, 17 de diciembre de 1930. Bogotá.

El señor F. A. Quijano, al transmitirnos la misma copia nos dice: "En la página 182 del tomo I de sus Memorias asienta Boussingault que Humboldt y Gay-Lussac, habían visitado juntos el Vesubio en compañía de Bolívar". Este dato es útil para fijar las fechas del viaje a Italia.

De la carta de Humboldt para Boussingault, reproducida también por el señor Posada, tomamos estos párrafos:

"Paris, 21 de agosto de 1822.

He recibido una carta del general Bolívar, de la cual tengo el impudor de enviar a Vd. una copia. Ella no puede ser más lisonjera, y lo es tanto más que yo no había escrito al general desde hace 15 años y que estaba en incertidumbre sobre el efecto que produciría la carta que yo he dado a Vd. Verá Vd. que esa incertidumbre ha cesado enteramente. El hombre que me escribe espontáneamente esas líneas recibirá a Vd. como lo deseo. (. . . .) P.D. Mr. Bollmann que debía traerme la carta de Bolívar ha muerto. Es el joven que intentó salvar a Lafayette en Olmutz y que especulaciones de platino condujeron a Bogotá".

*116.—De una copia).*

Bogotá, noviembre 15 de 1821.

*Señor Doctor Francisco Javier Guerra, Canónigo de la Catedral.*

Muy señor mío:

He recibido la apreciable carta de Vd. en que Vd. se sirve satisfacerme por la incomodidad que yo tuve con Vd. el día de la comida del ciudadano Arrublas. Doy a Vd. las gracias por el exceso de bondad y deferencia que Vd. ha tenido en esta ocasión con respecto a mí. En el negocio en cuestión fue Vd. el ofendido y yo no debo ser el satisfecho. Si Vd. está pronto a publicar, como dice, los sentimientos inocentes que le hicieron vertir la expresión que dió causa al disgusto de Vd. conmigo, también yo estoy pronto a publicar que yo no he tenido razón para tratar indignamente en una Sociedad de Amigos a una persona respetable que no tuvo más culpa que el haberse expresado con candor y franqueza, en un momento de alegría en que debía reinar la igualdad y la confianza.

Yo tendré la mayor satisfacción en que Vd. publique esta carta y en que Vd. me vea cuando guste, pero a condición de que no hemos de pronunciar ni una sola palabra sobre este desagradable suceso.

Soy de Vd. con la más alta consideración, su atento obediente servidor Q.B.S.M.

Bolívar

La carta causa de esta noble respuesta del Libertador es la siguiente:
Exmo. Señor:

Muy señor mío y de todo mi respeto:

Como quiera que el acierto no está siempre a disposición de los hombres, yo vivo en la actualidad abrumado bajo el peso de un error involuntario, cometido en casa del señor Arrublas, el domingo 4 de los corrientes. Jamás pudo ser, ni ha sido verdaderamente mi intención exasperar a V.E. con las expresiones que entonces produje. Mi ánimo fue solamente protestar que ejerciendo la prelacia de este cuerpo nunca permitiría firmar un escrito formado por otro para darse a la imprenta. Desde luego no me expliqué según debía, y fuí causa de una grande incomodidad a V.E. y de un disgusto insoportable a los amigos allí reunidos, y aun quizá a toda esta capital.

Si bien V.E. ha tenido la generosidad de remitirlo a un total olvido, yo no creo satisfacer todos mis deberes sin suplicar a V.E. se sirva dispensar mi error, persuadiéndose de que ningún pretexto y en ninguna ocasión soy capaz de faltar al respeto y altas consideraciones a que V.E. es justamente acreedor.

No ha estado a mi arbitrio ponerme a la vista de V.E. pero lo verificaré cuando V.E. me lo permita, y entre tanto he adoptado este medio de escribir, confiado en que V.E. tendrá la bondad de disimular distraiga su superior atención por tan breves momentos.

El Todo Poderoso colme a V.E. de bendiciones y prosperidades, según se lo ruego Exmo. Señor.

Su más atento servidor y capellán que S.M.B.

*Pbro. Francisco Xavier Guerra.*

Boletín de Historia y Antigüedades. Números 231-232. página 377.

––––––––

*117.—Del copiador de la Secretaría).*

Bogotá, noviembre 16 de 1821.

*A S.E. el general San Martín.*

Es una verdadera satisfacción para toda la América la grande obra que V.E. acaba de ejecutar volviendo al Perú sus derechos y dándole una existencia nueva. La Independencia de esa opulenta región es el complemento de la salud de este hemisferio meridional; y Méjico que también ha roto sus lazos de dependencia, ha llamado sobre el Nuevo Mundo las luces del saber y los bienes de la Libertad. Colombia en el centro procurará seguir de lejos a las grandes masas de fortuna y populación que le cubren sus flancos y la ponen bajo su garantía y custodia. Tan grandes cosas deben llenarnos de una esperanza ilimitada.

V.E. el Jefe Restaurador de las Comarcas del Sur es el más digno de recibir los tributos de gratitud que debemos todos los hijos de la Libertad a sus Protectores y Padres. Yo aunque no he recibido directamente de V.E. los partes gloriosos de sus últimos triunfos, me apresuro no obstante a congratular a V.E. por todos los favores que la buena suerte ha querido dispensar a la causa del Perú colocada bajo el escudo del ejército libertador que acaudilla V.E. Acepte pues V.E. los más gratos testimonios con que soy de V.E. su atento obediente servidor.

(Bolivar)

118.—*De una copia*).

Bogotá, 18 de noviembre de 1821.

*Al Exmo. Señor Vice-Presidente de la República.*

Desde la revolución del 19 de abril de 1810, ha manifestado el ciudadano Rafael Diego Mérida, una conducta contraria al orden y a la tranquilidad pública. Díscolo por carácter, intrigante y aun perverso ha querido envolver la república en males horrorosos cuantas veces ha podido.

No sólo ha publicado papeles escandalosos sino que de hecho ha procurado disolver los proyectos más laudables concebidos para la salvación de Colombia. Dentro y fuera de nuestro territorio ha sido perjudicial. En Los Cayos de San Luis estuvo casi disuelta la expedición que conduje a la Costa Firme el año de 1816, sólo por los manejos y tramas de Mérida. Separó y dividió a los jefes que la componían y fueron necesarios esfuerzos inauditos, para lograr salir e ir a Margarita.

La República debe desconfiar de este mal ciudadano; deseo que el Poder Ejecutivo tome las medidas convenientes con respecto a él. Nada sería más útil que enviarlo al ejército del Sur. Allí quizás podría servir sin perjuicio de la patria.

Dios guarde a V.E. muchos años.

Bolivar

*119.—Del original).*

Cuartel General de la Plata,
a 22 de diciembre de 1821-11.

*Al señor General de Brigada A. J. de Sucre.*

Ayer recibí a las inmediaciones de esta ciudad las comunicaciones que V.S. dirigía al Vice-Presidente de la República, fechadas el 6 de noviembre en Babahoyo. Por ellas me he impuesto de la situación de V.S. en esa provincia y de la del enemigo.

Por el señor general Torres recibí el 20 del presente copia de un armisticio celebrado entre V.S. y el coronel Tolrá. El general Torres lo recibió por el comandante de las fuerzas de Pasto que le hacía iguales proposiciones, y lo invitaba a que aquel tratado fuese extensivo a las fuerzas de una y otra parte que obran por esta dirección. El señor general Torres contestó negativamente tanto por hallarme yo en las inmediaciones de su cuartel general, como porque no creyó útil a nuestros intereses esta suspensión de hostilidades.

Si es cierto que V.S. y el general Tolrá han convenido en el tratado de Babahoyo de 20 de noviembre lo desapruebo, y V.S. no debe observarlo ni cumplirlo pues no es obligatorio ningún tratado sin la ratificación del Gobierno. Además este tratado es perjudicial en la situación actual, paralizando las fuerzas del mando de V.S. que deben cooperar a la libertad de Quito. Así yo repito a V.S. mi orden de 20 de noviembre fechada en Bogotá, cuyo duplicado incluyo ahora, previniéndole su exacto cumplimiento y añadiendo a V.S. que está autorizado para obrar sobre Quito por la dirección que estime más conveniente para cooperar con el ejército que yo mando en persona, y para hallarse sobre Quito del 20 al último de febrero para cuya época estaré yo sobre aquella capital con el ejército.

La Guardia marcha y yo estaré dentro de cuatro días en Caloto.

He comisionado al coronel Juan Paz Castillo y al teniente coronel Murgueitío para que pasen a Quito cerca del Capitán General y demás autoridades españolas, con el objeto de que las instruyan de la verdadera situación militar y política de Colombia, de la de México, Chile, el Perú y de la España. Llevan multitud de documentos auténticos e irrefragables. Están autorizados para anunciarles que Colombia les concederá una capitulación honrosa, si lo piden, a pesar de la preponderancia de nuestras armas y de la terrible situación a que se ven reducidos los españoles de Quito.

Con esta fecha doy orden al comandante general del Cauca para que sin pérdida de tiempo, embarque en la Buenaventura 500 caucanos, y los remita a Guayaquil a disposición de V.S. Irán desarmados, pues en esa plaza sobran fusiles, según el estado que pasa el coronel Morales.

Dios guarde a V.S. muchos años.

BOLIVAR

Del archivo de Sucre.

El armisticio celebrado por Sucre fué utilísimo porque le permitió rehacer sus tropas batidas en el combate de Guaqui, y no estorbó en lo más mínimo las operaciones sobre Quito, porque estas no se pudieron efectuar en la fecha indicada por el Libertador, sino tres meses después.

Delirio sobre el Chimborazo

# 1822

120.—*De una copia*).

## REPUBLICA DE COLOMBIA

### SIMON BOLIVAR

Libertador Presidente de Colombia &., &.

*Al Exmo. Señor Director Supremo de Chile.*

Exmo. Señor:

De cuantas épocas señala la historia de las naciones americanas, ninguna es tan gloriosa como la presente, en que desprendidos los imperios del Nuevo Mundo, de las cadenas que desde el otro hemisferio les había echado la cruel España, han recobrado su libertad, dándose una existencia nacional. Pero el gran día de la América no ha llegado. Hemos expulsado a nuestros opresores, roto las tablas de sus leyes tiránicas y fundado instituciones legítimas: más todavía nos falta poner el fundamento del pacto social, que debe formar de este mundo una nación de Repúblicas.

V.E. colocado, al frente de Chile, está llamado por una suerte muy afortunada a sellar con su nombre la libertad eterna y la salud de América. Es V.E. el hombre a quien esa bella nación deberá en su más remota posteridad, no solamente su creación política, sino su estabilidad social y su reposo doméstico.

La asociación de los cinco grandes Estados de América es tan sublime en si misma, que no dudo vendrá a ser motivo de asombro para la Europa. La imaginación no puede concebir sin pasmo la magnitud de un coloso, que semejante al Júpiter de Homero, hará temblar la tierra de una ojeada. ¿ Quien resistirá a la América reunida de corazón, sumisa a una ley y guiada por la antorcha de la libertad? Tal es el designio que se ha propuesto el Gobierno de Colombia al dirigir cerca de V.E. a nuestro Ministro Plenipotenciario senador Joaquín Mosquera.

Dígnese acoger esta misión con toda su bondad. Ella es la expresión del interés de la América. Ella debe ser la salvación del Mundo Nuevo.

Acepte V.E. los homenajes de alta consideración con que tengo el honor de ser de V.E. su obediente servidor.

BOLIVAR

Cuartel General en Caly, a 8 de enero de 1822.

Publicada por J. D. Monsalve. El Ideal Político del Libertador. 1916, Página 199.

Boletín de Historia y Antigüedades. Nos. 231-232, página 379.

---

*121.—Del copiador de la Secretaría).*

### REPUBLICA DE COLOMBIA

Cuartel General de Popayán,
1º de febrero de 1822-12º

*Al señor coronel José de Fábrega, Gobernador Comandante General de la Provincia de Panamá.*

Señor Coronel:

Sin haber tenido la satisfacción de recibir el despacho que V.S. ha tenido la bondad de dirigirme, me apresuro a congratular a esa ilustre provincia que V.S. tiene la gloria de presidir. No me es posible expresar el sentimiento de gozo y admiración que he experimentado al saber que Panamá, el centro del Universo, es regenerado por sí misma, y libre por su propia virtud. La Acta de Independencia de Panamá, es el monumento más glorioso que puede ofrecer a la historia ninguna provincia americana. Todo está allí consultado, justicia, generosidad, política e interés general.

Trasmita V.S. a esos beneméritos colombianos, el tributo de mi entusiasmo por su ascendrado patriotismo y verdadero desprendimiento. Sin duda una parte del ejército de Colombia, a las órdenes del señor coronel Carreño, debe haber asegurado ya la suerte de ese precioso emporio del comercio y de las relaciones del mundo. Además he ordenado que otro cuerpo de 1.000 hombres más, siga a reemplazar esas mismas tropas que ahora pido a su comandante para que vengan a cooperar a la libertad de Quito. V.E. pues hará sus mayores esfuerzos para que estas órdenes tengan el efecto más completo. Me lisonjeo que V.S. prestará todos los auxilios que estén a su alcance para que dichas tropas puedan inmediatamente salir con todos los elementos necesarios para su marcha y operaciones debiéndose embarcar para la costa de Esmeraldas o Guayaquil a las órdenes del jefe que señale el señor coronel Carreño: y embarcándose en los trasportes y buques de guerra que se puedan conseguir en los puertos del Istmo accidentalmente o en los que expresamente sean mandados para ese objeto desde Guayaquil. V.S. señor coronel, está nombrado por mí como gobernador comandante general de la provincia de Panamá, y el señor coronel Carreño debe quedar mandando en ese departamento militar, como jefe superior político militar, encargado de las operaciones contra Veraguas, u otro cualquier punto que ocupen las armas españolas en las fronteras de Colombia. El señor coronel Carreño recibirá del departamento del Magdalena y de la capital de Bogotá cuantos auxilios necesite para defender la obra que tan noblemente V.S. ha empezado. Repito a V.S. las expresiones de verdadera gratitud, con que he aceptado en nombre de Colombia los servicios que V.S. y ese pueblo generoso le acaban de prestar para completar así, el ámbito que la Providencia y la naturaleza habían señalado a nuestra inmensa república. Dios guarde a V.S. muchos años.

BOLIVAR

122.—*De una copia*).

Cuartel general de Popayán,
a 9 de febrero de 1822-12.

*Al señor general de Brigada Antonio José de Sucre.*

En mis comunicaciones anteriores que he dirigido a V.S. por diferentes conductos, y la que menos por duplicado, he manifestado a V.S. mis designios en la presente campaña para libertar a Quito. Nada he omitido para hacer conocer a V.S. la extraordinaria importancia de embarcar en la Buenaventura siquiera 3.000 veteranos de la Guardia y conducirlos a Guayaquil para obrar sobre Quito en esa dirección, mientras que S.E. el general Urdaneta obraba por Pasto con 2.500 hombres más. Lo mismo he dicho al coronel Morales y al Presidente de la Junta de Gobierno de Guayaquil, encareciéndole a todos la importancia, la necesidad y las ventajas de esta operación. Además, en mis órdenes anteriores he autorizado a V.S. y al coronel Morales amplia y suficientemente para que tomaran cuantas medidas fueren necesarias para remitir los buques y los víveres suficientes para conducir 3.000 hombres de la Buenaventura a Guayaquil, autorizándolos, también, para que estas medidas fuesen enérgicas, activas y aun violentas, si era necesario, para que vinieran los buques, eximiéndolos de toda responsabilidad y cargando yo con ella. He prevenido también a V.S. que el bergantín Ana, de la propiedad del Gobierno, y que ha ido a Guayaquil conduciendo reclutas, se armara, tripulara y equipara completamente allí y volviera con uno o dos buques de guerra, también armados en Guayaquil, o de los del Perú o de Chile, si se podía obtener de ellos este servicio, convoyando hasta la Buenaventura los buques de trasporte. Estas mismas órdenes y estas mismas autorizaciones las repito ahora a V.S. y le prevengo de nuevo que haga esfuerzos increíbles e infinitos a fin de que vengan al puerto de San Buenaventura los trasportes necesarios para conducir a Guayaquil siquiera 3.000 veteranos de la Guardia: que traigan los víveres necesarios para ellos: que vengan escoltados por el Ana y uno o dos buques más de guerra, capaces de resistir las fuerzas enemigas que puedan encontrar y defender tan precioso convoy: y que si no es posible, a pesar de toda la actividad y eficacia de V.S., para principios de marzo, como antes he dicho, estén siquiera en la Buenaventura para los fines de dicho mes o en todo el mes de abril, pues, aunque este plazo es dilatado la operación es de suma importancia y necesidad.

Descanso en la seguridad de que V.S. nada omita a fin de que vengan los buques y de que yo, con 3.000 hombres de la Guardia, marche sobre Quito por Guayaquil.

A pesar de estas órdenes, V.S. obrará con la división de su mando del modo que crea conveniente y como si nó me esperara a mi con la Guardia por Guayaquil, pues, podrán ser las circunstancias tales que yo me vea obligado a obrar con mis fuerzas por Pasto, pero teniendo V.S. siempre presente mi órden de 6 de enero, en que he dicho a V.S. "que sus operaciones deben tener por objeto amenazar a Quito, pero de lejos, y sin comprometerse. Obrando V.S. paralelamente al enemigo, se logra mi designio. V.S. deberá retirarse cuando lo busquen, para alejar aquellas fuerzas de Quito y deberá buscar al enemigo, cuando este se retire o se quede en inacción. Mi deseo es que V.S. obre con la mayor audacia aparente y con la mayor prudencia real. A estos dos puntos se reducen todas mis instrucciones". Y lo mismo repito ahora, en la inteligencia de que de todos modos cuento con la cooperación de la División del mando de V.S. sobre la capital de Quito, si las circunstancias me obligan a obrar por Pasto.

Como el general Mourgeon ha eludido la negociación de canje que le propuse por medio de un comisionado, bajo el frívolo pretexto de que ya había puesto nuestros prisioneros en libertad bajo su propia responsabilidad, sin que esta negociación se perfeccionara, como es de costumbre, prevengo a V.S. que habilite a nuestros oficiales que hayan sido prisioneros, para batirse contra los enemigos de la República, puesto que mis comisionados han llevado la nota de los españoles que yo tenía en mi poder para canjearlos por los nuestros y que por la conducta de Mourgeon opuesta al derecho de gentes, no se ha practicado el canje como este previene.

He destinado a mi edecán O'Leary a Panamá con orden de que inmediatamente se embarquen para las Esmeraldas o Guayaquil, según convenga, mil veteranos de Colombia, de los dos mil que guarnecen el Istmo, y que el reemplazo de estos mil hombres vayan de las provincias de Santa Marta y Cartagena.

Incluyo a V.S. gacetas de Colombia y de Bogotá con noticias bien interesantes y una copia de la orden general de ayer, que contiene las que me ha comunicado S.E. el Vice-Presidente.

Si V.S. toma el interés que debe en que vengan a la Buenaventura los buques que pido, la libertad de Quito es infalible e infinitamente menos costosa, conservando así la vida de los ilustres soldados de la Guardia, que tantas veces han sellado, con su sangre, sus triunfos y la libertad de su patria.

Dios guarde a V.S. muchos años

BOLIVAR

P.D. Se me olvidaba decir a V.S. que no obstará mi marcha a Guayaquil para que se ejecute la operación sobre Pasto a fines de este mes de febrero, a las órdenes del general Valdés, el que a principios de abril estará del otro lado del Guaitara o en Ibarra quizás. Es decir, que siempre se hará la operación sobre Pasto y que si vienen buques yo iré con 2.000 hombres de la Guardia, por lo menos, a contribuir a la libertad del Sur: pero por esta parte un grande ejército no tiene víveres, ni bagajes, con que marchar hasta Quito y es además doloroso dejar sacrificar por el clima soldados tan beneméritos como son los de la Guardia. Vale.

El original existe en el Archivo Nacional de Quito. El señor Jorge Perez Concha, Director del Museo y Archivo Nacionales nos envió esta copia, en carta de 24 de junio de 1943. Este importante oficio ha permanecido inédito.

---

123.—*De una copia*).

Pasto, 10 de junio de 1822.

*Al Exmo. Señor Vice-Presidente de la República de Colombia.*

Mi querido general:

El Obispo de Popayán se ha rendido a mis instancias, a la razón y sobre todo al bien propio y general. Es hombre de mucho talento; tiene una lógica muy militar; es locuaz y dice bien: creo que nos será muy útil en esa capital. Tenía mucho miedo al pueblo de Popayán y del Cauca, y me pidió que lo mandase a Cuenca por algún tiempo, pero yo creí que era mejor que hiciese una visita espiritual en el Arzobispado de Bogotá acordándome del empeño que Vd. tenía en que viese esos pueblos un Obispo en tiempo de la República y también porque esa iglesia necesita de una cabeza que aparezca con alguna importancia en la capital de Colombia.

Crea Vd. que no me engaño. El Obispo de Popayán nos será

muy útil porque es hombre susceptible de todo lo que se puede desear en favor de Colombia: es hombre entusiasta y capaz de predicar nuestra causa con el mismo fervor que lo hizo en favor de Fernando VII; apoyando sus opiniones con principios de derecho público de mucha fuerza. En fin, nuestro Obispo es muy buen colombiano ya.

He mandado que se le asista en todo el tránsito por cuenta del Gobierno porque él está aquí miserable. Con seis u ocho mil pesos que se le pasen anualmente, estará demasiado contento, y dice que si le dan la mitad también lo estará.

Concluyo esta carta por decir a Vd. que yo soy el Protector nato de mis conquistas, y que veo al Obispo de Popayán como una de ellas.

Soy de Vd. su afectísimo de corazón.

BOLIVAR

P.D. Mando a Vd. todos los documentos de lo ocurrido hoy.

Archivo Nacional. Bogotá. Sección Curas y Obispos. VIII, 421. Copia del señor José María Restrepo Sáenz.

---

*124.—Rodriguez Villa, IV. 506).*

Guayaquil, 22 de julio de 1822.

*Al Exmo. Señor don Pablo Morillo*

Mi estimable señor y amigo:

El señor coronel don Basilio García, después de haber llenado su deber hasta lo imposible, se restituye a España sin responsabilidad alguna con respecto a Colombia, porque la capitulación que ha hecho conmigo salva a todas las tropas de su mando de la triste suerte de prisioneros de guerra. Me tomo la libertad de recomendar a Vd. a este oficial, para que, en todo caso, pueda Vd. asegurar que su conducta, en todo sentido, ha sido muy distinguida. En la parte militar ha hecho más de lo que se debía esperar, pues a pesar de la desventaja en que se hallaba, defendió a Pasto con una audacia y un acierto que harían mucho honor al mejor general. Por otra parte, la regularización de la guerra la ha cumplido religiosamente y con la mayor humanidad, y en las transacciones conmigo sobre armisticio se ha conducido con una fineza que yo no esperaba. En fin amigo y señor, este oficial hace honor al ejército expedicionario.

El estado de guerra en que aun desgraciadamente nos hallamos, no me permite extenderme con Vd. sobre nuestros sentimientos personales, porque la revolución puede haber colocado a Vd. en una situación que le comprometa cualquiera expresión mía; pero de todos modos, debe Vd. contar con que mis ofertas de Santa Ana son y serán eternas.

Soy de Vd. con la más alta consideración su atento obediente servidor

BOLIVAR

Publicada en nuestra colección de 1929, tomo III, página 223, por error como de 1823.

---

*125.—De una copia de la época*).

Cuenca, octubre 29 de 1822.

*Al señor general Carlos Soublette.*

Mi muy querido Soublette:

El gobernador de esta Provincia me ha suplicado con el más grande encarecimiento que a su padre José de Heres, que se halla confinado por Vd. en el Bajo Apure, desde octubre de 1821, se le permita ir a Angostura, a vivir en el seno de su familia que lo reclama con lágrimas, y a la cual hace mucha falta. Y deseando yo servir a Heres, porque considero el interés con que un hijo pide por su padre, y por que además lo estimo, recomiendo a Vd. muy particularmente el asunto y confío en que Vd. penetrándose de mis mismos deseos, hará que este muchacho y su familia queden contentos de nosotros.

Adios Soublette, manténgase Vd. bueno y cuente siempre con la invariable voluntad de su afmo. amigo.

BOLIVAR

Del Archivo de Sucre.

---

## LA CUESTION DE GUAYAQUIL.

En esta sección insertamos los documentos principales relativos a los problemas históricos de la pertenencia y la Entrevista de Guayaquil, a saber: declaraciones de la Corona cn la Real Orden de 7 de julio de 1803 y Real Cédula de 24 de junio de 1819, de pertenecer la Provincia al virreinato de la Nueva Granada; la intimación de Bolívar del 2 de enero de 1822 a la Junta de Gobierno de Guayaquil exigiéndole incorporar la provincia a Colombia; carta particular a Olmedo de la misma fecha; protesta del general San Martín de 3 de marzo de 1822, basada en el principio de reconocer a la provincia el derecho de resolver libremente su suerte; órdenes de la misma fecha del propio Protector al general La Mar, de retirar de la campaña la división de Santa Cruz y apoyar con las armas la independencia de la provincia, si los habitantes querían mantenerla; otra nota del general San Martín, fechada el 14 de marzo de 1822, dirigida a la Junta de Gobierno expresando el interés del Perú en el mantenimiento de la independencia de la provincia de Guayaquil; consulta de Bolívar de 1º de junio del mismo año desde el Trapiche al Poder Ejecutivo de Colombia sobre la manera de conducirse ante la intervención posible del Protector del Perú en los asuntos de Guayaquil; carta de Bolívar a San Martín sosteniendo los derechos de Colombia a la Provincia; las tres relaciones de la Conferencia dictadas por Bolívar el 29 de julio y el oficio de 9 de setiembre de 1822 fechado en Cuenca y dirigido a los Gobiernos del Perú y Chile; contestación evasiva de la Junta Gubernativa del Perú, del 25 de octubre, y por último la carta de Bolívar a Santander de 13 de setiembre. Estos documentos puntualizan la cuestión militar del Perú sin permitir duda alguna en estos términos:

1º El Protector no le pidió a Bolívar en la Conferencia ningún socorro militar fuera de la división convenida y preparada de antemano. 2º Alarmado Bolívar por las noticias recogidas después de la Entrevista, de boca del coronel Heres, conocedor de las fuerzas existentes en el Perú, por haber servido primero a los españoles y después a los patriotas, ofreció desde Cuenca el 9 de setiembre a los gobiernos del Perú y Chile todas las fuerzas de Colombia en favor de la campaña del Perú, cuando todavía el Protector se hallaba al frente del Gobierno del Perú.

Completamos esta explicación con notas a algunos documentos referentes a la Conferencia, reproducidos adelante.

---

*126.—De una copia).*

### Dependencia de Guayaquil.

Real Orden
7 de julio de 1803.

Exmo. Señor:

Entre otras cosas que ha consultado a S.M. la Junta de Fortificaciones de América, sobre la defensa de la ciudad y puerto de Guayaquil, ha propuesto que a fin de que esta tenga con ahorro del Real Erario toda la solidez que conviene, debe depender el Gobierno de Guayaquil del Virrey de Lima, y no del de Santa Fe, pues este no puede darle como aquel en los casos necesarios los precisos auxilios, siendo el de Lima, por la facilidad y brevedad con que puede ejecutarlos quien le ha de enviar los socorros de tropas, dinero, pertrechos de armas, y demás efectos de que carece aquel territorio, y por consiguiente se halla en el caso de vigilar mejor y con más motivo que el de Santa Fe, la justa inversión de los caudales que remita y gastos que se hagan a que se agrega que el Virrey de Lima puede según las ocurrencias servirse con oportunidad para la defensa del Perú, especialmente de su capital, de las maderas y demás producciones de Guayaquil lo que no puede verificar el Virrey de Santa Fe. Y habiendo conformado S.M. con el dictamen de dicha Junta lo aviso a V.E. de Real Orden para su inteligencia, y a fin de que por el Ministerio de su cargo se expidan las que corresponden a su cumplimiento. Dios guarde a V.E. muchos años.

Palacio 7 de julio de 1803

JOSEPH ANT. CABALLERO

*Señor Don Miguel Cayetano Soler.*

Es copia del Documento original que reposa en el Archivo del Ministerio de Relaciones Exteriores de la República del Ecuador. Quito, julio 3 de 1941.

El Sub-Secretario de Relaciones Exteriores
*J. Perez S.*

---

*127.—De una copia).*

*Dependencia de Guayaquil. Real Cédula publicada
por Bando en la ciudad el 6 de abril de 1820.*

Yo el Rey, Gobernador de la Ciudad y Provincia de Guayaquil. Con esta fecha expido a mi virrey del Perú la cédula del tenor siguiente: El Rey-Virrey Gobernador y Capitán General de las Provincias del Perú y Presidente de mi Real Audiencia de Lima. Conformándose mi Augusto Padre, que esté en gloria, con lo que le propuso la Junta de fortificaciones de América, sobre la defensa de la plaza y puerto de Guayaquil, se sirvió resolver por su real orden comunicada a mi consejo de las Indias en siete de julio de mil ochocientos tres, que el Gobierno de Guayaquil debía depender de este virreinato, y no del de Santa Fe por las causas que se expresaron con motivo de la capitulación que dirigió a ese superior Gobierno don Jacinto Bejarano vecino de Guayaquil contra don Bartolomé Cucalón Gobernador que fue de aquel puerto y provincia, se expidieron varias providencias, de cuyo modo de proceder se quejó el Presidente que fue de Quito Barón de Carondelet, manifestando no deber tener ese superior Gobierno intervención alguna en Guayaquil en el Gobierno Político, de real hacienda, ni de comercio, y solo si en lo militar, pidiendo se declare así. Remitida esta queja con real orden de primero de junio de mil ochocientos siete al mencionado mi Consejo, y una representación del referido Bejarano sobre el asunto, hizo presente su dictamen en consulta de nueve de noviembre siguiente, y habiéndose conformado con él mi Augusto Padre y Señor, se sirvió desaprobar los procedimientos del Virrey, que entonces era de esas provincias, en haber admitido la enunciada capitulación contra el tenor de la expresada real orden de siete de julio de mil ochocientos tres, que solamente le concedía jurisdicción y superioridad en lo respectivo a la defensa de la ciudad y puerto de Guayaquil, y aprobar los del Presidente y Audiencia de Quito, admitiendo estos a Bejarano la capitulación contra el Gobernador Cucalón bajo la fianza de la ley: cuya real resolución no pudo comunicarse por la inmediata entrada en Madrid de los franceses. La ciudad de Guayaquil en representación de veinte y ocho de octubre de mil ochocientos quince, ha expuesto, que su vecindario, y el de su vasta provincia, sufre el yugo más pesado por estar agregada a ese Virreinato en todos ramos desde el año de mil ochocientos diez, en que vuestro antecesor el marqués de la Concordia lo decretó así, separándola de la Audiencia de Quito, que como mas inmediata conozca de los asuntos contenciosos; desde cuyo tiempo viven sin consuelo todos aquellos beneméritos habitantes, pues hay muy pocos que puedan entablar sus recursos a esa Audiencia y a ese superior Gobierno, por oprimidos que se vean, a causa de que la distancia de más de trescientas leguas los desalienta; necesitando el correo ordinario un mes para la ida y otro para la vuelta, cuando no se atrasa por las frecuentes crecientes de los ríos. Que si se intenta hacer un propio cuesta trescientos pesos lo menos: el despacho de los negocios es muy tardío, porque con la multitud de los que se agolpan de todo el reino, no se dictan las providencias con la brevedad que exijen las materias; siendo lo más sensible que los reos dignos por su infeliz situación de la mayor consideración, se hallan desatendidos, ocupando las cárceles y calabozos sin ningún alivio, de modo que parece yacen sepultados por toda la vida en los calabozos. Y haciendo expresión de la diferencia muy notable que hay en los costos curiales de esa ciudad con los de la de Quito, distante solo ochenta leguas de Guayaquil, concluyó el ayuntamiento, suplicando, me digne mandar agregar aquella Provincia a la Presidencia de Quito, como estaba antes; o a lo menos en lo contencioso: cuya instancia la repitió y recomendó mi Real Audiencia de Quito.

Visto en el expresado mi Consejo de las Indias, en el pleno de tres salas, con lo que me han representado ser el asunto los Presidentes de Quito don Toribio Montes, y don Juan Ramirez, lo informado por la Contaduría General y lo que dijeron mis fiscales; me hizo presente su dictamen en consulta de diez y siete de mayo próximo pasado y penetrado mi real ánimo de las poderosas razones con que le apoya, he tenido a bien conformarme con él. En cuya consecuencia he venido en declarar que estando ya restablecido el Virreinato de Santa Fe y en ejercicio de sus funciones el Presidente de Quito y su Audiencia, a esta toca entender en todas las causas, así civiles y criminales del Gobierno de Guayaquil, como en los asuntos de mi real hacienda, permaneciendo el mismo Gobierno sujeto en lo militar a ese virreinato. Y para que esta mi real determinación tenga su mas puntual cumplimiento, he resuelto preveniros, como por la presente mi real cédula os prevengo, dispongais inmediatamente la posesión de la ciudad de Guayaquil y su partido al ser y estado en que se hallaba antes de acordar en el año de 1810, vuestro antecesor el Marqués de la Concordia, su agregación a ese Virreinato: y que así vos, como esa mi Real Audiencia, arregleis vuestros procedimientos a lo dispuesto por las leyes en este punto, sin abrocarse ni tomar conocimiento alguno en los asuntos de justicia civil y criminal, ni de real hacienda de dicha ciudad de Guayaquil y su provincia, que corresponden privativamente a la Audiencia de Quito, por ser de su distrito: en inteligencia, que la menor contravención, retardación o demora en este asunto será de mi real desaprobación. Y de esta cédula se tomará razón en la Contaduría General del referido mi Consejo.

Lo que os participo para vuestra inteligencia, satisfacción de esos mis amados vasallos habitantes en el distrito de ese Gobierno y debido cumplimiento en la parte que os toca de la expresada mi real resolución, a cuyo efecto la comunico así mismo con la propia fecha a mi virreinato de Santa Fe, al presidente de Quito, y a mis reales audiencias de Lima y Quito. Dada en Madrid a 24 de junio de 1819.

Yo el Rey.

Por mandado del Rey, nuestro Señor. *Silvestre Collar.* Hay tres rúbricas.—Guayaquil abril 6 de 1820. Recibida esta real cédula y obedecida con el mayor acatamiento en la forma ordinaria, se guarde, cumpla y ejecute en todas sus partes, y se publique por bando, para que llegue a noticia de todos.

*Juan Manuel Mendiburu.—José Luzcando.—Santiago Carrasco.*

---

*128.—Del Copiador de la Secretaría).*

Cuartel General de Caly, a 2 de enero de 1822-12.

*Exmo. Señor Presidente del Gobierno de Guayaquil.*

Exmo. Señor:

Es inmensa la satisfacción que tengo al acercarme a las riberas del Pacífico. Yo espero que mi venida al Sur sea señalada con la victoria y la paz. El Sur no verá más los fuegos enemigos.

En este instante está en marcha la división del señor.general Torres para esa capital con 2.000 hombres. La Guardia seguirá el mes próximo el mismo destino conmigo.

Yo me lisonjeo Exmo. Señor que la República de Colombia habrá sido proclamada en esa capital antes de mi entrada en ella. V.E. debe saber que Guayaquil es complemento del territorio de Colombia: que una provincia no tiene derecho a separarse de una asociación a que pertenece y que sería faltar a las leyes de la naturaleza y de la política permitir que un pueblo intermedio viniese a ser un campo de batalla para dos fuertes Estados; y yo creo que Colombia no permitirá jamás que ningún poder de América enzete su territorio.

La llegada de nuestro ejército a esa ciudad exije nuevos sacrificios y V.E. será informado de ellos por el señor general Sucre a quien he autorizado plenamente para que los pida al Gobierno que V.E. preside dignamente, o los obtenga por los medios que estén en su poder. V.E. sin duda tendrá la bondad de prestar toda su protección al señor general Sucre para que el último triunfo de Colombia lleve grabada la mano de Olmedo.

Tengo el honor de ser de V.E. con la más alta consideración su afmo. servidor.

BOLIVAR

Publicado en O'Leary XIX, 112.

---

*129.—De una copia de la época).*

Caly, enero 2 de 1822.

*Al señor José Joaquín de Olmedo.*

Muy estimado amigo y señor:

No puede Vd. imaginarse con que placer me acerco a la patria de Vd. más por conocer a su digno Jefe que por otro motivo alguno. Sin atender a los muchos informes favorables de Vd. que todos dan, las comunicaciones confidenciales, y aun públicas, le pintan como Vd. es, franco, noble y generoso. Las cartas que Vd. se ha servido dirigirme me han llenado siempre de satisfacción: un verdadero ingenio las marca como de una pluma tan sencilla como elevada y de un hombre que tiene la bondad por carácter y el sublime por divisa. Mucho me duele tener al mismo tiempo que molestar a un amigo que ya amo. Hablo de las comunicaciones que dirijo tanto al Gobierno como al general Sucre. Por ellas verá Vd. que exijo el inmediato reconocimiento de la República de Colombia, porque es un galimatías la situación de Guayaquil. Mi entrada en ella en tal estado sería un ultraje para mí y una lesión a los derechos de Colombia.

Vd. sabe amigo que una ciudad con un río no puede formar una Nación: que tal absurdo sería un señalamiento de un campo de batalla para dos estados belicosos que lo rodean. Vd. sabe los sacrificios que hemos hecho en medio de nuestros propios apuros por auxiliar a Guayaquil, que Colombia ha enviado allí sus tropas para defenderla: mientras que el Perú ha pedido auxilios a ella. Quito no puede existir sin el Puerto de Guayaquil, lo mismo Cuenca y Loja. Las relaciones de Guayaquil son todas con Colombia. Tumbes es límite del Perú y por consiguiente la naturaleza nos ha dado a Guayaquil. Que no se diga que una insurrección espontánea ha variado los derechos: en muchas épocas muchas ciudades han hecho otro tanto, y no mostraron deseos extravagantes. Maracaibo ha dado el ejemplo de lo que se debe hacer y no ha imitado a Guayaquil.

Todo lo que el derecho más lato permite a un pueblo comprendido bajo una asociación, o bajo límites naturales es la completa y libre representación en la Asamblea Nacional. Toda otra pretensión es contraria a los derechos sociales. Además la política y la guerra tienen sus leyes, que no se pueden quebrantar sin dislocar el orden social. Por estas y otras muchas consideraciones me he determinado a no entrar en Guayaquil, sino después de ver tremolar la bandera de Colombia, y yo me lisonjeo que Vd. empleará todo el influjo de su mérito, saber y dignidad, para que no se de a Colombia un día de luto, sino por el contrario, sea Guayaquil para nuestra Patria el vínculo de la libertad del Sur, y el modelo más sublime de una profunda política y de una moderación inimitable.

El general Sucre comunicará a Vd. las órdenes que tiene para aprontar los preparativos de la próxima campaña. Este será el último y el más glorioso esfuerzo de los Pueblos de Colombia, para conseguir los únicos bienes, paz, gloria y libertad.

Soy de Vd. con la mayor consideración, su más atento y afmo, servidor.

BOLIVAR

Del Archivo de Sucre.

----

*130.—De una copia).*

Lima, marzo 3, de 1822.

*Al señor General de División don José de La Mar.*

Señor:

Por las comunicaciones del Libertador de Colombia a ese

gobierno, que en copia se remitieron a S.E. el Protector, no queda duda del plan abierto de hostilidad adoptado contra ese país y del compromiso en que queda el gobierno del Perú con el de aquella República. Aunque es muy notable que en tan difíciles circunstancias el gobierno de Guayaquil espere en una actitud pasiva el desenlace de las operaciones del Libertador, sin embargo prevengo a V.S. que siempre que el gobierno de acuerdo con la mayoridad de los habitantes de esa provincia, solicitasen sinceramente la protección de las armas del Perú, por ser su voluntad el conservar la independencia de Colombia; en tal caso emplee V.S. todas las fuerzas que están puestas a sus órdenes en apoyo de la espontánea deliberación del pueblo. Pero si por el contrario el Gobierno de Guayaquil y la generalidad de los habitantes de la provincia pronunciasen su opinión a favor de las miras de Colombia; sin demora vendrá V.S. al Departamento de Trujillo a tomar el mando general de la costa del Norte, reunir la división del coronel Santa Cruz en Piura, aumentarla hasta donde alcancen los recursos del territorio, y obrar según lo exija la seguridad del Departamento de Trujillo. Como no es posible prever las diferentes combinaciones que allí se presenten, el gobierno deja al arbitrio de V.S. obrar según ellas, pues sabe hasta que grado debe confiar en el delicado celo y conocimientos de V.S. Tengo el honor de comunicarlo a V.S. para su inteligencia &.

BERNARDO MONTEAGUDO

Paz Soldán. Historia del Perú Independiente. Primer Período, tomo I, 261.

---

*131.—De una copia).*

Lima, marzo 3 de 1822.

*Al señor general don José de La Mar.*

Guayaquil.

Señor:

Incluyo a V.S. copia de la nota que en esta fecha dirije S.E. el Supremo Delegado al Gobierno de Guayaquil bajo la cubierta del general Salazar; y de orden Suprema prevengo a V.S.I. que, poniéndose de acuerdo con el Agente diplomático de este Gobierno, luego que entregue a ese las comunicaciones que se le dirijen, nivele su conducta por la declaración que expida a consecuencia de ellas, mandando retirar a todo trance la división del coronel Santa Cruz al punto que V.S.I. tenga por conveniente, para sostener con energía la independencia absoluta de Guayaquil, si su voluntad es conservarla; o bien para replegarse a los límites del Departamento de Trujillo si prefiriera ceder a las indicaciones del Libertador. S.E. el Supremo Delegado está dispuesto a hacer todos los sacrificios que sean necesarios, si Guayaquil quiere cumplir el juramento que hizo, y en tal caso V.S.I. prestará a ese Gobierno todo el apoyo que las circunstancias y su celo lo permitan. Más en el caso contrario vendrá a situarse con la división en Piura, dejando aquella provincia seguir libremente la marcha que adopte, para que el mundo vea que el Gobierno del Perú no tiene otro interés que el de ver cumplida en todas partes la voluntad general, y que este es el único ministerio de su política. Tengo el honor &.

BERNARDO MONTEAGUDO

Paz Soldán. Historia del Perú Independiente, Primer Período, II, 389.

---

*132.—De una copia).*

Lima, marzo 3 de 1822.

*Al Libertador de Colombia.*

Exmo. Señor:

Por las comunicaciones que en copia me ha dirigido el Gobierno de Guayaquil, tengo el sentimiento de ver la seria intimación que le ha hecho V.E. para que aquella provincia se agregue al territorio de Colombia. Siempre he creído que en tan delicado negocio el voto espontáneo de Guayaquil sería el principio que fijase la conducta de los Estados limítrofes, a ninguno de los cuales compete prevenir por la fuerza la deliberación de los pueblos. Tan sagrado ha sido para mi este deber, que desde la primera vez que mandé mis Diputados cerca de aquel Gobierno, me abstuve de influir en lo que no tenía una relación esencial con el objeto de la guerra del Continente. Si V.E. me permite hablarle en un lenguaje digno de la exaltación de su nombre, y análogo a mis sentimientos, osaré decirle que no es nuestro destino emplear la espada para otro fin, que no sea el de confirmar el derecho que hemos adquirido en los combates para ser aclamados por libertadores de nuestra patria. Dejemos que Guayaquil consulte su destino y medite sus intereses para agregarse libremente a la sección que le convenga, porque tampoco puede quedar aislado sin perjuicio de ambos. Yo no puedo ni quiero dejar de esperar que el día en que se realice nuestra entrevista el primer abrazo que nos demos, transigirá cuantas dificultades existan y será la garantía de la unión que ligue a ambos Estados, sin que haya obstáculo que no se remueva difinitivamente. Entre tanto, ruego a V.E. se persuada que la gloria de Colombia y la del Perú son un solo objeto para mí, y que apenas concluya la campaña, en que el enemigo va a hacer el último experimento, reuniendo todas sus fuerzas, volaré a encontrar a V.E. y a sellar nuestra gloria que en gran parte ya no depende sino de nosotros mismos.

Acepte V.E. los sentimientos de admiración y aprecio con que soy de V.E. su atento y obediente servidor.

JOSE DE SAN MARTIN

Recopilación de Documentos Oficiales de la Epoca Colonial, con un Apéndice Relativo a la Independencia de Guayaquil &. Guayaquil, Imprenta de la Nación, 1894, página 226.

---

133.—*De una copia*).

*Exma. Junta Gubernativa de la Provincia de Guayaquil.*

Exmo. Señor:

Las pruebas que este Gobierno ha recibido últimamente del

de Guayaquil, por la negociación que bajo sus auspicios se ha concluído con el Comandante de las fuerzas navales españolas, no dejan la menor duda de los sentimientos que lo animan. Puedo asegurar a V.E. que el Perú no olvidará jamás este servicio y que mirará como interés propio la Independencia, dignidad y prosperidad de Guayaquil.

Sírvase V.E. admitir el reconocimiento y gratitud de los pueblos que tengo el honor de mandar. Dios guarde a V.E. muchos años. Lima, marzo 14 de 1822.

JOSE DE SAN MARTIN

Copia tomada de El Patriota de Guayaquil y remitida por el Libertador al Secretario de Relaciones Exteriores de Colombia con su nota de 1º de junio de 1822, en el Trapiche.

Archivo Nacional de Colombia. Archivo de la República: Historia, tomo II, folio 248.

Publicada por el señor Alberto M. Candioti. Boletín de Historia y Antigüedades, números 315-316, pag. 109.

Véase el borrador de esta nota en la obra Documentos del Archivo de San Martín, Buenos Aires, 1910, VII, 435.

––––––

134.—De una copia).

Trapiche, 1º de junio de 1822.

*Al señor Secretario de Relaciones Exteriores.*

Por la marcha de mi Secretario el coronel Pérez en comisión, cerca del Gobierno de Quito, tengo yo mismo que dirigirme a V.S. para incluirle una correspondencia del Protector del Perú de bastante importancia por su contenido y otra nota del mismo señor Protector dirigida al Gobierno de Guayaquil y publicada en la Gaceta del Patriota de aquella ciudad.

Por estos documentos podrá observar V.S. que el Protector del Perú pretende: 1º Mezclarse en los negocios internos de Colombia, con respecto a las relaciones con sus Provincias. 2º Que el Protector afirma que Guayaquil no debe quedar independiente sino que debe decidirse por uno de los dos Estados. 3º Que el mismo Protector le ofrece a Guayaquil, que el Perú mirará como interés propio la independencia de Guayaquil.

El espíritu que reina en Guayaquil es bien conocido de V.S. y creo que es notorio a todos y las contradicciones que se observan en las comunicaciones del Protector son de naturaleza a hacer vacilar sobre su buena o mala fe. En consecuencia de todo esto y de mucho más que no digo porque no tengo tiempo para ello & &; he creído de mi deber consultar al Poder Ejecutivo, sobre la línea de conducta que yo debo seguir con respecto a Guayaquil y al Perú, en la cuestión presente sobre la segregación a Guayaquil y la intervención del Perú. Es mi opinión que el Poder Ejecutivo, consulte no solamente al consejo de Secretarios sino que también convoque si le es posible a todos los miembros del Senado que se encuentren en esa Capital y aun a la Alta Corte de Justicia si lo tuviere por conveniente. Esta indicación la hago con la sola idea de hacer que el acierto de la resolución sea consultado con el mayor número de personajes graves que añadan mayor peso por su consejo a la marcha política que yo deba seguir en un negocio tan delicado como el que se trata.

Yo estoy pronto a no seguir otro dictamen en esta materia sino el que se me comunique por el Poder Ejecutivo, que sin duda será el más sabio y el más justo; más debo hacer presente, que si en último resultado nos creemos autorizados para emplear la fuerza en contener al Perú en sus límites y en hacer volver a entrar a Guayaquil en los de Colombia, es también mi opinión que debemos emplear esta fuerza lo más prontamente posible, precediendo antes las negociaciones más indispensables y empleando siempre al mismo tiempo la política más delicada para atraernos a los del Partido del Perú y a los de la Independencia de Guayaquil y fomentando además el buen espíritu que reina entre los amigos de Colombia. Declaro también que esta no es más que una mera indicación y que de ningún modo pretendo que se haga otro uso de ella en la deliberación sino la de tenerla presente para su riguroso examen.

Yo espero con la mayor impaciencia la respuesta del Poder Ejecutivo para arreglar mi conducta a su dictamen definitivo; protestando que mientras no venga esta respuesta yo me conduciré del modo que las circunstancias me dicten pero sin emplear en nada la fuerza, porque entonces sería tomar la iniciativa en el manejo de un negocio que sin duda es de la mayor gravedad.

Dios guarde a V.S. muchos años

BOLIVAR

Archivo Nacional de Colombia. Archivo de la República: Historia, tomo II, folios 251 y vuelto y 252.

Publicado por el señor Alberto M. Candioti, Boletín de Historia y Antigüedades, Organo de la Academia Colombiana de Historia, Números 315 y 316. Enero-febrero de 1941, página 106.

---

*135.—De una copia).*

## REPUBLICA DE COLOMBIA

## SIMON BOLIVAR

Libertador Presidente de la República &., &.

Cuartel General en Quito, a 22 de junio de 1822.

*Exmo. Señor Protector del Perú, don José de San Martín.*

Exmo. Señor:

Tengo el honor de responder a la nota de V.E. que con fecha 3 de marzo del presente año se sirvió dirigirme desde Lima y que no ha podido venir a mis manos sino después de muchos retardos, a causa de las dificultades que presentaba para las comunicaciones el país de Pasto.

V.E. expresa el sentimiento que ha tenido al ver la intimación que hice a la Provincia de Guayaquil para que entrase en su deber. Yo no pienso como V.E. que el voto de una provincia debe ser consultado para constituir la Soberanía Nacional, porque no son las partes sino el todo del pueblo el que delibera en las asambleas generales reunidas libre y legalmente. La Constitución de Colombia da a la provincia de Guayaquil una representación la más perfecta, y todos los pueblos de Colombia, inclusive la cuna de la libertad, que es Caracas, se han creído suficientemente honrados con ejercer ampliamente el sagrado derecho de deliberación.

V.E. ha obrado de un modo digno de su nombre y de su gloria no mezclándose en Guayaquil, como me asegura, sino en los negocios relativos a la guerra del Continente. La conducta del Gobierno de Colombia ha seguido la misma marcha que V.E.; pero al fin no pudiendo ya tolerar el espíritu de facción, que ha retardado el éxito de la guerra y que amenaza innundar en desorden todo el sur de Colombia; ha tomado definitivamente su resolución de no permitir más tiempo la existencia anticonstitucional de una Junta que es el azote del pueblo de Guayaquil y no el órgano de su voluntad. Quizá V.E. no habrá tenido noticia bastante imparcial del estado de conflicto en que gime aquella provincia, porque una docena de ambiciosos pretenden mandarla. Diré a V.E. un solo rasgo de espantosa anarquía. No pudiendo lograr los facciosos la pluralidad en ciertas elecciones, mandaron poner en libertad el presidio de Guayaquil para que los nombres de estos delincuentes formaran la preponderancia a favor de su partido. Creo que la historia del bajo imperio no presenta un ejemplo más escandaloso.

Doy a V.E. las gracias por la franqueza con que me habla en la nota que contesto; sin duda la espada de los libertadores no debe emplearse sino en hacer resaltar los derechos del pueblo. Tengo la satisfacción Exmo. Protector, de poder asegurar que la mía no ha tenido jamás otro objeto que asegurar la integridad del territorio de Colombia, darle a su pueblo la más grande latitud de libertad y estirpar al mismo tiempo así la tiranía como la anarquía. Por tan santos fines, el ejército libertador ha combatido bajo mis órdenes y ha logrado libertar la patria de sus usurpadores, y también de los facciosos que han pretendido turbarla.

Es V.E. muy digno de la gratitud de Colombia al estampar V.E. su sentimiento de desaprobación por la independencia provincial de Guayaquil, que en política es un absurdo, y en guerra no es más que un reto entre Colombia y el Perú. Yo no creo que

Guayaquil tenga derecho a exigir de Colombia el permiso para expresar su voluntad, para incorporarse a la República; pero sí consultaré al pueblo de Guayaquil, porque este pueblo es digno de una ilimitada consideración de Colombia, y para que el mundo vea que no hay pueblo de Colombia que no quiera obedecer sus sabias leyes.

Mas dejando aparte toda discusión política, V.E. con el tono noble y generoso que corresponde al Jefe de un gran pueblo, me afirma que nuestro primer abrazo sellará la armonía y la unión de nuestros Estados, sin que haya obstáculo que no se remueva definitivamente. Esta conducta magnánima por parte del Protector del Perú fue siempre esperada por mí. No es el interés de una pequeña provincia lo que puede turbar la marcha majestuosa de América Meridional, que unida de corazón, de interés y de gloria, no fija sus ojos sobre las pequeñas manchas de la revolución, sino que eleva sus miras sobre los más remotos siglos y contempla con gozo generaciones de generaciones libres, dichosas y anegadas en todos los bienes que el cielo distribuye a la tierra, bendiciendo la mano de sus protectores y libertadores.

La entrevista que V.E. se ha servido ofrecerme, yo la deseo con mortal impaciencia, y la espero con tanta seguridad, como ofrecida por V.E.

Acepte V.E. los restimonios de la profunda consideración con que soy de V.E. su atento, obediente servidor

BOLIVAR

Recopilación de Documentos Oficiales de la Epoca Colonial, con un Apéndice Relativo a la Independencia de Guayaquil, &. Guayaquil. Imprenta de "La Nación", 1894, pág. 228.

*136.—De fotografía del original).*

## REPUBLICA DE COLOMBIA

Secretaría General.
Reservado.

Cuartel General en Guayaquil, 29 de julio de 1822.

*Al señor Secretario de Relaciones Exteriores.*

Señor Secretario:

Tengo el honor de participar a V.S. que el 26 del corriente entró en esta ciudad S.E. el Protector del Perú, y tengo el de trasmitir a V.S. las más importantes y notables materias que fueron el objeto de las sesiones entre S.E. el Libertador y el Protector del Perú, mientras estuvo aquí.

Desde que S.E. el Protector vió a bordo a S.E. el Libertador le manifestó los sentimientos que le animaban de conocer a S.E., abrazarle y protestarle una amistad la más íntima y constante. Seguidamente lo felicitó por su admirable constancia en las adversidades que había experimentado y por el más completo triunfo que había adquirido en la causa que defiende, colmándolo en fin de elogios y de exageraciones lisongeras. S.E. contestó del modo urbano y noble que en tales casos exige la justicia y la gratitud.

El Protector se abrió desde luego a las conferencias más francas y ofreció a S.E. que pocas horas en tierra sería suficientes para explicarse.

Poco después de llegado a su casa no habló de otra cosa el Protector sino de lo que ya había sido el objeto de su conversación, haciendo preguntas vagas e inconexas sobre las materias militares y políticas sin profundizar ninguna, pasando de una a otra y encadenando las especies más graves con las más triviales. Si el carácter del Protector no es de este género de frivolidad que aparece en su conversación, debe suponerse que lo hacía con algún estudio. S.E. no se inclina a creer que el espíritu del Protector sea de este carácter aunque tampoco le parece que estudiaba mucho sus discursos y modales.

Las especies más importantes que ocurrieron al Protector en las conferencias con S.E. durante su mansión en Guayaquil, son las siguientes:

Primera.—Al llegar a la casa preguntó el Protector a S.E. si estaba muy sofocado por los enredos de Guayaquil, sirviéndose de otra frase más común y grosera aún cual es pellejerías, que se supone ser el significado de enredos; pues el mismo vocablo fue repetido con referencia al tiempo que hacía que estábamos en revolución, en medio de los mayores embarazos.

Segunda.—El Protector dijo espontáneamente a S.E. y sin ser invitado a ello, que nada tenía que decirle sobre los negocios de Guayaquil, en los que no tenía que mezclarse; que la culpa era de los guayaquileños refiriéndose a los contrarios. S.E. le contestó que se habían llenado perfectamente sus deseos de consultar a este pueblo; que el 28 del presente se reunían los electores y que contaba con la voluntad del pueblo y con la pluralidad de los votos en la Asamblea. Con esto cambió de asunto y siguió tratando de negocios militares relativos a la expedición que va a partir.

Tercera.—El Protector se quejó altamente del mando y sobre todo se quejó de sus compañeros de armas que ultimamente lo habían abandonado en Lima. Aseguró que iba a retirarse a Mendoza; que había dejado un pliego cerrado para que lo presentasen al Congreso, renunciando el protectorado; que también renunciaría la reelección que contaba se haría en él: que luego que obtuviera el primer triunfo se retiraría del mando militar, sin esperar a ver el término de la guerra; pero añadió que antes de retirarse dejaría bien establecidas las bases del gobierno; que éste no debía ser democrático en el Perú porque no convenía, y ultimamente que debería venir de Europa un príncipe aislado y solo a mandar aquel estado. E.S. contestó que no convenía a la América ni tampoco a Colombia la introducción de un príncipe europeo porque eran partes heterogéneas a nuestra masa; que S.E. se opondría por su parte si pudiese; pero que no se opondrá a la forma de gobierno que quiera darse cada estado, añadiendo sobre este particular S.E. todo lo que piensa con respecto a la naturaleza de los gobiernos, refiriéndose en todo a su discurso al Congreso de Angostura. El Protector replicó que la venida del príncipe sería para después y S.E. repuso que nunca convenía que viniesen tales príncipes; que S.E. habría preferido invitar al general Iturbide a que se coronase con tal que no viniesen borbones, austriacos, ni otra dinastía europea. El Protector dijo que en el Perú había un gran partido de abogados que querían república, y se quejó amargamente del carácter de los letrados. Es de presumirse que el designio que se tiene es erigir ahora la monarquía sobre el principio de darle la corona a un príncipe europeo, con el fin, sin duda, de ocupar después el trono el que tenga más popularidad en el país, o más fuerzas de que disponer. Si los discursos del Protector son sinceros, ninguno está más lejos de ocupar tal trono. Parece muy convencido de los inconvenientes del mando.

Cuarta.—El Protector dijo a S.E. que Guayaquil le parecía conveniente para residencia de la federación, la cual ha aplaudido extraordinariamente como la base esencial de nuestra existencia. Cree que el gobierno de Chile no tendrá inconveniente en entrar en ella; pero sí Buenos Aires, por falta de unión en él; pero que de todos modos nada desea tanto el Protector como el que subsista la federación del Perú y Colombia aunque no entre ningún otro estado más (en) ella, porque juzga que las tropas de un estado al servicio del otro deben aumentar mucho la autoridad de ambos gobiernos con respecto a sus enemigos internos, los ambiciosos y revoltosos. Esta parte de la federación es la que más interesa al Protector y cuyo cumplimiento desea con más vehemencia. El Protector quiere que los reclutas de ambos estados se remitan recíprocamente a llenar las bajas de los cuerpos, aun cuando sea necesario reformar el total de ellos por licencias, promociones u otros accidentes. Mucho encareció el Protector la necesidad de esta medida, o quizás fue la que más apoyó en el curso de sus conversaciones.

Quinta.—Desde la primera conversación dijo espontáneamente el Protector a S.E. que en la materia de límites no habría dificultad alguna; que él se encargaba de promoverlo en el Congreso donde no le faltarían amigos. S.E. contestó que así debía ser principalmente cuando el tratado lo ofrecía del mismo modo, y cuando el Protector manifestaba tan buenos deseos por aquel arreglo tan importante. S.E. creyó que no debía insistir por el momento sobre una protección que ya se ha hecho de un modo enérgico y a la cual se ha denegado el gobierno del Perú bajo el pretexto de reservar esta materia legislativa al Congreso; por otra parte, no estando encargado el Protector del Poder Ejecutivo, no parecía autorizado para mezclarse en este negocio. Además, habiendo venido el Protector como simple visita sin ningún empeño político ni militar, pues ni siquiera habló formalmente de los auxilios que había ofrecido Colombia y que sabía se aprestaban para partir, no era delicado prevalerse de aquel momento para mostrar un interés que habría desagradado sin ventaja alguna, no pudiendo el Protector comprometerse a nada oficialmente. S.E. ha pensado que la materia de límites debe tratarse formalmente por una negociación especial en que entren compensaciones recíprocas para rectificar los límites.

Sexta.—S.E. el Libertador habló al Protector de su última comunicación en que le proponía que adunados los diputados de Colombia, el Perú y Chile en un punto dado, tratasen con los comisarios españoles destinados a Colombia con este objeto. El Protector aprobó altamente la proposición de S.E. y ofreció enviar, tan pronto como fuera posible, al señor Rivadeneira, que se dice amigo de S.E. el Libertador, por parte del Perú con las instrucciones y poderes suficientes, y aun ofreció a S.E. interponer sus buenos oficios y todo su influjo para con el Gobierno de Chile a fin de que hiciese otro tanto por su parte; ofreciendo también hacerlo todo con la mayor brevedad a fin de que se reunan oportunamente estos diputados en Bogotá con los nuestros.

S.E. habló al Protector sobre las cosas de México, de que no pareció muy bien instruído y el Protector no fijó juicio alguno sobre los negocios de aquel Estado. Parece que no ve a México con una grande consideración o interés.

Manifiesta tener una gran confianza en el Director Supremo de Chile, general O'Higgins, por su grande tenacidad en sus designios y por la afinidad de principios. Dice que el Gobierno de la provincia de Buenos Aires va cimentándose con orden y fuerza sin mostrar grande aversión a los disidentes de aquellos partidos: que aquel país es inconquistable; que sus habitantes son republicanos y decididos; que es muy difícil que una fuerza extraña los haga entrar por camino, y que de ellos mismos debe esperarse el orden.

EL PASO DE LOS ANDES, 1819.
Por Tito Salas

El Protector piensa que el enemigo es menos fuerte que él, y que sus jefes aunque audaces y emprendedores no son muy temibles. Inmediatamente va a emprender su campaña por Intermedios en una expedición marítima y también por Lima cubriendo la capital por su marcha de frente.

El Protector ha dicho a S.E. que pida al Perú todo lo que guste, que él no hará más que decir sí, sí, sí a todo, y que espera que en Colombia se haga otro tanto. La oferta de sus servicios y amistad es ilimitada, manifestando una satisfacción y una franqueza que parecen sinceras.

Estas son, señor Secretario, las especies más importantes que han tenido lugar en la entrevista del Protector con S.E. Yo las trasmito a V.S. para inteligencia del gobierno y he procurado valerme casi de las mismas expresiones de que han usado SS.EE.

Dios guarde a V.S.

J. G. Perez

El original se conserva en el Ministerio de Relaciones Exteriores de Bogotá.

Tal es la relación de la Conferencia de Guayaquil, dictada por Bolívar para el Gobierno de Colombia. No es exacto se celebrara con asistencia de secretarios: habría sido incómodo para ambos expresarse delante de terceros. Esta relación, la dirigida a Sucre y la carta para Santander, todas de la misma fecha, y reproducidas a continuación, prueban que es apócrifa la carta de 29 de agosto de 1822, atribuida por el francés Lafond de Lurcy al general San Martín y publicada por primera vez en 1844 en una obra de viajes, según la cual Bolívar le negó a San Martín su concurso para libertar al Perú. Fraguada veinte y un años después de los sucesos, no ha existido original, ni fue recibida por Bolívar, ni se conserva en ninguna parte, mientras las tres piezas que la desmienten rotundamente, al constar en ellas que San Martín no pidió tropas a Bolívar en la Conferencia, existen originales en la Cancillería de Bogotá, en el Museo y Archivo Nacional de Quito, y en la Casa Natal de Bolívar en Caracas. Adelante reproducimos la nota de Bolívar del 9 de setiembre a los gobiernos del Perú y Chile con la misma afirmación de no haberle hecho exigencia alguna el Protector.

*137.—De fotografía del original).*

### REPUBLICA DE COLOMBIA

Cuartel General en Guayaquil,
a 29 de julio de 1822-12.

Secretaría General.

*Al señor Intendente del Departamento de Quito.*
        *(General A. J. de Sucre).*

Señor General:

Tengo el honor de participar a V.S. que el 26 a las nueve de la mañana entró en esta ciudad S.E. el Protector del Perú.

El Protector luego que vió a S.E. el Libertador a bordo del buque que lo conducía le manifestó del modo más cordial los sentimientos que le animaban de conocer al Libertador, abrazarle y protestarle una amistad íntima, sincera y constante. Felicitó a S.E. el Libertador por la constancia admirable en la causa que defiende en medio de las adversidades que ha experimentado y por el triunfo que ha coronado su heroica empresa: en fin el Protector manifestó a S.E. de todos modos su amistad colmándolo de elogios y de exageraciones lisonjeras.

S.E. el Libertador contestó del modo urbano y noble que exigen en tales casos la justicia y la gratitud.

El Protector se abrió a las conferencias más francas que se redujeron principalmente a las siguientes:

A las circunstancias en que se ha encontrado últimamente esta provincia en razón de las opiniones políticas que la han agitado. Espontáneamente, dijo el Protector a S.E., que no se había mezclado en los enredos de Guayaquil en los que no tenía la menor parte y que la culpa era de ellos, refiriéndose a los contrarios. S.E. le repuso que se habían llenado sus deseos de consultar este pueblo; que el 28 se reunían los electores que contaba con la voluntad del pueblo y la pluralidad de los votos en la Asamblea. Con esto varió de asunto el Protector y siguió tratando de negocios militares y de la expedición que va a marchar.

El Protector se quejó mucho del mando y sobre todo de sus compañeros de armas que últimamente lo habían abandonado en Lima. Aseguró que iba a retirarse a Mendoza: que había dejado un pliego cerrado para que lo presentasen al Congreso renunciando el Protectorado y que también renunciaría la elección que contaba se haría en él, y que luego que ganara la primer victoria se retiraría del mando militar sin esperar a ver el término de la guerra; pero añadió que antes de retirarse pensaba dejar bien puestas las bases del gobierno. Que este no debía ser democrático porque en el Perú no conviene, y últimamente dijo que debería venir de Europa un príncipe solo y aislado a mandar al Perú. S.E. contestó que en América no convenía ni a Colombia tampoco la introducción de príncipes europeos porque eran partes heterogéneas a nuestra masa, y que por su parte S.E. se opondría a ello si pudiese, más sin oponerse a la forma de gobierno que cada uno quiera darse. S.E. repuso todo lo que él piensa sobre la naturaleza de los gobiernos, refiriéndose en todo a su discurso al Congreso de Angostura. El Protector replicó que la venida del príncipe sería para después.

Es de presumirse que el designio que se tiene en el Perú es el de erigir una monarquía sobre el principio de darle la corona a un príncipe europeo con el fin, sin duda, de ocupar después el trono el que tenga más popularidad en el país, o más fuerza de que disponer. Si los discursos del Protector son sinceros ninguno está más lejos de ocupar tal trono. Parece muy convencido de los inconvenientes del mando.

El Protector aplaudió altamente la federación de los estados americanos como la base esencial de nuestra existencia política. Le parece que Guayaquil es muy conveniente para residencia de la Federación. Cree que Chile no tendrá inconveniente en entrar en ella; pero sí Buenos Aires por falta de unión y de sistema. Ha manifestado que nada desea tanto como el que la federación de Colombia y el Perú subsista aunque no entren otros estados.

El Protector piensa que el enemigo es menos fuerte que él y que aunque sus jefes son audaces y emprendedores no son muy temibles. Inmediatamente va a abrir la campaña por Intermedios en una expedición marítima y por Lima cubriendo la capital con su marcha de frente.

El Protector desde las primeras conversaciones dijo espontáneamente a S.E. que la materia de límites entre Colombia y el Perú se arreglaría satisfactoriamente y no habría dificultad alguna. Que él se encargaba de promover en el Congreso, donde no le faltarían amigos, este negocio.

El Protector ha manifestado a S.E. que pida todo lo que guste al Perú, que él no hará más que decir sí, sí, sí a todo y que él espera otro tanto de Colombia. La oferta de sus servicios y de su amistad es ilimitada, manifestando una satisfacción y una franqueza que parecen sinceras. La venida del Protector a Colombia no ha tenido un carácter oficial, es puramente una visita la que ha hecho a S.E. el Libertador, pues no ha tenido ningún objeto ni político ni militar, no habiendo hablado siquiera de los auxilios que ahora van de Colombia al Perú.

Ayer al amanecer marchó el Protector manifestándose a los últimos momentos tan cordial, sincero y afectuoso por S.E. como desde el momento en que lo vió.

El batallón Vencedor en Boyacá y el batallón Pichincha se han embarcado ayer para seguir al Perú. Antes se había embarcado Yaguachi para el mismo destino. Estos tres cuerpos ascenderán a 1.800 hombres, que con cerca de 800 que tiene la antigua Numancia, llamado hoy Voltíjeros de La Guardia, formarán la división de Colombia auxiliar del Perú.

S.E. ha dispuesto que el regimiento de Dragones del Sur del mando del coronel Cestari venga a esta ciudad cuya orden se le ha comunicado ya.

Dios guarde a V.S. muchos años.

J. G. Perez

Adición: Mañana se reune la Junta Electoral de esta provincia para decidir formal y popularmente su incorporación a Colombia. Probablemente no habrá un voto en contra y aquí los negocios tomarán el curso regular en que deben quedar para siempre bajo nuestro sistema constitucional. Vale. Perez.

El original se conserva en el Archivo y Museo Central de Quito.

*138.—De fotografía del original).*

## REPUBLICA DE COLOMBIA

Secretaría General

Cuartel General en Guayaquil,
a 30 de julio de 1822,12.

*Al señor Intendente del Departamento de Quito.*
*(General A. J. de Sucre).*

Señor General:

Ayer participé a V.S. la llegada a esta ciudad del Protector del Perú, y dí a V.S. una relación suscinta de las principales cuestiones que se ofrecieron entre S.E. el Libertador y el Protector. Como algunas de estas especies son de una alta gravedad y consecuencia, no sé si el oficial encargado de escribir la comunicación le puso la palabra *Reservada.* Si así fuese digo a V.S. de orden de S.E. que mi comunicación de ayer relativa a las sesiones entre SS.EE. el Libertador y el Protector son de esta naturaleza, y que V.S. les debe dar toda la mayor reserva de modo que no sea conocida de otro que de V.S.

Dios guarde a V.S.

J. G. Perez

El original se conserva en el Archivo y Museo Central de Quito.

---

*139.—Del original).*

Guayaquil, 29 de julio de 1822.

*A S.E. el general F. de P. Santander.*

Mi querido general:

Antes de ayer por la noche partió de aquí el general San Martín, después de una visita de treinta y seis o cuarenta horas:

se puede llamar visita propiamente, porque no hemos hecho más que abrazarnos, conversar y despedirnos. Yo creo que él ha venido por asegurarse de nuestra amistad, para apoyarse con ella con respecto a sus enemigos internos y externos. Lleva 1.800 colombianos en su auxilio, fuera de haber recibido la baja de sus cuerpos por segunda vez, lo que nos ha costado más de 600 hombres: así recibirá el Perú 3.000 hombres de refuerzo, por lo menos.

El Protector me ha ofrecido su eterna amistad hacia Colombia; intervenir en favor del arreglo de límites; no mezclarse en los negocios de Guayaquil; una federación completa y absoluta aunque no sea más que con Colombia, debiendo ser la residencia del congreso Guayaquil; ha convenido en mandar un diputado por el Perú a tratar, de mancomún con nosotros, los negocios de España con sus enviados; también ha recomendado a Mosquera a Chile y Buenos Aires, para que admitan la federación; desea que tengamos guarniciones cambiadas en uno y otro estado. En fin, él desea que todo marche bajo el aspecto de la unión, porque conoce que no puede haber paz y tranquilidad sin ella. Dice que no quiere ser rey, pero que tampoco quiere la democracia y sí el que venga un príncipe de Europa a reinar en el Perú. Esto último yo creo que es pro-forma. Dice que se retirará a Mendoza, porque está cansado del mando y de sufrir a sus enemigos.

No me ha dicho que trajese proyecto alguno, ni ha exigido nada de Colombia, pues las tropas que lleva estaban preparadas para el caso. Sólo me ha empeñado mucho en el negocio de canje de guarniciones; y, por su parte, no hay género de amistad ni de oferta que no me haya hecho.

Su carácter me ha parecido muy militar y parece activo, pronto y no lerdo. Tiene ideas correctas de las que a Vd. le gustan, pero no me parece bastante delicado en los géneros de sublime que hay en las ideas y en las empresas. Ultimamente, Vd. conocerá su carácter por la memoria que mando con el capitán Gómez, de nuestras conversaciones, aunque le falta la sal de la crítica que yo debería poner a cada una de sus frases.

Hoy están tratando los de la junta electoral de esta provincia sobre su agregación a Colombia: creo que se hará, pero pretendiendo muchas gracias y privilegios. Yo, encargado del poder ejecutivo en esta parte, me encargaré de la provincia, dejando al soberano congreso, libre su soberana voluntad, para que salga del paso con su soberano poder. Aquí me servirá de algo la división de los poderes y las distinciones escolásticas concediendo la mayor y negando la menor. Hemos logrado en estos días uniformar la opinión, a lo que no ha dejado de contribuir también la venida de San Martín, que ha tratado a los independientes con el mayor desdén. Esto es lo que se llama saber sacar partido de todo. No es para mí este elogio, sino para el que sabe lisonjear a tiempo, aunque sea al cuerdo. La "Prueba" y la "Venganza" no estarían hoy en el Perú, sin la política de San Martín: pero ya no hay más que esperar de estos bobos y ahora le echa la culpa a ellos.

Gracias a Dios, mi querido general, que he logrado con mucha fortuna y gloria cosas bien importantes: primera la libertad del Sur; segunda, la incorporación a Colombia de Guayaquil, Quito y las otras provincias; tercera la amistad de San Martín y del Perú para Colombia; y cuarta, salir del ejército aliado, que va a darnos en el Perú gloria y gratitud, por aquella parte. Todos quedan agradecidos, porque a todos he servido, y todos nos respetan, porque a nadie he cedido. Los españoles mismos van llenos de respeto y de reconocimiento al gobierno de Colombia. Ya no me falta más, mi querido amigo, si no es poner a salvo el tesoro de mi prosperidad, escondiéndolo en un retiro profundo, para que nadie me lo pueda robar: quiero decir que ya no me falta más que retirarme y morir. Por Dios, que no quiero más: es por la primera vez que no tengo nada que desear y que estoy contento con la fortuna.

El coronel Lara va mandando estos cuerpos y después seguirá el general Valdés, es cuanto en esta ocasión tengo que participar a Vd. y quedo siempre de Vd. de corazón.

BOLÍVAR

El original existe en la casa natal de Bolívar en Caracas.

*140.—O'Leary XIX, 370).*

Cuartel General en Cuenca,
a 9 de setiembre de 1822.

*A los señores Ministros de Estado y Relaciones Exteriores del Perú y Chile.*

S.E. el Libertador me manda dirigir a V.S. la presente comunicación que por su importancia es remitida por un extraordinario a fin de alcanzar si es posible las ventajas que S.E. se propone. Aunque S.E. el Protector del Perú en su entrevista en Guayaquil con el Libertador no hubiese manifestado temor de peligro por la suerte del Perú, el Libertador no obstante se ha entregado desde entonces a la más detenida y constante meditación aventurando muchas conjeturas que quizá no son enteramente fundadas, pero que mantienen en la mayor inquietud el ánimo de S.E. El Libertador ha pensado que es de su deber comunicar esta inquietud a los gobiernos del Perú y de Chile y aun al del Río de la Plata y ofrecer desde luego todos los servicios de Colombia en favor del Perú. S.E. se propone en primer lugar mandar al Perú cuatro mil hombres más de los que se han remitido ya, luego que reciba la contestación de esta nota, siempre que el Gobierno del Perú tenga a bien aceptar la oferta de este nuevo refuerzo, el que no marcha inmediatamente porque no estaba preparado y porque tampoco se ha pedido por parte de S.E. el Protector. Si el gobierno del Perú determina recibir los cuatro mil hombres de Colombia espera el Libertador que vengan transportes y víveres para llevarlos, anticipando el aviso para que todos los cuerpos se encuentren en Guayaquil oportunamente. En el caso de remitirse al Perú esta fuerza el Libertador desearía que la campaña del Perú se dirigiese de un modo que no fuese decisiva y se esperase la llegada de los nuevos cuerpos de Colombia para obrar inmediatamente, y con la actividad más completa, luego que estuviesen incorporados al ejército aliado. S.E. no se atreve a insistir mucho sobre esta medida porque no conoce la situación del momento; pero desea ardientemente que la vida política del Perú no sea comprometida, sino con una plena y absoluta confianza en el suceso. El amor a la causa de América le ha dictado estos sentimientos que no ha podido reprimir y que se ha creído obligado a comunicar a ese gobierno. Además me manda S.E. el Liberta-

dor decir a V.S. cuales son sus designios ulteriores en el caso de
que el ejército aliado no venga a ser vencedor en la nueva campaña del Perú. Desearía S.E. que los restos del ejército aliado,
siempre que este tenga algún infortunio, se retire hacia el norte
de modo que pueda inmediatamente recibir seis u ocho mil hombres de refuerzo que irían inmediatamente a Trujillo o más allá.
Si los restos del ejército aliado llegasen a replegar por algún accidente hacia el sur, S.E. desearía que el gobierno de Chile le pres-
tase un refuerzo igual para que obrando por aquella parte se pudiese dividir la atención de los enemigos mientras que el ejército
de Colombia por el norte obraba sobre Lima, en unión de los
cuerpos que levantasen en Piura y Trujillo. De todos modos es el
ánimo del Libertador hacer los mayores esfuerzos por rescatar al
Perú del imperio español, y se atreve a pedir con el mayor ardor
al gobierno de Chile que siga su ejemplo en esta parte, y que
haciendo un esfuerzo igual mande sin detención seis u ocho mil
hombres por la parte del sur del Perú a obrar con la misma actividad, o más si es posible que la que S.E. piensa desplegar en tales
circunstancias. Insta mucho el Libertador a ese gobierno para que
tome el mayor empeño con las autoridades del Río de la Plata a
fin de que se destine un ejército de cuatro mil hombres por lo
menos hacia el Cuzco en el caso que sufra el ejército aliado un
revez. Pero aunque este paso es remoto no debemos verlo como
tal, sino que considerándolo ya como presente, las medidas más
eficaces sean empleadas, para arrancarle al enemigo de entre las
manos su flamante victoria, y no le demos tiempo para gozarse de
ella y de arruinar los intereses de la América Meridional. Estas
son las ideas que más ocupan al Libertador en este momento y
me manda encarecerle a V.S. la importancia que en su concepto
merecen. Tengo &. *J. G. Pérez.* Es copia. *Pérez.*

Este documento prueba por sí solo la falsedad de la carta de 29 de
agosto de 1822 atribuida al general San Martín y fraguada por el francés
Lafond de Lurcy en 1844 para dar fuerza a la leyenda calumniosa de que
Bolívar negara a San Martín en la Conferencia de Guayaquil su concurso a
la independencia del Perú. Enviado este documento a los gobiernos del Perú
y Chile cuando el general San Martín estaba todavía en Lima, fue propiamente destinado a él, aunque el gobierno lo ejerciera en su nombre el
Delegado Torre Tagle. Bolívar creía que el Protector no se retiraría del
Perú sino después de obtener el primer triunfo, como le había expresado el
mismo Protector en la Conferencia. Por esto le escribía a Santander el 13 de
setiembre: "Ojalá que San Martín no aventure nada hasta que no haya reci-

bido los 4.000 hombres que le he ofrecido. Entonces habría más probabilidad del suceso". Cartas del Libertador, III, 84.

Trasmitido este admirable oficio al gobierno del Río de la Plata, fue publicado en el Argos de Buenos Aires, número 44 del 31 de mayo de 1823, con un comentario favorable al general Bolívar; en esa fecha el general San Martín hallábase retirado de los negocios en la ciudad de Mendoza, seguramente leyó el oficio y no lo desmintió.

El gobierno del Perú, presidido por La Mar, contestó a Bolívar el 25 de octubre de 1822, rechazando las tropas ofrecidas. No las creían necesarias y el Protector así lo expresó en su despedida al Congreso. El había dejado 11.000 veteranos incluyendo la división colombiana, enviada de Quito, y los españoles sólo tenían en el Bajo Perú unos 9.000 soldados.

---

*141.—Del original).*

Cuenca, 13 de setiembre de 1822.

*A S.E. el general F. de P. Santander.*

Mi querido general:

Anoche he recibido noticias de Guayaquil por las cuales sabemos que el 21 de julio fue coronado el emperador de Méjico, Agustín I. Se dice que ha sido obra de la fuerza: que Negrete intimó al congreso con la muerte, si no elevaba a Iturbide al trono. Parece que el clero está disgustado con Iturbide porque le ha pedido tres millones de pesos. Se ha aumentado considerablemente la grandeza. Los gastos se han aumentado considerablemente hasta cuarenta y seis millones, con sólo 10.000 hombres de fuerza. También se dice que el gobernador de Veracruz iba a evacuar la plaza, la cual sería ocupada por los españoles.

Todo esto lo refiere la fragata americana "Ida" que salió de San Blas y llegó a Guayaquil con treinta y dos días de navegación. Sin duda creo que la relación es cierta, y también creo que Iturbide con su coronación ha decidido el negocio de la independencia absoluta de Méjico; pero a costa de la tranquilidad y aun dicha del país. Es muy probable que el clero esté muy descontento, porque le piden dinero, y más descontento aun el pueblo con el nuevo emperador, que más pensará en sostenerse contra los patriotas que en destruir a los realistas. En Méjico se va a repetir la conducta de Lima, donde más se ha pensado en poner las tablas del trono, que libertar los campos de la monarquía. A este propósito diré a Vd. que después de mi llegada a esta ciudad se han multiplicado mis cuidados con respecto al Perú, por los informes que me ha dado el coronel Heres de la incapacidad de los jefes del Perú y de la mucha capacidad de sus contrarios. Me asegura Heres, a quien creo, que los realistas del Perú saben maniobrar perfectamente y que triunfarán si se baten en campo raso con los independientes. Asegura que la actividad de los godos es infinita, y la corrupción de los nuestros también infinita; que la indisciplina, la falta de entusiasmo, falta de sistema y, en una palabra, falta de cabeza de los independientes, contrasta con las cualidades que tienen los realistas. En fin, amigo, este hombre, que no es tonto, me ha llenado la cabeza de inquietudes y el corazón de amargura. Bien puede ser que exagere algo, mas yo me inclino a creer que tiene demasiada razón para juzgar como juzga y yo para temer como temo. Así es que ya me tiene Vd. lleno de ansiedades, cavilando noche y día sobre los medios que debo emplear para adelantar un grande ejército, y realizar una grande expedición en medio de la miseria más grande por parte del departamento de Quito, y entorpecido en Guayaquil por el espíritu mercantil más mezquino, después de sacrificios anteriores, y después de haber concebido las esperanzas más lisonjeras de alivio en la paz.

No tenemos en el Sur más que 2.000 hombres veteranos, o por mejor decir, de línea, porque muchos son reclutas. En Quito no se pagan estas tropas ni tampoco a nadie, porque no hay con qué. Por esta causa, y otras que yo no sé, nuestras tropas de caballería están cometiendo infinitos desórdenes. Con este motivo he mandado que Guayaquil mande dieciseis mil pesos mensuales al general Sucre, y con esto se acabó la esperanza de pagar a nadie. También he mandado que se castigue con la pena capital el desorden de aquellas tropas; pero esto no es más que el principio de los alivios, sin entrar todavía en el principio de los sacrificios: los que tendrán lugar luego que sepamos la primer desgracia del Perú. Yo estoy resuelto a tomar entonces las medidas más terribles a fin de levantar 8 o 10.000 hombres, mantenerlos, vestirlos, equiparlos y embarcarlos, si los godos no vinieren a buscarnos. Tenga Vd. entendido que después de todos estos sacrificios, que serán inmensos y crueles, no habremos hecho más que empezar una débil defensa; pues seremos siempre inferiores a los enemigos en número y calidad y, por consiguiente, quedamos expuestos a los reveses más dolorosos. Por estas consideraciones, yo creo que el poder ejecutivo debe hacer cuanto esté a su alcance para no exponer por esta parte la suerte de la república. Yo creo que todo nos queda por hacer si San Martín no triunfa en el Perú.

Mi querido general, persuádase Vd. que mucho tenemos que hacer el mismo día que se sepa la destrucción de nuestras tropas en el Perú; y que aunque hagamos infinito no podremos hacer lo bastante para ponernos al nivel de aquellos enemigos, después que sean dueños de todo el Perú y dueños de nuestros prisioneros. Yo hablo a Vd. con toda franqueza para que no omita diligencia alguna que pueda ponernos en estado de contrarrestar a los enemigos del Sur. Ojalá que San Martín no aventure nada hasta que no haya recibido los 4.000 hombres que le he ofrecido. Entonces habría más probabilidad del suceso.

Hace pocos días que llegué aquí, habiendo sido bien recibido, y magníficamente obsequiado. La gente parece buena, aunque todos no dicen lo mismo; el país parece miserable, porque carece de todo, menos de granos que los hay en mucha abundancia, pero sin medios de trasportarlos. Aquí el clero es todo, y los indios nada, porque son pobres y pocos, de suerte que se asegura que no hay donde hacer más recluta, después que dió la provincia los que pudo a nuestro ejército. De Loja se dice que es un corral de vacas, despoblada y pobre, Jaén está en poder del Perú aun. Quito no puede mantener 1.000 hombres de guarnición. Guayaquil dará seiscientos mil pesos de renta al año, pero creo que gastará poco menos, por lo que he visto ultimamente. Por la adjunta memoria verá Vd. lo que fue el reino de Quito antes de los sacrificios y de las desolaciones de esta campaña. Para que Venezuela se arruinara se han necesitado doce años, y Quito se ha arruinado en cuatro días; a lo menos así dicen los amos del país que lloran tanto como en Venezuela, y si digo más, no miento, porque, a lo menos, es con menos razón.

No puedo ser más alegre en esta carta, porque no tengo motivos para alegrías, y espero que cuando nos dén una victoria en el Perú habré cambiado de lenguaje y también de humor.

La carta de Vd. que he recibido hoy, nada me dice, así nada respondo, y con esto adiós de corazón su afmo.

Bolívar

---

*142.—De una copia).*

*Señor Secretario General de S.E. el Libertador.*

La Suprema Junta gubernativa del Perú, en virtud de resolución del Soberano Congreso, me manda conteste a V.S. con respecto a su nota de 9 de setiembre anterior sobre planes de guerra, manifestándole el reconocimiento del Perú a las generosas ofertas de S.E. el Libertador de Colombia, de que se hará uso oportunamente, y que entretanto podría S.E. auxiliar este Estado con el mayor número posible de fusiles, cuyo artículo hace notable falta; en inteligencia que su valor será satisfecho religiosamente, tan pronto como se desahogue algún tanto el Erario.

Tengo la honra de ofrecer a V.S. los sentimientos de mi consideración y aprecio.

Francisco Valdivieso

Lima, octubre 25 de 1822.

O'Leary, XIX, 389.

La Junta de Gobierno del Perú, por esta nota evasiva, contestó el ofrecimiento de Bolívar, en su oficio de 9 de setiembre, de enviar 4.000 colombianos de refuerzo y si fueren necesarios 6.000 u 8.000 más para asegurar la independencia del Perú.

# 1823

143.—*Archivo Santander, X, 172*).

Guayaquil, 30 de mayo de 1823.

*Al señor general F. de P. Santander.*

Mi querido general:

He recibido el correo y carta de Vd. del 21 de abril. He celebrado mucho la instalación del Congreso por los grandes bienes que de él resultan a Colombia, si adopta providencias de mejoras administrativas. La hacienda necesita de reforma y la exige con urgencia.

Parece bien extraño que se diga en el Congreso que es una amenaza mi felicitación; me parece que yo no quise más que protestar mi adhesión a la Constitución y mi firme resolución de mantener la Ley que me han hecho jurar contra toda mi conciencia, que me dice que no es bastante fuerte aun para mantener un pueblo de esclavos en sumisión a leyes liberales. También creo que es un rasgo de moderación no poco notable, que yo atribuya a la ley fundamental la vida de Colombia, y que reitere de nuevo mi oferta de Cúcuta de que tanto se ha hablado aun entre los más famosos republicanos. Si esos caballeros me injurian porque yo no soy un testigo falso, que ando jurando todos los días y perjurando el otro día para volver a jurar obediencia a los caprichos de cada cual que va al Congreso, aseguro a Vd. que no se entonces que es lealtad, virtud, patriotismo, puesto que llaman amenaza las protestas más generosas de sacrificar uno su sangre por cumplir lo que esos mismos señores han mandado en el otro Congreso. Dígale Vd. al padre Briceño, a Baralt, Hurtado y Osío, que si no fuera por mí estarían ahorcados los patriotas de entre ellos, y los godos también de entre ellos estarían aun esclavos. Dígales Vd. que yo no necesito de amenazas, que yo tengo poder para hacer lo que mejor me parezca en el momento que turben el orden público, y entablen las reformas, porque entonces el ejército y el pueblo me pedirán que los salve de la cruel imbecilidad de sus reformadores. Dígales Vd. que yo no quiero más que la libertad de Colombia y que por eso he ofrecido de nuevo mi sumisión a las leyes; que Constant dice que sólo un malvado pretende reformas en una constitución nueva que aun no se ha experimentado su efecto. La cita no sé si es exacta, pero sé que hay algo más que esto en lo que dijo en nuestro curso de política.

Celebro mucho la retirada de Morales de la Goajira.

Dígale Vd. al padre Azuero que estoy muy agradecido por la generosidad con que me ha defendido, cuando él es el único hombre que tiene justos motivos de queja contra mí por la crueldad con que lo traté en su curato por mi exaltación natural.

Los nuevos impresos que Vd. me ha mandado están muy buenos. "El Paisano" me parece muy bien escrito y lo mismo los otros. La Gaceta de Bogotá tiene infinito mérito y me ha hecho reir mucho un artículo sobre San Miguel y Herrera con el cuento de la amarradura de los diputados. "El Aficionado" ha sacado mucho partido de la virtud del padre Padilla.

En cuanto al "Patriota", diré a Vd. francamente que ya es tiempo de que cese, porque ya se conoce el anónimo y no le conviene de ningún modo a dicho anónimo ponerse a conversar en esas plazas y calles de Dios con todo el mundo, y tener que recibir las pachotadas de sus conlocutores. La respuesta de Sardá y las más que vayan dando me ha inspirado esta idea, y me ha parecido de mi deber comunicársela a Vd. En cuanto a las *corridas de toros* digo otro tanto. Nariño me escribe que se quiere ir de Colombia o venirse donde yo estoy, pero que no lo hace porque está enfermo en una cama: voy a contestarle que tendré mucho gusto en verlo y de proporcionarle la oportunidad de sacarlo del laberinto en que se halla en esa capital, pero con *modo,* para que no publique mi carta.

Siento mucho los males de Briceño pero no puedo convenir en que Soublette salga de Venezuela porque allí me dice Peñalver que hace mucha falta. Un paisano puede desempeñar la Secretaría de Guerra como lo hemos visto algunas veces en España. Los militares instruídos y buenos son muy pocos y muy preciosos.

Doy la enhorabuena a los nuevos generales.

Dígale Vd. a Azuero y Torres que estoy encantado con lo que redactan. Sobre el Perú dirijo a Vd. muchos papeles que le informarán del estado de aquellas cosas. No he marchado porque no me ha venido el permiso del Congreso; en cuanto venga me iré. Es inútil decir a Vd. lo que Sucre me escribe, porque Vd. verá en sustancia lo que él dice, por mi respuesta. El Perú me quita más tiempo, y me da más tormentos de cabeza que Colombia, porque yo sé que Colombia no tiene más que es un mal que yo no puedo remediar y el que tiene el Perú si lo puedo.

Extraño mucho que estos comisionados españoles no adelanten nada. La guerra con Francia hará que la negociación marche al galope.

El negocio de Zea es el segundo mal de Colombia, después del primero que he citado. Recibió dos millones y doscientos mil pesos, y dió el valor de diez millones. Yo no sé como pagar las atrocidades de Zea.

A pesar de que Sucre y Salom son los dos mejores hombres del mundo no dejan de tener enemigos en Quito, porque estos indios son más malos que todos los demás y los blancos peores que los caraqueños, lo que no es poco decir.

He contestado a Vd. su carta por partes, añadiré algo de mi peculio.

Mosquera viene sin haber hecho nada en Buenos Aires, porque allí no hay gobierno sino anarquía y no hay razón sino orgullo. Dicen que el gobierno de Chile tiene las mejores disposiciones hacia Colombia, y que ofrece todo para el servicio del Perú, con tal que yo sea el jefe que mande en aquella parte.

En el Perú hasta el Congreso que era enemigo mío, se ha hecho mi mayor amigo, todos me llaman y yo no espero más que el permiso del cuerpo soberano para irme a emprender una obra tan grande como la de Colombia, con más dificultades físicas, aunque con más medios militares.

Por acá estamos esperando de un día a otro, la noticia de la caída de Iturbide para completar la obra de la opinión y de los absurdos: mis colegas han sido muy chiquitos y han emprendido obras muy grandes. Yo por lo mismo, cada día temo más haberme elevado demasiado; eso mismo me debilita el deseo de ir al Perú, no sea que vaya a sufrir una caída como la de mis compañeros los jefes americanos. Mucho me intimida la suerte de esos caballeros y si algo me retiene después de recibir el permiso del Congreso es la aprehensión de seguir el ejemplo que nos dió San Martín con todos los héroes argentinos, chilenos, y mexicanos. Sólo los colombianos, amigos y compañeros míos, conservan su gloria y reputación. Esta consideración bien merece un bello y soberbio artículo en la gaceta de Bogotá; los contrastes deben ser Colombia, sus heroes y sus generales, por una parte, y por la otra el resto de la América independiente con sus gobiernos absolutos y disolutos, con sus héroes, trigarantes, emperadores, directores, protectores, delegados, regentes, almirantes etc. También puede entrar lo pasado y lo presente, de la nueva y vieja Colombia y la consecuencia debe ser que *no hay cosa mejor que nuestra Constitución y nuestra conducta.* Sin meter a Nariño para nada ni a ninguna persona odiosa de las patrias viejas, sólo deberíamos hablar de los principios y de las cosas.

De todo corazón

BOLIVAR

El amanuense con ser un doctor muy instruído no sabe escribir. Perdone Vd.

Esta cartas y las subsiguientes de 15 de junio y de 3, 5, 21 y 30 de julio y 4 y 6 de agosto para el general Santander las tomamos de su archivo publicado, por no tener nosotros los originales. Por este motivo se nos pasaron por alto cuando publicamos nuestra colección y no las pusimos en su lugar sino en un Apéndice.

*144.—De una copia).*

Guayaquil, 30 de mayo de 1823.

*Al señor general Antonio Nariño.*

Bogotá.

Mi querido general:

Contesto a Vd. cuatro cartas que Vd. se ha servido dirigirme; antes no lo había hecho, porque no había querido intervenir de modo alguno en controversias públicas y personales.

Vd. debe saber las causas que han originado los disgustos que ahora molestan a Vd.; y, por lo mismo, es inútil que yo entre a decirle a Vd. mi parecer; pero ya que Vd. tiene la bondad de decirme que desea venirse donde mí, me apresuro a contestarle que tendré mucha satisfacción de ver a Vd. a mi lado, o en cualquier otra parte en que Vd. quiera establecerse de estos países en que yo habito actualmente. Añadiré, con la franqueza que tengo siempre, que Vd. haría muy bien en venirse al Sur a vivir en tranquilidad y sosiego, mientras se calman las cosas que le molestan en Bogotá. La edad de Vd., tan digna de respeto, bien exige tranquilidad y paz para terminar de un modo menos turbulento una vida tan aciaga como la que a Vd. ha cabido.

Deseo a Vd. la mejor salud y soy de Vd. con la mayor consideración su atento servidor.

BOLIVAR

En la edición de 1929, reprodujimos esta carta con fecha 30 de marzo, tomada de una copia, pero posteriormente, por las referencias de Bolívar en la carta dirigida a Santander que precede, juzgamos que esta carta para Nariño fue escrita en 30 de mayo.

*145.—Archivo Santander X, 239).*

Babahoyo, 15 de junio de 1823.

*Al señor general F. de P. Santander.*

Mi querido general:

Después de escrita toda mi correspondencia ha venido un correo del Perú. Para que se informe de su contenido, mando a Vd. la carta de Sucre y estas Gacetas. Lea Vd. la que contiene el decreto sobre el señor De Pradt e inclúyasela en mi carta.

El enemigo parece que se acerca a Lima con 7.500 hombres: pero al fin no lo harán porque la expedición de Santa Cruz los llama al Alto Perú, como Vd. lo verá por las mismas comunicaciones de Sucre. Sería lo mejor que atacasen a Lima, más esto es imposible porque es demasiado bueno.

Vd. verá por el Conciso la discusión que hay en el Congreso sobre mí. Es muy curioso el tal debate, pero sea lo que sea todavía no está decidido por el Congreso. El hecho es que en el Perú todos están clamando por mí con diferentes voces.

No sé cual es la queja contra Heres. Sólo me persuado que será un comunicado haciendo observaciones sobre el decreto del Congreso en que llamaba tropas del Libertador a las de Colombia. El comunicado decía que eran de la República y no del general Bolívar. No sé más de este negocio.

Por la carta de Sucre verá Vd. que hay mucho que trabajar en el Perú lo que no me puede ser muy agradable. Vea Vd. con que sabiduría responde Sucre a la oferta que le hacen y qué moderación tiene que no se deja deslumbrar con la oferta de un mando tan brillante, por temores muy fundados. Le agradezco su moderación porque nos es útil de todos modos, tanto en la opinión como en la realidad.

Lo que Sucre dice sobre las medidas militares que tomará son conformes a mis instrucciones, y son las medidas más propias para destruir a los españoles, porque entonces reunimos en el Alto Perú 12.000 hombres y la fuerza enemiga se hallaría entonces a

300 leguas de distancia de los nuestros y fuera de combate por decirlo así. Ocuparían a Lima pero momentáneamente y después tendrán que irse muy destruídos por el clima y las miserias.

Verá Vd. lo que dice Sucre de Mosquera y de Chile. Todo parece que va bien por aquella parte. No se puede negar que el gobierno de Chile se ha portado muy bien en esta guerra del Perú.

Los tales peruanos son muy trabajosos según dicen todos; ahora mismo están descontentos con su gobierno. Tanto han de hacer hasta que se quiebre el cántaro o del lado del Cuzco o de Colombia. Si tenemos armisticio, yo le ofrezco a Vd. que entonces tendrán un poco de más moderación y docilidad por el miedo a los godos. Ya Vd. me entiende . . . y no más.

Vuelvo a recomendar a Vd. que mande al Marqués del Toro a Caracas mi caballo morcillo que tiene Torres, el que me regaló Santa María. Yo quiero mucho aquel caballero y él es muy aficionado a caballos.

Soy de Vd. de corazón

BOLIVAR

---

146.—*Archivo de Santander, X, 267).*

Quito, 3 de julio de 1823.

*Al señor general F. de P. Santander.*

Mi querido general:

Imagínese Vd. el conflicto en que yo estaré, habiéndose levantado los pastusos el 12 de junio, y habiendo entrado Canterac en Lima en 19 del mismo mes. Los pastusos derrotaron 600 hombres nuestros que tenía Flores en su país y nos tomaron las armas y las municiones etc. según todas las noticias que hay: ellos tenían antes 200 fusiles y más de 600 hombres; quiere decir que estos determinados malvados pueden invadir la provincia de

Quito y tomarla si yo mismo no me les opongo con dos pequeños escuadrones y los pocos veteranos que nos quedan de "Yaguachi" y "Vargas". Por supuesto que he traído 1.700 fusiles de Guayaquil, con 300 veteranos, y se están levantando todas las milicias del país para quitarles la provincia de los Pastos, y después pasar el Guáitara, que es lo más difícil de todo, con gente de Bochalema. Llevaré cuatro piezas de cañón, zapadores y un buen oficial de ingenieros que hay aquí, para observar las reglas de la guerra con más exactitud que nunca, porque las circunstancias lo demandan así, pues si tenemos un revés, se unen los pastusos con los enemigos del Perú y llegan hasta Popayán, sin contar para nada Morales y sus tropas, que de ese caballero nada sé.

He tomado cuantas medidas ha dictado el caso y espero que será con fruto. El pueblo de este Departamento ha mostrado mucho patriotismo; principalmente los ricos se han mostrado dignos colombianos; así espero que lograremos destruir a Pasto. Ahora vamos a otra cosa.

El Perú tiene 15.000 hombres nuestros, están sin cabeza porque yo no estoy allá. El pueblo, el Congreso y el ejército, todos me claman, pero yo no puedo ir porque no tengo permiso del Congreso de Colombia y porque estos malditos pastusos nos quieren quemar la casa. Más imagínese Vd. mi perplejidad viéndome distraído por 600 bárbaros cuando 15.000 soldados me llaman a los más gloriosos triunfos. Aseguro a Vd. que mi desesperación es igual a la rareza del caso. El general Sucre tiene la orden de embarcarse en el Callao y de irse a reunir a Arequipa con las tropas del Perú y de Chile. Llevará consigo 4.000 veteranos buenos de los cuales 3.000 colombianos, si ha recibido mis últimas órdenes, pero si está por las penúltimas que llevó O'Leary sólo llevará 2.000 colombianos y los demás aliados.

El hecho es que en Arequipa se van a reunir 12.000 hombres, en tanto que el enemigo no tiene por aquella parte más que 3.000 de toda arma y calidad. Desde luego nuestro ejército debe tomar el Cuzco y el Potosí, y decidir la suerte del Perú por consiguiente. Sólo un suceso inesperado puede cambiar este efecto saludable. Santa Cruz llevó 5.500 hombres que dicen haber llegado a los Intermedios. De Chile salían 3.000 en todo junio y llegarían junto con Santa Cruz. Los 4.000 que lleva Sucre completan los 12.000. En tanto que en el Callao y cercanías de Lima quedan más de 3.000 veteranos y poco menos milicianos. El pueblo parece muy patriota en todo, y todas las ventajas parecen también por los patriotas. El ejército real no tiene más que 2.000 españoles y el resto de indios de la Sierra del Cuzco que mueren o desertan al llegar a la Costa. Por de contado Canterac debe perder su ejército permaneciendo en Lima, o retrocediendo al Cuzco en el primer caso por las enfermedades y deserciones, y en el segundo por las marchas y deserciones y después de todo porque se encontrará con nuestro ejército en posesión de todos sus recursos. Todo esto quiere decir (si Dios no quiere otra cosa), que la maniobra de Canterac ha forzado a la fortuna a decidirse contra él por las reglas de la probabilidad y por los cálculos del arte: es verdad que las contingencias militares pueden alterar este resultado feliz porque el mar y sus contingencias, los aparentes sucesos, los tumultos de los casos semejantes, la desorganización que resulta de una capital invadida y los intereses cruzados de muchos cuerpos extraños entre sí, pueden influir en los decretos del destino. Para que este destino cumpliese su voluntad, bien señalada en el día, debería estar yo a su lado para servirle de ministro. Sucre tiene todo, pero no tiene mi autoridad ni mi nombre, aunque algo lo representa por ser el órgano de mi voluntad y porque el Gobierno del Perú está absolutamente sometido a mis designios.

Todo esto reunido y mil otras observaciones que me es imposible extender en este papel, me hacen decidir y titubear a la vez ya mi marcha a Pasto, ya mi marcha al Perú. Por el Norte el fuego está muy inmediato, aunque pequeño, por el Sur el incendio es grande pero puede apagarse con sólo mi presencia. Todos los elementos están allí reunidos, pero unicamente un golpe falta. Aquí también tenemos elementos contra los enemigos y a mi me parece que yo falto si me voy como lo estoy ansiando.

Cuanto he dicho a Vd. hasta aquí es sin haber recibido más que el parte de la entrada de los enemigos en Lima el 19 de junio. De Lima ni del Callao he recibido una sola letra. El edecán O'Leary debe venir hoy mismo con detalles y pliegos, y entonces mi resolución será verificada por los datos que reciba. Vd. será instruído de todo, sea con copias u originales, de las comunicaciones que me vengan. Todo lo que sé hasta ahora es vagamente:

y me apresuro a escribir de antemano para tener adelantada esta parte de mis observaciones y conceptos.

El capitán Zorro que acaba de llegar del Perú va a llevar estos pliegos (no le dé más grado que el que tiene, pues ha recibido dos en menos de un año), y es algo chismoso aunque muy activo para andar. El contará a Vd. todo lo que sepa y haya sabido y visto en Lima antes de su salida que fue antes de la llegada de los enemigos; más ya todo estaba determinado de antemano.

Lo que más importa en todo esto es que Vd. nos mande los 3.000 hombres que le he pedido tantas veces, organizados en cuerpos y armados; pero si esto no se puede, que vengan desorganizados, y de cualquier modo que sea. Necesitamos también de 3.000 fusiles más, y de mucho plomo para hacer balas de fusil. Lo demás se puede suplir por acá. Quiero decir equipo y pólvora, tenemos la suficiente, si la sacamos del Callao y la construímos por acá. La suerte de la guerra es contingente y exije medidas previas. Arrace Vd. con las costas del Norte tomando de cualquier modo que sea reclutas que vengan al Istmo y San Buenaventura, si no hubiere otra vía más fácil que esta última. Crea Vd. mi querido general, que estos 3.000 hombres y estos 3.000 fusiles son indispensables y el plomo, por añadidura, como 600 quintales por lo menos. Repito pues que con 3.000 reclutas, 3.000 fusiles y 300 quintales de plomo, se puede defender el Sur por ahora. Y vuelvo a repetir que *vengan como vinieren serán bien recibidos.*

Que bonitos estamos! El Sur invadido; el Norte cortado: sin veteranos, sin comunicaciones para recibir de allá las noticias políticas y militares, y sin que Vd. pueda recibir esta inmensa noticia para que tome sus medidas y el Congreso sus resoluciones. Pocas veces he estado en situación más interesante y rara: no la llamo crítica porque la palabra es común, ni peligrosa porque también puede tener sus grandes ventajas. Mi corazón fluctúa entre la esperanza y el cuidado: montado sobre las faldas del Pichincha, dilato mi vista desde las bocas del Orinoco hasta las cimas del Potosí, este inmenso campo de guerra y de política ocupa fuertemente mi atención, y me llama también imperiosamente cada uno de sus extremos, y quisiera, como Dios, estar en todos ellos. ¡Lo peor es que no estoy en ninguna parte, pues ocuparme de los pastusos es estar fuera de la esfera de la gloria y fuera del campo de batalla! Que consideración tan amarga! Solamente mi patriotismo me la hiciera soportar sin romper las miserables trabas que me detienen.

Soy de Vd. mi querido amigo, su afectísimo de corazón.

BOLIVAR

———

147.—*Archivo Santander, X, 275*).

Quito, 5 de julio de 1823.

*Al Exmo. señor general Santander &.*

Mi querido general:

No tengo tiempo para hablar a Vd. de las cosas de Lima ni de los pastusos, porque no estoy para *comentarios,* sino para *acometer.* Mañana me voy a encontrar a los pastusos, que tienen tanto orgullo como la guardia imperial. Por la Secretaría y por el estado mayor, verá Vd. en globo, todo lo que hay. No faltan contradicciones entre los datos y las relaciones. Todo está como en el caos. El Callao imagíneselo Vd. Sucre loco, como él dice y este Quito es otro Callao, y yo otro Sucre, porque aunque aquí no hay confusión, hay un silencio de muerte, que me tiene medio aturdido. La verdad es, en compendio, que los godos en una y otra parte han dado un falso paso (se caen); nosotros tenemos actualmente peligro, pero también esperanzas. Esto es lo que se llama una catástrofe trágica, en que el desenlace lo decide el destino. Mucho está por nosotros, pero la fortuna favorece la audacia y los enemigos la muestran por una y otra parte. Cada día se aumenta el interés dramático: cada día me vienen nuevos partes de apuros, pero sin ventaja del enemigo. Estoy como el sol, brotando rayos por todas partes. Mando a atacar a Intermedios y pido 500 hombres para Colombia, en caso de un revés. Estoy empleando hasta los muertos en defensa de este Departamento; he mandado a Castillo que levante 2.500 hombres, que no es fácil, ni Castillo capaz de hacerlo, porque los elementos que tiene no son orgánicos. Yo pienso defender este país hasta con la uñas, para que los pastusos gasten sus municiones y la que nos puedan tomar por yerro de cuentas. Lo que le digo a Vd. es que no tengo humor para cartas ni para nada, porque Vd. está muy lejos y no me puede mandar nada por ahora. Pero digo por última y por milésima vez, que si Vd. no me manda 3.000 colombianos viejos para defender y reconquistar el Sur de Colombia, la guerra de América se va a prolongar infinito, aun contra la misma voluntad de los españoles, porque ha de saber Vd. que los pastusos y Canterac son los demonios más demonios que han salido de los infiernos. Los primeros no tienen paz con nadie y son peores que los españoles, y los españoles del Perú son peores que los pastusos. Esta guerra es como la escultura del diamante, que cuanto más golpe recibe, más sólido y más brillante se pone, por una y otra parte. Verdaderamente como espectáculo teatral nada es más espléndido. Estoy por decir que jamás contendientes han aguzado mejor sus armas al fin como esta vez. Cada uno muestra descender de más cerca del gran Pelayo. Cada uno se obstina más y más contra el hado inexorable: los españoles verdaderamente es contra el hado que combaten, como nosotros contra los rivales del hado lo que viene a ser lo mismo.

Quiera Dios en fin, que estas letras lleguen a manos de Vd. porque ciertamente el portador tendrá infinitas dificultades que superar y sólo un cúmulo de azares felices lo puede hacer llegar a Bogotá.

Deséeme Vd. buena suerte y mande Vd. a su afectísimo que lo ama de corazón

BOLIVAR

---

148.—*Archivo Santander, X, 330).*

Quito, 21 de julio de 1823

*Al señor general F. de P. Santander.*

Mi querido general y amigo:

Logramos, en fin, destruir a los pastusos. No sé si me equivoco como me he equivocado otras veces con esos malditos hombres, pero me parece que por ahora no levantarán más su cabeza los muertos. Se pueden contar 500 por lo menos, más como tenían más de 1.500 no se puede saber si todos los pastusos han caído o nó. Muchas medidas habíamos tomado para cogerlos a todos y realmente están envueltos y cortados por todas partes. Probablemente debíamos coger el mayor número de estos malvados. Vd. sabrá por el general Salom los que hayan cooperado y lo más que haya sucedido después de la victoria. Yo he dictado medidas terribles contra ese infame pueblo; y Vd. tendrá una copia para el ministerio, de las instrucciones dadas al general Salom. Pasto es la puerta del Sur y si no la tenemos expedita, estamos siempre cortados, por consiguiente es de necesidad que no haya un solo enemigo nuestro en esa garganta. Las mujeres mismas son peligrosísimas. Lo peor de todo es que cinco pueblos de los pastusos son igualmente enemigos y algunos de los de Patía también lo son. Quiere decir esto que tenemos un cuerpo de más de 3.000 almas contra nosotros, pero una alma de acero que no plega por nada. Desde la conquista acá, ningún pueblo se ha mostrado más tenaz que ese. Acuérdese Vd. de lo que dije sobre la capitulación de Pasto, porque desde entonces conocí la importancia de ganar esos malvados. Ya está visto que no se pueden ganar y por lo mismo es preciso destruirlos hasta en sus elementos.

Las cosas del Perú siguen en razón compuesta de la revolución y de la guerra. Al presidente Riva Agüero lo ha depuesto el Congreso y él se ha resistido a largar el mando. El Congreso ha sido muy enemigo de Colombia, pero ahora ha cambiado casaca, por la enemistad que tiene con la facción de Riva Agüero. Todos ellos son unos malvados, llenos de ambición y faltos de patriotismo.

La expedición de Santa Cruz es del partido de Riva Agüero y ha llegado a las playas de Intermedio con mucho suceso. 3.000 chilenos deben reunírsele y Sucre debe haber sacado del Callao 3.000 colombianos con el mismo objeto. Se teme que Santa Cruz no obedezca a Sucre autorizado por el Congreso ampliamente. Riva Agüero también le ha dado el mando a Sucre, pero de mala fe, porque quiere que Santa Cruz sea el Libertador del Perú, aunque nadie lo cree capaz para ello. Es natural que el ejército aliado del Alto Perú, se vuelva el campo de Agramante, habiendo pocos peligros y muchas ventajas que ganar. En Lima está la mayor parte del ejército español. 2.500 hombres vienen a destruir el Congreso a Trujillo y probablemente se extenderán hasta el norte, destruyendo las fuerzas que tenemos por esa parte, que malamente serán comprometidas e indignamente mandadas. El hecho es que yo tengo muchas aprehensiones sobre la suerte de estas provincias. Muchas veces he estado resuelto a ir a buscar tropas a las costas del Magdalena y Zulia y si no lo ejecuto es por miedo del peligro que está muy cercano, el que se multiplicará con mi ausencia. Cada día me convenzo más de la incapacidad de todos nuestros jefes para mandar: nadie acierta, a nadie le obedecen y todo se vuelve bochinche. Vea Vd. lo que ha sucedido después de la batalla de Carabobo en Venezuela. Vea Vd. la gracia del señor Flores, destruído en el campo de batalla a palos por unos salvajes, y sin embargo ninguno es mejor que él, aunque un poco presuntuoso.

La verdad sea dicha. Si Vd. no me manda 3.000 hombres, con 1.000 llaneros, armas y municiones, crea Vd. que Canterac conquista a Colombia. Canterac es un gran militar y tiene diez o doce subalternos admirables. Ha peleado con La Serna por la operación sobre Lima y probablemente no puede volver al Alto Perú porque su cálculo le ha salido errado. Por consiguiente él dilatará el teatro de sus operaciones al norte, así como nosotros al Sur. Esto lo creo como de fe. Perderá probablemente sus cuencanos (*) por el clima y la deserción, pero tomará reemplazos en las populosas provincias de Lima, Trujillo y Piura como dicen que lo está haciendo. Con dinero compra armas y municiones de los extranjeros. A todo esto yo no puedo oponerle nada, porque no tengo armas, ni base para crear cuerpos. Nuestros generales están muy graciosos, no quieren servir para nada, principalmente Valdés, Lara y Mires. Sólo Salom y Sucre valen algo y quieren servir. Salom se ha portado heroicamente en esta campaña contra Pasto, y es lo mejor que tenemos en todo sentido.

Ya van para cuatro meses que he pedido la licencia del Congreso, y su silencio está haciendo que se pierda todo, todo. Canterac y Valdés son el demonio, tienen una actividad más grande que Salom, mucho valor y conocimientos generales de la guerra. Sus oponentes son unos miserables muñecos, divididos entre sí y muertos de miedo. Aseguro a Vd. que esta situación me tiene desesperado. Cuando vaya a oponerme a esos señores, ya no ha-

(*) Serranos?

brá medios para nada. Por otra parte vea Vd. la exposición del jefe de estado mayor al Ministro de la Guerra y se convencerá de mis apuros. Este pueblo es muy enemigo de los españoles, pero no más, no más no más. Nadie da nada, ni nadie quiere servir. Vivas arengas y palabras son todos sus socorros al gobierno, y después nada. En esta oportunidad he desplegado una energía superior a toda la que Vd. me ha conocido jamás y ni por eso he logrado cosa de provecho. Esta es una gente aparte del resto de Colombia. Todavía no han hecho nada por la libertad y ya están aburridos. Los godos de Guayaquil sirven mucho mejor que los patriotas quiteños.

Mando a Vd. la arenga de Olmedo y mi respuesta. Es la segunda vez que un jefe de sedición contra mí ha venido a implorar mi autoridad por el bien de la causa pública. Mariño fue el que me fue a rogar por el Congreso de Venezuela para que aceptase la presidencia después de haber sido disidente. Olmedo ha sido peor. De paso que se ponga una nota en la gaceta haciéndole honor a su docilidad y patriotismo. Será una lástima perder esta ocasión de hacer notar estos hermosos contrastes. Cada día tengo nuevos motivos de agradecer a la suerte sus favores, cuanto más me elevo tanto más hondo se ofrece el abismo. Tengo mucho miedo mental, y sin embargo mi audacia se aumenta de contínuo, mi marcha al Perú es un salto prodigioso que no me espanta aunque muchos me amenazan con el peligro.

Por acá hemos sabido la caída de Iturbide, que sirve de nueva sombra a mi cuadro. También sabemos los dares y tomares de la Europa y corre el rumor del armisticio con España; quiéralo Dios!

Soy de Vd. de corazón, y dele muchas memorias a Briceño, y a los demás amigos.

BOLIVAR

P.D. Le incluyo a Vd. copia de la arenga del diputado Olmedo, algunas gacetas de Guayaquil y copia de la última carta que he recibido de Riva Agüero.

*149.—Archivo Santander, X, 346).*

Babahoyo, 30 de julio de 1823.

*Al señor general F. de P. Santander.*

Mi querido general:

Por fin los españoles convencidos de la nulidad de la posición que tenían en Lima sitiando al Callao, hicieron el 15 del corriente lo que siempre creí que harían. Esto es: levantaron su campo en la noche de este día y emprendieron su contramarcha por el camino de la costa hacia el Sur. No sabemos hasta ahora la dirección que tomarán porque bien pueden seguir, aunque con mucho trabajo por la misma costa hacia Arequipa, o bien pueden por diferentes vías penetrar a la sierra, guarnecer sus antiguas posiciones y continuar por Huamanga hacia las provincias interiores que invaden Sucre y Santa Cruz con 12.000 hombres. Sea la que se quiera la dirección que tomen, yo creo firmemente que el objeto primario del movimiento de los españoles es oponerse al ejército nuestro que penetra por Intermedios en las provincias del Alto Perú, prácticamente convencido que es insignificante la posesión de la capital y la costa, mientras al mismo tiempo no dominen el Pacífico.

Calculando Sucre sobre esta indispensable operación de los enemigos y en cumplimiento de mis órdenes habrá hecho salir el 9 del corriente una expedición de poco más de 3.000 hombres, compuesta de 3 batallones nuestros y de 1.000 hombres de Chile, con dirección a Intermedios con el fin de unirse a Santa Cruz y reforzar el cuerpo de tropas que tiene a su mando. El mismo Sucre salía del Callao el 19 de este mismo mes.

Sucre dejaba instrucciones a Valdés para que con "Rifles", las tropas del Río de la Plata y las que pudieren reunir del Perú, ocupase a Jauja y Huancavelica, y aún para que ocupase la fuerte línea de Apurimac, si le era posible. Al mismo tiempo que Valdés se posesionaba de Jauja, debía picar la contramarcha a los enemigos caso que la verificasen por la Sierra. De todos modos es sobre manera importante el movimiento de Valdés por cuanto debe ocupar el valle de Jauja, país de posiciones, patriota, sano y abundante de víveres, y al mismo tiempo se extiende nuestra línea de operaciones que hasta ahora ha sido muy reducida. Valdés cuando menos reunirá 5.000 hombres de todas armas.

El teatro actual de la guerra en el Perú son las provincias llamadas del Alto Perú. Sucre unido a Santa Cruz podrá juntar 10 o 12.000 hombres, de ellos 8.000 buenos. Los enemigos les podrán oponer poco más o menos la misma fuerza. Acompaño a Vd. un boletín del ejército del Perú que habla de las ventajas que habrá adquirido en el momento de su desembarco. Santa Cruz me escribe muy lisonjeramente y me dice que tenía esperanza de decidir la campaña en su favor si los enemigos le daban un mes de tiempo: ellos les darán cuatro.

Sin embargo de tan bella perspectiva como la que presenta esta carta, no por eso debe Vd. dejar de remitirme los 3.000 hombres que repetidas veces y con tantas instancias tengo pedidos. Sucre, según me escribe, se volverá si Santa Cruz no se sujeta a sus órdenes, si no obra con la buena fe que debiera. Temo mucho por los informes que tengo que Sucre se vuelva. De consiguiente Santa Cruz será infaliblemente batido, y ya nos tiene de nuevo en apuros y apuros de consideración. O sea que obren unidos aquellos dos jefes, también pueden ser batidos porque los españoles tienen buenas tropas, y más medios que nosotros para hacer la guerra. No quiero verme otra vez en los conflictos en que me he encontrado en esta última campaña, y de los cuales sólo mi buena suerte pudo sacarme bien. Añada Vd. a todo esto que una corbeta de guerra de Chile vino al Callao a buscar los restos de las tropas de aquel estado que había en el Perú, dicen que para organizarlas de nuevo. Digo a Vd. que calcule lo que quiere decir esto.

Yo no sé que decir a Vd. sobre mi ida al Perú. Conozco que los intereses de América me llaman a él. Todos y todas partes me invitan porque me vaya: en la actualidad tengo aquí una diputación del congreso rogándome que vuele a presidir los destinos de aquel desgraciado Perú. Pero hay allí, mi querido general, tantos partidos, tantos enredos, está aquello en tal estado de horrible anarquía, que me espanto, me horrorizo al considerarme metido en aquellos laberintos.

Se fijamente que he de quedar mal con la administración

actual, con el congreso y con muchos más, porque yo exigiré orden, y los partidos querrán lo que siempre. . . . Propiamente hablando, en el Perú no hay gobierno. El congreso expidió en el Callao un decreto exonerando del mando al presidente Riva Agüero y poniendo en su lugar al secretario de estado. Riva Agüero no hizo caso al decreto, pues protestó de responder a los cargos que se le harían, dejó el Callao y se vino a Trujillo, lugar de residencia del congreso. Desde allí continúa mandando como tal presidente, sostenido por algunas hechuras suyas, que están a la cabeza de algunas tropas y de algunos pueblos. El congreso por su parte anula todas las providencias al presidente, y así va todo. El nombrado para suceder a Riva Agüero, está en un miserable pueblo de la costa, sin representación ninguna pública. Por todas estas cosas, yo mismo no sé en este instante lo que haré. Cualquiera que sea el partido que tome avisaré a Vd.

Adiós mi querido general; soy suyo de corazón

BOLIVAR

---

150.—*Archivo de Santander, X, 362*).

Guayaquil, 4 de agosto de 1823.

*Al señor general F. de P. Santander.*

Mi querido general:

Por fin las cosas del Perú han llegado a la cima de la anarquía. Sólo el ejército enemigo está bien constituido, unido, fuerte, enérgico y capaz de arrollarlo todo. Lo de la patria está todo perdido. Siete potencias beligerantes se combaten entre sí bajo las siguientes banderas: Perú, Chile, Colombia, Buenos Aires, gobierno, congreso y Guayaquil, cada uno tiene su partido: ahora hay dos más, el particular de Sucre, que tiene un poder militar y el de Torre Tagle, opuesto al de Riva Agüero, ambos fuertes por la opinión y por la autoridad: pues el primero es presidente, aunque depuesto y culpable, y el segundo está nombrado por Sucre que tiene un poder dictatorial, en el teatro de la guerra. Valdés es jefe de nuestras tropas, y un tal Martínez de las de Buenos Aires, es el mayor faccioso que hay en todo el país; estos dos últimos están sirviendo juntos, y ya Vd. se acordará que el señor Valdés se ha disgustado hasta con Mires que es pariente de Job. Todos, todos, todos, excepto Sucre son el mismo demonio. Podemos contar con 15 o 16.000 hombres disponibles si vienen los de Chile, pero sin pies ni cabeza; sin pies por falta de movilidad, y sin cabeza porque a nadie obedecen. Nadie obedece a nadie y todos aborrecen a todos.

El gobierno de Riva Agüero es el gobierno de un Catilina unido al de un Caos; no puede Vd. imaginarse hombres más canallas, ni más ladrones que los que tiene el Perú a su cabeza. Se han comido seis millones de pesos de empréstito, de un modo escandaloso. Setecientos mil pesos se han robado entre Riva Agüero, Santa Cruz y el ministro de Guerra, sólo en unas contratas hechas sobre equipo y embarque de tropas. El Congreso pidió cuentas y le trataron como el Diván de Constantinopla. Es horrible el modo infame con que se ha conducido Riva Agüero. Lo peor de todo es que entre los godos y los patriotas han puesto a perecer el Perú con sus saqueos enormes y multiplicados. Este país, es el más caro del mundo, y no tiene ya un maravedí con que mantenerlo. De suerte que le han quedado sus inmensas necesidades y ningún medio para satisfacerlas. No sé como haré para alimentar de oro un ejército muy grande en un país que ya no tiene nada. De aquí vendrá una necesidad imperiosa de obrar a la ventura sin plan ni concierto; y si no es preciso preferir la inútil destrucción del ejército en una horrorosa inacción, lo que también será un desconcierto en el plan general, pues se obrará por una parte y por otra no.

Amigo querido, yo voy a imitar a Curcio entregándose a las llamas por la salud de su patria. Me voy a ver rodeado de los más grandes embarazos, necesidades y peligros. Enemigos dentro, enemigos fuera; pasiones y crímenes; carencia de todo y sobra de demandas y necesidades. Admire Vd. mi valor cuando me voy a encargar del peso de Atlante.

Mi cálculo es éste: si no voy al Perú se pierde y se pierde el ejército de Colombia, y después nosotros solos tenemos que sufrir una nueva guerra y nueva conquista. Por supuesto yo tendré que sufrirlo todo. Yendo al Perú puedo hacer variar la suerte de los sucesos, o por lo menos, menos, menos, retardar su caída y prolongar la guerra hasta que tengamos armisticio o paz. Esta esperanza es para mi muy vehemente. Además, estando yo, en el Perú, si vienen comisionados de España encontrarán con quien tratar, y no sucederá como en Méjico, que no pudieron hacer nada por falta de autoridad existente. Yo valdré algo más en la opinión de los españoles que otro cualquiera jefe que allí mande; por lo que se hará más caso de mis demandas. Espero también evitar una guerra civil, y combates entre los aliados; espero restablecer algo el orden con la nueva reunión del congreso y el nombramiento de los mejores magistrados posibles; todo esto dicen que lo puedo hacer, y si nó procuraré traerme nuestras tropas del modo y suerte que se pueda: este caso será extremo y aun parece remoto.

Las cosas del Sur de Colombia quedan como estaban; mi opinión es que no se debe alterar nada de lo que he mandado, porque entonces no tengo ni base ni cimientos. Si se andan con etiquetas constitucionales puede ser que nos perdamos todos. El general Salom es un hombre excelente y hará bien su deber, no se puede dar otro mejor que él para todo lo que comprende y él sabe ejecutar; pero no le vayan a mandar nada contrario a lo que yo le haya ordenado, porque entonces no hará nada de bueno, se confundirá y se echará de espaldas. Yo ruego a Vd. que si el congreso me quita la autoridad del Sur procure a lo menos no oponer las órdenes de Vd. con las mías. Cuando no sea más que confidencialmente debería Vd. escribirle a Salom que hiciera lo que yo le mandase o le pidiera. Vd. téngase duro para que no se le queme el pan a la puerta del horno, y no pierda jamás de vista que nosotros estamos sirviendo de asombro al Nuevo Mundo por la unidad y concierto que guardamos entre las autoridades. Toda la América es un inmenso campo de anarquía: Colombia sola ha dado un asilo al orden y a las leyes y a los principios del sistema social. Quiera Dios que este asilo sagrado no venga a ser profanado por el crimen.

Mi querido general, tengo que despedirme de Vd. como un hombre que va para el otro mundo: si amigo querido, me voy para un mundo nuevo, mundo de maldiciones y de maldad, que también puede llamarse caverna horrible donde van a sepultarse de todas partes el bien, el valor y la libertad.

Voy a dar un paso que no será exactamente conforme con las reglas y que espero lo ponga Vd. de modo que no parezca chocante. Es el caso que yo ando solicitando por todas partes auxilios para el Perú. Méjico está en plena paz, y como tiene la reputación de rico y grande pudiera prestarnos tropas y dinero para el Perú a fin de que no falte ningún americano en el ejército unido de la América Meridional. En consecuencia voy a mandar al señor Monteagudo en una comisión extraordinaria con este objeto. También llevará el encargo de felicitar de mi parte al nuevo gobierno de Méjico por su establecimiento popular. Instará también a Santa María para que concluya el tratado de federación aunque no sea más que por ser consecuentes con nuestros principios.

Monteagudo tiene un gran tono diplomático y sabe en esto más que otros. Tiene mucho carácter, es muy firme, constante y fiel a sus compromisos. Está aborrecido en el Perú por haber pretendido una monarquía constitucional, por su adhesión a San Martín, por sus reformas precipitadas y por su tono altanero cuando mandaba. Estas circunstancias lo hacen muy temible a los ojos de los actuales corifeos del Perú, los que me han rogado por Dios que lo aleje de sus playas porque le tienen un terror pánico. Añadiré francamente que Monteagudo conmigo puede ser un hombre infinitamente útil porque sabe, tiene una actividad sin límites en el Gabinete y tiene además un tono europeo y unos modales muy propios para una corte. Es joven y tiene representación en su persona. No dudo que con el tiempo será un gran colombiano.

Mosquera se vuelve conmigo al Perú a terminar los fines de su comisión sobre límites que es lo más importante, a fin de evitarnos una guerra para lo sucesivo. Este es uno de los objetos de mi marcha al Perú, porque juzgo que después de todo tendríamos un pleito por límites.

He visto papeles de Méjico en que dice un corresponsal de La Habana que los enviados de España tienen facultades de reconocer la independencia por haber visto los poderes de dichos enviados; entra en otros muchos detalles sobre su comisión. Esto me convence de que tendremos pronto armisticio o paz, y por lo mismo quiero parar los golpes que nos pueda dar la fortuna en el Perú.

No puede Vd. imaginar cuanto temo esta marcha al Perú por sus inconvenientes así políticos como militares, por lo menos no faltarán enredos de suma importancia. También temo alguna gracia como la de Cartagena cuando fuí allí, pero que hemos de hacer, peor es perderlo todo a golpe seguro como sucederá infaliblemente si yo no voy. Parece que el demonio dirige las cosas de mi vida; Vd. me vió partir de Cúcuta a la cabeza de una empresa desesperada y ahora volvemos a los diez años a la misma, después de no haber dado un paso que fuese fácil y muchos casi imposibles. Esto quiere decir que si salgo bien, un buen genio me guía y si salgo mal, es un demonio mi custodio.

Acaba de llegar un buque de Lima que salió el 28 del pasado; no dice nada de nuevo; los más adictos a San Martín escriben que aquello se pierde si yo no voy, porque ya están tratando de llamar a San Martín desesperando de mi ida por las cosas de Pasto, cuyo desenlace no sabían. Por supuesto San Martín no añade nada al bien del Perú porque él mismo es un principio de división.

Nuestras tropas persiguieron al enemigo dos días sin provecho, no se sabía en Lima la disolución del congreso y sin embargo Riva Agüero estaba detestado por sus fraudes. Se trataba de una expedición a la Sierra a las órdenes de Valdés, pero se dudaba de su salida y del tiempo de ella por la carencia de recursos. De Santa Cruz no se sabía nada importante. Los enemigos decididamente se fueron a la sierra del Cuzco; destruyeron la casa de moneda, lo que hace un gran daño a Lima. Se han llevado cinco millones de pesos en efectos militares, de iglesias, mercancías y moneda. Dicen que Lima está en una devastación horrible. El hecho es que aquello está muy miserable y destruído y multiplicándose los partidos con la miseria y con el desgobierno. Torre Tagle estaba mandando, según la disposición de Sucre, Riva Agüero ha sacado toda la plata labrada de las iglesias de Trujillo y la ha fundido, quien sabe lo que hará con ella.

Por fin me voy mañana por la mañana con los diputados del Perú, dos escuadrones de húsares, y 500 hombres de infantería del batallón Vargas. Después seguirán 700 u 800 hombres más para el completo de 1.500 hombres.

Continúa en la siguiente.

_____

*151.—Archivo Santander, X, 367).*

Guayaquil, 6 de agosto de 1823.

*Al señor general F. de P. Santander.*

Mi querido general:

Hasta ahora he estado escribiendo esta larga carta y en este momento me ha llegado un correo de Bogotá, trayéndome la correspondencia del 21 de mayo y 6 de junio. También me ha venido el decreto del Congreso permitiéndome pasar al Perú. Infinito he celebrado la llegada de esta orden antes de partir de Colombia porque yo tenía una repugnancia invencible a irme sin el permiso del Congreso. Al fin me voy lleno de la confianza de que no seré mal visto por el Congreso por un acto que la necesidad me obligaba. Yo tenía facultad para todo, pero no quería usar de esa facultad en un caso semejante para no dar que decir a nadie y menos al Congreso. No puede Vd. imaginar que agradecido estoy a Vd. y al Congreso por esta gracia: a Vd. por haberla agenciado, y al Congreso por haberla hecho.

Yo estoy como Vd. con las cosas de Europa, con mil incertidumbres; pero mi esperanza cada día es más fuerte. La cosa de América no es un problema ni un hecho siquiera, es un decreto soberano, irrevocable del destino: este mundo no se puede ligar a nada, porque los dos grandes océanos del mundo lo rodean y el corazón de los americanos es absolutamente independiente. La Europa no es ciega para ver esto como nosotros lo sentimos: así, no tenga Vd. cuidado por el reconocimiento de la independencia y la paz, ello será bien pronto mal que le pese a la Europa y a España.

Celebro la derrota de nuestra escuadrilla porque causó la

ocupación del lago de Maracaibo por Padilla. Este suceso vale infinitamente más que el de los godos.

El dicho de Canning sobre *quietud y fuerzas* de represión debe ponerse en todos nuestros papeles en letras de oro, porque nosotros estamos quietos y tenemos fuerzas de represión, y por consiguiente está reconocida nuestra independencia: además exigimos quietud y fuerza: es lo que debemos pedir al pueblo.

Celebro mucho la buena conducta del Congreso con el poder ejecutivo y también la reconciliación de Vd. con Nariño. Yo aconsejo a Vd. que procure ganarse a todo el mundo para que haya *quietud y fuerza,* de otro modo no habrá nada sino disensiones, contradicciones y penas, y después flaqueza y más flaqueza de ánimo y de medios.

Déle Vd. las enhorabuenas de mi parte a los señores secretarios del despacho por sus bellas exposiciones y por los servicios eminentes que han hecho en la creacción del nuevo gobierno. No he recorrido aun sino la de Gual, que me parece buena. O'Leary dice que la de Briceño está excelente y yo no dudo porque ese calvo tiene talento, y escribe con mucha propiedad y belleza: lo mismo se dice de las otras: no he tenido tiempo para leer en un rato resmas de papel y así nada he leído de las tales exposiciones. Por el oficio de Gual de 6 de junio sé las buenas noticias de Europa sobre reconocimiento y guerra continental. Me parece que estas noticias si son ciertas porque son buenas.

Vd. me ofrece los 3.000 hombres si vencen a Morales: ya esto debe haber sucedido, y por consiguiente vendrán los 3.000 hombres, lo más pronto posible porque así lo exige la salud de este país y el éxito final de la guerra de América, que de todos modos nos interesa y es el complemento de nuestras empresas militares y políticas. Ruego a Vd. de nuevo mi querido general, que me mande los 3.000 hombres para que no me suceda otra cosa, como la de Bomboná por falta de tropas; porque a la verdad es muy doloroso andar uno con reclutas y pocos, después de tantos años de *veteranía* y de triunfos.

Ahora en Pasto hemos peleado con reclutas de Bochalema, con harto dolor de mi corazón, sin más veteranos que 120 hombres de caballería.

Ya tengo escritos a Vd. cuatro pliegos con este, en dos días consecutivos y como ya me voy no puedo ser mas largo y perdone Vd. la cortedad.

Acabo de comprar hoy una corbeta de guerra nuevecita por 25.000 duros para el servicio de estos mares; esta se llamará la Pichincha; servirá para reemplazar la Bombóná que costó 90.000 pesos y está podrida, haciéndonos gastos diarios con sus composiciones. El dinero lo sacaré por un empréstito a la provincia de Guayaquil. En Quito he echado una contribución de veinte y cinco mil pesos mensuales para mantener tropas durante la guerra: dudo mucho que los paguen porque son los quiteños muy renuentes en estos servicios.

A Morales me lo llevo al Perú para tener allí la ocasión de hacerlo general, porque no dude Vd. que hay más de ocho o diez coroneles que han servido más que él, a lo menos yo así lo creo, aunque él no lo crea así. Carrillo, Armario, Rieux y trescientos coroneles de caballería son más antiguos y tienen más combates.

Soy de Vd. mi querido general, cuente Vd. conmigo en el Cuzco o en el Perú (así está).

BOLIVAR

El amanuense saluda a Vd. y a Perucho, les pide órdenes para la tierra de los Incas y les recomienda con mucho interés a su padre Vicente Ibarra, favor que espera de Vd. su siempre amigo que les quiere y desea tener la gran fortuna de volverlos a ver.

D. IBARRA

Saludos a las Ibañez, y Barayas y Páez.

*152.—De un facsímil existente en el Museo Boliviano).*

Lima, 12 de setiembre de 1823.

*Exmo. Señor Director Supremo de Chile, general don José Ramón Freire.*

Exmo. Señor:

Llamado por el Congreso, gobierno y pueblo del Perú a dirigir las operaciones militares de esta hermosa y grande sección americana, he venido con el permiso del congreso de Colombia a continuar mis servicios a la América.

El Congreso constituyente del Perú se ha dignado creerme superior a mis propias fuerzas y me ha encargado en consecuencia de la ardua empresa de destruir a sus enemigos y de mejorar su suerte. Yo no he ofrecido nada lisonjero a este cuerpo deliberante, pero si me atrevo a esperar algún suceso por fruto de nuestros repetidos sacrificios es contando con V.E. y el pueblo chileno. La nación chilena ha dado el principio a la libertad del Perú: y no dejará sin duda de concluir la obra de su sabiduría y valor. Felizmente, es V.E. el magistrado que preside a los destinos de esa República y desde luego yo no puedo ya dudar de la suerte del Perú, pendiente de la generosidad de sus hermanos del Sur y más aun del elevado genio de V.E.

El coronel don Juan Salazar tendrá la honra de presentar a V.E. este despacho y de tributarle de mi parte las expresiones más sinceras de la consideración y respeto que siempre he profesado a V.E. Me atrevo a recomendar a V.E. la muy importante misión del señor enviado del Perú cerca del gobierno de Chile y aprovecho la dichosa oportunidad de ofrecer a V.E. la distinguida consideración con que soy de V.E. atento servidor.

BOLIVAR

Contestada en 9 de octubre.

# 1824

153.—*De una copia*).

Pativilca, 19 de enero de 1824.

*Al señor Manuel de Vidaurre.*

Muy señor mío:

Ayer he tenido la satisfacción de recibir la favorecida de Vd. del 30 de diciembre pasado en Guayaquil, y con ella el precioso escrito de Vd. con el título de plan del Perú. Su dedicatoria me es dirigida con exagerados encomios que más son pertenecientes al acalorado entusiasmo de Vd. por la libertad de la patria, que a los servicios que yo le he consagrado. De todos modos mi gratitud debe crecer en razón de la injusticia con que Vd. me honra.

No podré explicar a Vd. la indecible complacencia que he tenido al saber que Vd. está tocando las riberas de la patria. Ciertamente bien necesita el Perú algunos Vidaurres, pero no habiendo más que uno, éste debe apresurarse a volar al socorro de la tierra nativa que clama e implora por sus primeros hijos, por sus hijos de predilección. Yo, pues, cumplo un deber agradable invitando a Vd. para que sin despreciar un instante venga a asistir al renacimiento de esta patria moribunda, que tambien podría llamarse muerta. Por mi parte ofrezco a Vd. todo lo que alcancen mis servicios tributados al mérito. Espero una pronta y decidida respuesta de Vd. a esta mi primera comunicación, por lo que tengo el honor de ofrecer a Vd. mi distinguida consideración y aprecio.

Bolívar

Publicada en "El Espectador", de Bogotá, por el señor Eduardo Posada, quien la tomó del folleto "Suplemento a las Cartas Americanas. Lima. 1827.

APOTEOSIS DE BOLIVAR
Salón Principal.

*154.—De una copia).*

Huariaca, 17 de julio de 1824.

*Al Honorable Señor Pedro Molina, Ministro Plenipotenciario y Enviado Extraordinario de las Provincias Unidas de la América Central.*

Muy apreciable señor:

He tenido el honor de recibir la muy favorecida carta de V.S. de 14 de junio, en Guayaquil, la que me anuncia el objeto interesante de que le ha encargado el ilustre gobierno de Guatemala, cerca de los gobiernos del Sur.

Por el señor Monteagudo sabía que V.S. había sido nombrado para llevar a efecto la deseada federación Americana, y que los talentos y virtudes de V.S. lo hacían muy capaz de ello. Por mi parte, me felicito de que una alma tan elevada y un corazón tan puro, sean empleados en la obra más grande para la dicha del Nuevo Mundo.

La patria de V.S. está todavía sin mancha y sin los vicios de la revolución: ella, pues, entrará inmaculada a componer una parte del gran pacto que debe fijar los destinos de nuestras infantes naciones.

He tenido la mayor satisfacción al recomendar a V.S. al jefe del Poder Ejecutivo de Colombia, señor general Santander. Yo estaba de antemano lleno del deseo más vivo de servir a V.S. y a su gobierno, y he visto con encanto una ocasión de poderlo manifestar de algún modo, aunque por otra parte siento no encontrar los medios de multiplicar este servicio hasta la altura de mis sentimientos. Pero yo espero, señor ministro, que el tiempo podrá concederme amplio campo para extender mis servicios a Guatemala hasta los límites de mis deseos.

Tenga V.S. la bondad de aceptar los sentimientos de mi consideración y aprecio hacia V.S. y el señor su secretario don Pedro Gonzalez, de cuya memoria he hecho el caso que debía por las particulares circunstancias que adornan a este caballero.

Ofrezco a V.S. mi distinguida consideración y aprecio

BOLIVAR

"La República", diario de Guatemala, publicó esta carta, a fines del
siglo pasado; fue reproducida en la obra Literatura de El Heraldo, tomo II,
página 240; y la tomamos de un artículo del señor Eduardo Posada, El
Tiempo de Bogotá, 17 de diciembre de 1930.

———

*155.—De una copia).*

Chancay, noviembre 9 de 1824.

*Señor General Antonio José de Sucre.*

Anoche he recibido las comunicaciones de V.S. de 18 y 24
de octubre que condujo el teniente Naranjo. S.E. el Libertador
encargado del poder dictatorial queda enterado de todo y me
manda contestar a V.S. lo siguiente:

Devuelvo a V.S. la solicitud del capitán Machuca y el oficio
del cual Lara habla del sub-teniente Izquierdo, para que V.S.
resuelva lo que estime conveniente. Antes he manifestado a V.S.
que S.E. está por ahora separado de todo conocimiento en los
negocios de aquella República. En Tarma se dió orden para que
todos los oficiales sueltos que había en el tránsito marchasen inmediatamente al ejército. Hoy se ha dispuesto que se separen
también los infinitos sueltos que hay por aquí para que sigan la
misma dirección que aquellos. Irán pues al ejército conduciendo
los cargamentos que se han de remitir.

Lo que S.E. dijo a V.S. en la carta particular, que V.S. cita
en su oficio del 24, sobre las operaciones de la campaña debió
considerarlo V.S. como opiniones particulares de S.E. que hasta
ahora ni ha variado, ni ha restringido, ni ha modificado siquiera
las amplias autorizaciones que concedió oficialmente a V.S. en
Sañayca. Por el contrario, confía cada día más y más en el tino,
en la prudencia y en la actividad, en los conocimientos y en las
demás cualidades que tanto distinguen a V.S. Lo que única y exclusivamente desea S.E. es la destrucción del enemigo con la

menor pérdida nuestra; y a esta operación debe V.S. contraer todas las de la campaña. Enterado V.S. de esto puede acantonar el ejército, puede V.S. continuar las operaciones activas; en fin puede V.S. obrar como lo juzgue más útil al servicio público.

Por lo que pueda importar al conocimiento de V.S. diré, de orden de S.E., que hay noticias de que han llegado a Chiloe dos corbetas de guerra españolas; que debían salir de Cádiz 3.500 hombres, para reforzar el cuerpo español en esta parte: de que la Santa Alianza no omite medio alguno, por más criminal, por más vedado que parezca, para perturbar el orden en América, para sembrar la discordia, para fomentar partidos y disensiones; por último para arruinar la obra que tanta sangre y tantos sacrificios han costado a los amantes de la libertad e independencia. Restituir la América al antiguo y vergonzoso estado de Colonias españolas; o cuando ménos levantar en ella tronos a las personas de su elección, tales son decidida y obstinadamente las miras de la liga Santa.

Por otra parte sabemos que desde el 24 de setiembre salieron de la Puná los buques que debían conducir de Panamá los 4.400 hombres de que he hablado a V.S. antes: que se esperaban por momentos el resto de las tropas hasta el completo de los 8.000 hombres. Que el día 1º salieron de Huanchaco para acá doscientos hombres de infantería, el escuadrón Lanceros de Venezuela, y doscientos hombres de caballería que remite el Prefecto de Trujillo. El Gobierno y las cartas particulares de Chile prometen que muy pronto debía salir la escuadra; y considerando que el Vice-Almirante Blanco ha sido relevado por el Capitán Froster dan fundamentos para esperar que tendrá muy pronto lugar la venida de la escuadra chilena.

Se han dado por duplicado órdenes al coronel Estomba para que remita a V.S. doscientos buenos reclutas, efectos para vestuario y todas las mulas y caballos que pueda recoger. V.S. puede, si lo tiene a bien, activarlo para que le mande todo lo expresado.

Se está solicitando una cantidad considerable de fierro, que irá toda al ejército.

Dentro de dos o tres meses sin falta tendrá V.S. un refuerzo de 5.000 hombres de infantería compuestos de las tropas que vienen de Colombia, de cuatro mil reclutas que se han pedido a los Departamentos, de doscientos que se ha pedido a las provincias de Santa, Cajatambo, Canta y Huarochiri, y de toda la parte disponible de la columna de operaciones de esta costa, relevada por las tropas de Colombia, y a más 400 o 500 caballos.

S.E. se ha impuesto con detenida meditación de la carta del general Miller del 22 de octubre en Mamara; S.E. me manda repetir lo que he manifestado a V.S. desde el principio de este oficio; esto es que obre V.S. con absoluta libertad y como convenga en las respectivas posiciones en que se encuentren el ejército del mando de V.S. y el enemigo. La victoria es cuanto desea S.E. Más S.E. recomienda a V.S. las dos consideraciones siguientes: 1ª. Que de la suerte del cuerpo que V.S. manda depende la suerte del Perú, tal vez para siempre; y la de la América entera, tal vez por algunos años. 2ª. Que como una consecuencia de ésta se tenga presente que cuando en una batalla se hallan comprometidos tantos, y tan grandes intereses como los que llevo indicados, los principios y la prudencia, y aún el amor mismo a los inmensos bienes de que nos puede privar una desgracia, prescriben una extremada circunspección, y un tino sumo en las operaciones para no librarlas a la suerte incierta de las armas, sin una plena y absoluta seguridad de un suceso.

Con los sentimientos de la más alta y distinguida consideración, soy de V.S. muy tento y humilde servidor

TOMAS DE HERES

Este notable oficio es un modelo de arte militar, por los principios enunciados y la manera amplia de dar instrucciones al lugarteniente, dejándole toda la libertad necesaria para actuar sin ninguna restricción.

El original lo conservaba Paz Soldán en su archivo. Cat. M.S. número 770. Historia del Perú Independiente, Segundo Período, I, pag. 271.

No existe en los Copiadores del Libertador por haberse perdido el cuaderno correspondiente a esa fecha. Por este motivo no se reprodujo en las obras de Blanco y Azpurúa y O'Leary.

*156.—De una copia).*

Chancay, 16 de noviembre de 1824

*A don José Larrea y Loredo.*

Mi apreciado amigo:

He leído con infinita complacencia la carta que Vd. ha tenido la bondad de escribirme participándome su llegada a las costas del Perú. También he recibido con aprecio las expresiones honrosas que Vd. me trasmite de parte del señor general Lafayette y el señor Gregoire; me ha sido doblemente satisfactorio recibir por mano de Vd. la carta que me dirige el célebre Arzobispo de Malinas; por todo lo cual doy a Vd. mis más expresivas gracias. No es menos la obligación que tengo hacia Vd. por el interés y la eficacia con que se ha servido cumplir el encargo que le confié en Guayaquil cerca de este ilustre personaje.

He sabido que el señor de Pradt ha publicado en Francia los años 22 y 23 de la Europa y América. Me tomo la libertad de suplicar a Vd. que si esta obra se halla en su poder se sirva franqueármela, y también cualesquiera otras que aun no hayamos visto en este país. Cuente Vd. que serán tratadas como ellas lo merecen y devueltas eficazmente.

Tengo en mi poder la pólvora fulminante que Vd. tuvo la bondad de entregar al coronel Heres, si Vd. tuviese alguna más le agradecería mucho me la remitiera; quiero decir el cajoncito que se le extravió.

Soy de Vd. con el mayor afecto atento servidor y amigo.

BOLIVAR

Es copia fiel del original, perteneciente a la señora María Francisca Ramos de Caballero. *Jorge Guillermo Leguía.*

*157.—Yanes y Mendoza. IV, 175).*

*Invitación a los gobiernos de Colombia, México, Rio de la Plata, Chile y Guatemala, a formar el Congreso de Panamá.*

Lima, diciembre 7 de 1824.

Exmo. Señor:

Grande y buen amigo:

Después de quince años de sacrificios consagrados a la libertad de América, por obtener el sistema de garantías que, en paz y guerra, sea el escudo de nuestro nuevo destino; es tiempo ya de que los intereses y las relaciones que unen entre si a las repúblicas americanas, antes colonias españolas, tengan una base fundamental que eternice, si es posible, la duración de estos gobiernos.

Entablar aquel sistema y consolidar el poder de este gran cuerpo político, pertenece al ejercicio de una autoridad sublime, que dirija la política de nuestros gobiernos, cuyo influjo mantenga la uniformidad de sus principios, y cuyo nombre sólo calme nuestras tempestades. Tan respetable autoridad no puede existir sino en una asamblea de plenipotenciarios nombrados por cada una de nuestras repúblicas, y reunidos bajo los auspicios de la victoria, obtenida por nuestras armas contra el poder español.

Profundamente penetrado de estas ideas invité en ochocientos veintidos, como presidente de la república de Colombia, a los gobiernos de México, Perú, Chile y Buenos Aires, para que formásemos una confederación, y reuniésemos en el Istmo de Panamá u otro punto elegible a pluralidad, una asamblea de plenipotenciarios de cada Estado "que nos sirviese de consejo en los grandes conflictos, de punto de contacto en los peligros comunes, de fiel intérprete en los tratados públicos cuando ocurran dificultades, y de conciliador, en fin, de nuestras diferencias".

El Gobierno del Perú celebró en seis de julio de aquel año un tratado de alianza y confederación con el plenipotenciario de Colombia; y por él quedaron ambas partes comprometidas a interponer sus buenos oficios con los gobiernos de la América, antes española, para que entrando todos en el mismo pacto, se verificase la reunión de la asamblea general de los confederados. Igual tratado concluyó en México, a tres de octubre de ochocientos veintitrés, el enviado extraordinario de Colombia a aquel Estado; y hay fuertes razones para esperar que los otros gobiernos se someterán al consejo de sus más altos intereses.

Diferir más tiempo la asamblea general de los plenipotenciarios de las repúblicas que de hecho están ya confederadas, hasta que se verifique la accesión de los demás, sería privarnos de las ventajas que produciría aquella asamblea desde su instalación. Estas ventajas se aumentan prodigiosamente, si se contempla el cuadro que nos ofrece el mundo político, y muy particularmente, el continente europeo.

La reunión de los plenipotenciarios de México, Colombia y el Perú, se retardaría indefinidamente, si no se promoviese por una de las mismas partes contratantes; a menos que se aguardase el resultado de una nueva y especial convención sobre el tiempo y lugar relativos a este grande objeto. Al considerar las dificultades y retardos por la distancia que nos separa, unidos a otros motivos solemnes que emanan del interés general, me determino a dar este paso con la mira de promover la reunión inmediata de nuestros plenipotenciarios, mientras los demás gobiernos celebran los preliminares que existen ya entre nosotros, sobre el nombramiento e incorporación de sus representantes.

Con respecto al tiempo de la instalación de la Asamblea, me atrevo a pensar que ninguna dificultad puede oponerse a su realización en el término de seis meses, aun contando el día de la fecha; y también me atrevo a lisonjear de que el ardiente deseo que anima a todos los americanos de exaltar el poder del mundo de Colón, disminuirá las dificultades y demoras que exijan los preparativos ministeriales, y la distancia que media entre las capitales de cada Estado, y el punto central de reunión.

Parece que si el mundo hubiese de elegir su capital, el Istmo de Panamá sería señalado para este augusto destino, colocado como está en el centro del globo, viendo por una parte el Asia, y por la otra el Africa y la Europa. El Istmo de Panamá ha sido ofrecido por el Gobierno de Colombia, para este fin, en los tratados existentes. El Istmo está a igual distancia de las extremidades:

y por esta causa podría ser el lugar provisorio de la primera asamblea de los confederados.

Defiriendo, por mi parte, a estas consideraciones, me siento con una grande propensión a mandar a Panamá los diputados de esta república, apenas tenga el honor de recibir la ansiada respuesta de esta circular. Nada ciertamente podrá llenar tanto los ardientes votos de mi corazón, como la conformidad que espero de los gobiernos confederados a realizar este augusto acto de la América.

Si V.E. no se digna adherir a él, preveo retardos y perjuicios inmensos, a tiempo que el movimiento del mundo lo acelera todo, pudiendo también acelerarlo en nuestro daño.

Tenidas las primeras conferencias entre los plenipotenciarios, la residencia de la Asamblea, como sus atribuciones, pueden determinarse de un modo solemne por la pluralidad; y entonces todo se habrá alcanzado.

El día que nuestros plenipotenciarios hagan el canje de sus poderes, se fijará en la historia diplomática de América una época inmortal. Cuando, después de cien siglos, la posteridad busque el origen de nuestro derecho público, y recuerden los pactos que consolidaron su destino, registrarán con respeto los protocolos del Istmo. En él encontrarán el plan de las primeras alianzas, que trazará la marcha de nuestras relaciones con el universo. ¿Qué será entonces el Istmo de Corinto comparado con el de Panamá?

Dios guarde a V.E.

Vuestro grande y buen amigo,

BOLIVAR

El Ministro de Gobierno y Relaciones
            Exteriores,

JOSE SANCHEZ CARRION

# 1825

*158.—Del original).*

Lima, a 9 de enero de 1825

*Señor don Juan Antonio Tabara.*

Trujillo

Apreciado señor:

El hermano de Vd. don Santiago me ha escrito desde Piura diciéndome que en poder de Vd. se encuentran los Diarios de Santa Elena por el Conde Las Cases y el suplemento de O'Meara. Como estas son obras que yo deseo ver, he querido aprovecharme de la oferta de su hermano, y suplico a Vd. se sirva remitírmelas en primer correo.

Si en algo puedo serle a Vd. útil mande a su afectísimo servidor.

BOLIVAR

Publicada por Andrés Eloy de la Rosa en "Firmas del Ciclo Heróico", página 430.

———

*159.—Del original).*

Lima, a 14 de enero de 1825.

*Señor general A. J. de Sucre.*

Mi querido General:

Don Santiago Igualt marcha a Arequipa casi unicamente con el objeto de poner a disposición de Vd. las mercancías y dinero de que puede disponer como apoderado de Cotera, y también lo que pueda suministrar al ejército. Este caballero se encargará con gusto de cualquier encargo que Vd. le haga.

Repito que Vd. debe tomar las mercancías a los precios más equitativos, ajustándolas antes de recibirlas, pues no estamos ahora para pagar las cosas más caro que otro.

Adios mi querido general. Soy de Vd. de corazón.

BOLIVAR

Del archivo de Sucre.

_____

160.—*De una copia de la época*).

Lima, a 14 de enero de 1825.

*Señor General Antonio José de Sucre,* &., &., &.

Mi querido General:

Don Santiago Igualt que marcha a Arequipa conduce mil varas de paño fino para uniformes de nuestros oficiales y 20 cajas de champagne rojo para que Vd. lo tome en mi nombre.

Yo deseo que Vd. trate a Igualt como a uno de sus amigos y me aprovecho de esta ocasión para recomendárselo. El me ha ofrecido hacer por el ejército cuanto esté a su alcance, y cumplir con eficacia cualquiera encargo que Vd. le quiera hacer.

Soy de Vd. de corazón.

BOLIVAR

Es copia conforme

S. IGUALT

Del archivo de Sucre.

_____

*161.—De fotografía del original).*

Lima, 16 de marzo de 1825.

Señor Dr. Dn. G. Funes

Amigo y Señor:

Ayer he recibido la apreciable carta de Vd. del 1º de febrero, por la cual se queja Vd. de mi silencio. Yo nada extraño que Vd. no haya podido recibir mis comunicaciones; porque nuestros agentes en Chile han estado privado de ellas por causas que ignoramos aunque por nuestra parte las hemos repetido muy frecuentemente. Ciertamente, no debía Vd. atribuir a desprecio este silencio, pues sin duda debe haber llegado a noticia de Vd. la muy debida consideración que le profeso y a sus muy distinguidos servicios y talentos. Yo, a la verdad no tengo muchas correspondencias familiares ni tiempo para llevarlas; pero con Vd. no he faltado a la que debía.

El señor Mosquera ha remitido para Vd. algunas cartas y oficios: no sé si las ha recibido; y nosotros hemos dirigido las comunicaciones de Vd. al mismo Mosquera.

Yo no me atreví a mandar a Vd. el nombramiento de agente del Perú; porque las relaciones de este país con el Rio de la Plata deben ser muy delicadas (\*) y por los mismo su representación debe ser igualmente independiente del espíritu nacional, y de los deberes de ciudadano del país. Además el derecho público tiene sus dificultades para aceptar tales nombramientos en agente de otro Gobierno y súbdito del país en que está acreditado. También diré de paso que el Gobierno de Buenos Aires por sus papeles públicos me ha considerado muy poco, y no quería yo darle pasto a su crítica. Pero amigo mío, crea Vd. que yo tengo el mayor aprecio y gratitud por los servicios y ofertas que Vd. nos ha hecho. El tiempo le dará a Vd. un testimonio de ello.

Me consuelo por otra parte con la idea de que Vd. nos servirá más utilmente en su diputación al Congreso de su patria. En él podrá Vd. servirnos a todos.

_____

(\*) El original dice dedicadas.

Bien veo por lo que Vd. me dice, que la federación va a establecerse en ese país; y pienso además que este sistema es casi inevitable en el Rio de la Plata, por la naturaleza de los gobiernos que han precedido.

Convengo con el mayor placer en la idea de Vd. de mantener una correspondencia privada que nos sea conveniente a todos.

Pronto parto para el Alto Perú a disponer los negocios de aquel país, según las miras de este Congreso, el cual ha reservado la decisión final del derecho de posesión de aquellas provincias a una negociación entre los congresos de los dos países luego que uno y otro se hayan instalado, según las leyes fundamentales.

Si Vd. quiere escribirme por medio de sus amigos por aquella vía, me será muy agradable recibir sus noticias. Quisiera Dios que yo pudiese verlo para entonces para tener el gusto de conocerlo y abrazarlo.

Soy de Vd. con la mayor consideración atento servidor.

BOLIVAR

Contestada por el Dr. Funes el 26 de mayo de 1825. O'Leary XI. pág. 130. Esta carta, las otras dirigidas al mismo Dr. Funes, y la escrita al Dr. Díaz Vélez, reproducidas adelante, fueron publicadas en la Revista de la Biblioteca Nacional de Buenos Aires. Tomo I. No. 1; y esta importante institución nos obsequió galantemente fotografías de los originales, conservados en sus archivos.

---

*162.—De una copia).*

Magdalena, 8 de abril de 1825.

*Al señor P. Molina, diputado del Gobierno de Guatemala.*

Muy señor mío de mi mayor aprecio:

He tenido la honra de leer la carta favorecida de Vd. del 20 de enero, en Bogotá, por la cual Vd. se sirve acusarme recibo de la mía de 18 de diciembre.

Me sería muy satisfactorio, tanto por el honor de Vd. como por el bien de la América, que la misión con que su Gobierno quiso favorecerlo, tenga el éxito más completo y brillante. De ella dependen quizás la felicidad y el poder de la América; y a ella estoy enteramente consagrado porque el pacto federal, que es el lazo común debe ligar nuestra suerte a perpetuidad. Yo me lisonjeo con la idea halagüeña de ver muy pronto realizado en el Istmo el Congreso de las Naciones Americanas, y también cuento con que Guatemala será siempre la Nación más federal de cuantas compongan nuestra verdadera Santa Liga.

Mucho anhelo por ver a Vd. en ese país llenando la parte que le corresponde en el glorioso encargo de reunirnos a todos bajo una ley común de bien y libertad.

Suplico a Vd. se sirva recomendarme a la memoria del señor Gonzalez digno Secretario de Vd.

Aprovecho la oportunidad de renovarle mi distinguida consideración y aprecio.

BOLIVAR

Publicada por primera vez en el "Diario de Centro América", el 30 de agosto de 1909, por el general José María Moncada, Presidente de Nicaragua. El doctor Pedro Molina, nieto del prócer a quien fué dirigida, conservaba el original. Reproducida en el número de setiembre de 1932, de los Anales de la Sociedad de Historia y Geografía, de Guatemala; y en la Esfera de Caracas, setiembre de 1933, con explicaciones del doctor Hector García Chuecos.

———

163.—*De una copia*).

Ica, 20 de abril de 1825

*A la Señora Manuela Saenz.*

Mi buena y bella Manuelita:

Cada momento estoy pensando en tí y en la suerte que te ha tocado. Yo veo que nada en el mundo puede unirnos bajo los auspicios de la inocencia y del honor. Lo veo bien y gimo de tan horrible situación por tí, porque te debes reconciliar con quien no amabas, y yo porque debo separarme de quien idolatro. Si, te idolatro hoy más que nunca jamás. Al arrancarme de tu amor y de tu posesión se me ha multiplicado el sentimiento de todos los encantos de tu alma y de tu corazón divino, de ese corazón sin modelo. Cuando tu eras mía yo te amaba más por tu genio encantador que por tus atractivos deliciosos, pero ahora ya me parece que una eternidad nos separa porque por mi propia determinación me veo obligado a decirte que un destino cruel pero justo nos separa de nosotros mismos. Si, de nosotros mismos puesto que nos arrancamos el alma que nos daba existencia, dándonos el placer de vivir. En lo futuro tu estarás sola aunque al lado de tu marido, yo estaré solo en medio del mundo. Solo la gloria de habernos vencido será nuestro consuelo. El deber nos dice que no seamos más culpables, no, no lo seremos más.

Compárese esta versión, que nos facilitó el señor Eduardo Zuleta, Ministro de Colombia, con la del tomo IV, página 315, de nuestra Colección.

----

*164.—De fotografía del original).*

Arequipa, 28 de mayo de 1825.

*Señor Dr. Dn. Gregorio Funes.*

Mi apreciado amigo y señor:

Supongo que Vd. estará ya informado de la invasión que ha hecho un oficial del Brasil, sobre la provincia de Chiquitos, en el Alto Perú. Yo no he podido creer que esta medida tan injusta como impolítica haya sido tomada por orden del Emperador del Brasil; porque esto sería envolverse a sí mismo en una inmensidad de males que apenas alcanzamos a calcular. Sin embargo, como todo puede suceder, yo deseo que Vd. tenga la bondad de escribirme por tierra, informándome de todo lo que Vd. sepa con respecto al Brasil y muy particularmente lo que tiene relación con el último atentado contra Chiquitos; y si acaso los españoles han tenido alguna parte en esta invasión por medio del influjo que puedan haber adquirido en el Janeiro. Vd. puede dirigirse también al general Sucre e informarle el estado de los negocios de Buenos Aires.

Los negocios del Alto Perú marchan con mucha regularidad desde la batalla de Ayacucho. Otro tanto sucede en Colombia y en el Perú.

Nada sabemos detalladamente de los progresos que Vds. hagan en la composición de ese gobierno argentino, cuya solidez me interesa mucho en el día para que pueda oponerse a esos temerarios realistas del Janeiro.

Vd. sabrá que el general Arenales ha instado mucho al general Sucre porque se reuna la asamblea de Representantes del Alto Perú. El mismo Arenales me manifiesta que estos son los deseos del gobierno argentino. En consecuencia he dado el decreto que Vd. verá en la gaceta que acompaño. Yo no quería dar tal decreto porque no me creía autorizado para ello; pero los Mariscales de Ayacucho y Arenales me han comprometido de un modo que no me ha quedado otro arbitrio que el de ceder para disgustar al Perú y al Rio de la Plata, pues el Alto Perú lo que desea es declararse independiente y constituir una república separada.

La federación de México, Guatemala, Colombia y el Perú, se ha verificado y sus diputados deben estar en el Istmo de Panamá en el mes de junio. Lograda esta asamblea, mucho debemos adelantar en la causa común.

Si el Rio de la Plata quiere que las tropas del Perú hagan una invasión en el Paraguay, avísemelo Vd. pues entiendo que no es difícil por el rio Bermejo. Esta operación nos facilitaría otras ventajas, en caso de que el Brasil continúe con sus temeridades. También me ocurre otra idea; y es que si Chile no ocupa inmediatamente a Chiloe, los españoles entregan aquella isla a alguna potencia de Europa y nos hará mucho daño después. Si a Vd. le parece bien, dé Vd. sus pasos por allá sobre este particular para que ese Gobierno inste al de Chile a fin de que obre activamente sobre aquella isla. Como el Gobierno de Buenos Aires es muy amigo del de Chile, puede ser oído con más confianza, seguido con más docilidad. Yo tomaría a Chiloe; pero no lo hago por no excitar celo entre los chilenos que temen mi influencia en sus negocios domésticos. Cuando yo me abstengo hasta de responder a las cartas particulares por que no se diga de que mantengo correspondencia secreta en su país. Otro tanto me sucede con respecto a Buenos Aires; y es esta la causa por que cometa la impolítica de no responder a los que me favorecen con sus cartas. Sírvame esta excusa con Vd. pero deseo, sin embargo, que Vd. me escriba todo lo que pueda.

En el mes de agosto estaré en el Alto Perú.

Me parece un paso muy importante, el de consultar la opinión del agente británico en esa capital sobre el modo con que recibiría la Inglaterra una guerra del Brasil con nosotros. Si ese caballero, no sabe o no se atreve a responder a la cuestión, podría Vd. decirle que yo deseo que consulte a su gobierno sobre este negocio. Yo sé muy buen que no hay guerra buena y que la Inglaterra, que vive del comercio, no puede desear sino la paz de sus mercados; más también sé que nosotros debemos defendernos contra las agresiones atroces de un Gobierno tan inmoral que desprecia absolutamente el derecho de gentes invadiendo el territorio amigo y amenazando con un exterminio absoluto a los que resistan.

También sería importante que Vd. viese al Ministro de Relaciones Exteriores de ese Gobierno para que se sirviese dar sus pasos con los agentes británicos residentes en Buenos Aires y Rio de Janeiro, a fin de que si dichos agentes lo tenían a bien, nos informase de las miras de ese Gobierno Brasilence y de las relaciones que lo ligan con la Europa. En fin, todo esto es importantísimo; pero por lo mismo, yo creo que Vd. debe manejarlo con mucho tino y discreción.

Nuestros agentes de Europa y América se encargarán de esta misma comisión que Vd.

Reciba Vd. las expresiones de mi consideración y respeto.

BOLIVAR

Contestada el 26 de agosto. O'Leary XI. 139.

*165.—Del original).*

Cuzco, 27 de junio de 1825.

*Al ciudadano Cayetano Carreño.*

Caracas.

Mi querido amigo:

Su hermano de Vd. y mi maestro, Simón Rodríguez, me ha suplicado que ponga a las órdenes de doña María de los Santos, su esposa, cien pesos al mes hasta el completo de tres mil pesos que ha puesto a mi disposición de los que debe recibir de este gobierno, que lo tiene empleado en arreglar la educación pública de esta República.

Créame Vd., mi querido amigo, su hermano de Vd. es el mejor hombre del mundo; pero como es un filósofo cosmopolita, no tiene ni patria, ni hogares, ni familia, ni nada. Este dinero jamás lo ha poseído hasta ahora porque es tan desinteresado que no quiere ni pide cosa alguna. Se ha puesto a trabajar por ganar esta cantidad y me ha rogado que la adelante a Vds. con el fin de aliviar a su infeliz mujer que ama entrañablemente.

El año que viene nos iremos para Colombia, y allá nos veremos,

Soy de Vd. afmo. amigo.

BOLIVAR

Recomiéndeme Vd. a la memoria de toda su apreciable familia.

———

*166.—Del borrador).*

Lampa, 3 de agosto de 1825.

*Al Exmo. Señor Presidente de la Asamblea General del Alto Perú.*

Exmo. Señor:

Con suma satisfacción tuve la honra de recibir ayer un despacho de V.E. de 19 de julio, por el cual me he instruído de la instalación del Cuerpo Representativo de las Provincias del Alto Perú.

Al nacer esos dignos ciudadanos a la vida política, mi corazón palpita de gozo; porque veo que, en un solo día, el mundo liberal se ha aumentado con un millón de hombres.

Bien dignos eran ciertamente los hijos de La Plata y de La Paz de representar en el orden político, y de hacer uso de sus derechos, antes sumergidos en el abismo de una esclavitud inmemorial.

Ya que los destinos han querido que sean los Altoperuanos los últimos que en América han entrado en el dulce movimiento de la Libertad, debe consolarles la gloria de haber sido los Primeros que vieron diez y siete años ha, el crepúsculo que dió principio al gran día de Ayacucho.

V.E. a nombre de la Asamblea, me honra extraordinariamente, suponiéndome capaz de dar protección a todo un pueblo, y de servirle de guía en su nueva carrera . . . La bondad de esa Asamblea me humilla; no encontrando en mí esas potencias que requiere la salud de una sociedad naciente; más cualesquiera que sean mis facultades y talentos, me emplearé todo entero en servicio del Alto Perú; porque no puedo burlar la confianza de un pueblo generoso, que me cree digno de ella. El Alto Perú debe contar con mi espada y con mi corazón: no tengo más que ofrecer.

Sírvase V.E. manifestar a la Asamblea General que preside los sentimientos que le profeso y la alta consideración con que soy de V.E. atento servidor.

BOLÍVAR

Reproducida en la obra "Documentos Referentes a la Creación de Bolivia", I, 278. El señor Tomás Arana posee el original en Sucre, Bolivia.

BOLIVAR
Por Tenerani. Se conserva en Popayán.

167.—"*El Congreso de Panamá*".
    *R. Porras Barrenechea, 451*).

La Paz, 30 de agosto de 1825.

*Señor don Manuel Lorenzo Vidaurre.*

Celebraré mucho, mi querido amigo, el que Vd. haya dado principio al pacto que debe guardarse en el arca de la alianza. Feliz Vd. si ha visto reunir a los anfictiones americanos, y si el Istmo de Panamá ha representado la segunda escena del de Corinto, que vió reunir en su seno embajadores libres de repúblicas gloriosas. Pero no permita el cielo que la duración de nuestra vida, sea como aquellas naciones griegas que más parecían existir para contemplar simples relámpagos de libertad, seguidos de horrendas tempestades de tiranía en lugar de vivir para ser hombres y ciudadanos dichosos. No temo los escollos del mar Egeo en las pacíficas costas de nuestro océano, porque toda mi confianza está fijada en la sabiduría de nuestros legisladores políticos. De Vds. depende la existencia de un mundo entero que desea libertad y gloria y que ha roto sus cadenas para gozar de la paz bajo el celeste movimiento del orden de la naturaleza, cuyas leyes desea practicar para alcanzar el fin de la sociedad. A tan altos destinos ¿no se siente Vd. arrebatar por el fuego de su imaginación y por la fuerza de su amor patrio? Me parece que Vd. está tan lleno de la inmensidad de su deber, que es muy posible que ese genio eléctrico de que Vd. está animado debe haber recibido algunos grados de intensidad. Pero, amigo, la sabiduría no está en el sol, y aunque es hija de Jupiter no la creó en su fulminante arqueada, sino en su fría mente. Así pues, haga Vd. salir de su corazón y de su pensamiento, todo su calor de la zona tórrida que lo abraza a Vd. y además viva Vd. en las aguas del Pacífico y del Atlántico (que bien cerca las tiene) para que confeccione sus ideas bajo un temperamento tan frío como el de Washington sin dejar de tener la elevación de Franklyn que con su mano tomó al cielo su *fulmine*.

Mi querido amigo, reciba Vd. las expresiones de mi cordial afecto, sin extrañar que yo no frecuente su amable correspondencia por puntillos de delicadeza que el señor Pando dirá a Vd.

Soy de Vd. afectísimo servidor y amigo.

BOLIVAR

---

*168.—De fotografía del original).*

La Paz, 3 de setiembre de 1825.

*Señor Dr. Dn. Gregorio Funes.*

Mi estimado amigo:

He recibido en estos días dos favorecidas cartas de Vd. en que me trata de sus negocios con el Gobierno por lo que respecta a los negocios de Colombia y a la calumnia del nacional. Yo no dudo que Vd. saldrá con aire y vencedor de sus enemigos.

He sabido por el general Sucre las dificultades que Vd. tiene con respecto a dinero, Vd. puede girar sobre mí tres mil duros los que mandaré pagar por cuenta del gobierno de Colombia mientras Vd. arregla sus asuntos con él.

Escribí a Vd. desde Arequipa suplicándole se sirviese ver a los agentes ingleses residentes en esa capital con la mira de consultarles sobre la opinión del Gobierno Británico en caso de una guerra entre el Brasil y nosotros; pues la invasión de Chiquitos y las amenazas por la parte de Montevideo nos obligan a considerar seriamente esta cuestión: la que puede haber sido ya tratada con el gobierno inglés por esos señores del gobierno de Buenos Aires, y por lo mismo el señor Parish puede conocer las intenciones de su gobierno en esta materia.

Espero que Vd. dé este paso con toda la prudencia y sabiduría que corresponde para que no nos produzca algún efecto poco favorable, con el emperador del Brasil o en el espíritu del gobierno inglés, que según entiendo toma mucho interés por la integridad del Brasil.

Soy de Vd. afmo. amigo y servidor.

BOLIVAR

Contestada el 18 de octubre. O'Leary XI. pág. 146.

---

*169.—Del original).*

Oruro, 25 de setiembre de 1825

*Al general Francisco Rodríguez del Toro. (Marqués del Toro).*

Mi querido Marqués:

Muchos meses ha que no veo una carta de Vd. al mismo que he recibido otras de otros. Así sucede siempre, lo que uno más desea es lo que menos obtiene. Yo, ciertamente ansío por saber de su salud, la de su familia que amo como la mía misma y también de mi querida Venezuela que adoro sobre todas las cosas. Vd., mi querido Marqués, no debe extrañar en nada la falta de mi correspondencia: yo no pertenezco a mí mismo como Vd. sabe, sino a mis compromisos, que son establecer el orden y asegurar la libertad de los pueblos. Por esto mismo, he dispuesto el envío de 1600 hombres de los de Junín y Ayacucho, en un hermoso batallón y un brillante escuadrón, que a estas horas están embarcándose en el puerto de Arica, para atravesar el Istmo y seguir a Venezuela, donde he deseado que se fijen estas tropas. Dentro de dos meses saldrán del Callao otros tantos hombres con las mismas cualidades y con el mismo destino. La división del general Lara que está en Arequipa, también irá a Venezuela en el año entrante y para consuelo de Vd. y la prosperidad de nuestra patria, yo me he determinado a visitarlos después de haber mandado por delante estas tropas, que no bajarán de 12.000 hombres. Diga Vd. todo esto a todos mis amigos y parientes.

En una gaceta de Colombia he visto que el pueblo de Caracas me ha hecho un honor, que no sé cómo agradecer pues cuanto hagan mis paisanos de nacimiento por mí, tiene a mis ojos un mérito superior a cuanto pueda hacer toda la América. Manifieste Vd. a todos esos señores, amigos y compatriotas, estos mismos sentimientos dictados por mi corazón.

Nuestro ejército en el Perú se ha llenado de una gloria inmortal, gloria que sólo puede perecer con dos estados que le deben su libertad y aun con la América que le es deudora de su tranquilidad. Digo dos estados, porque en Ayacucho se fijó para siempre la independencia del Bajo Perú y aun se dió a la luz la nueva república que ha querido tomar mi nombre y el del general Sucre para hacerlos tan inmortales como ella misma. ¿No se siente Vd. arrebatar por el entusiasmo de la gloria al oir tan bellas cosas, Vd. que fué el primero en llevarlos al combate y Vd. que fué mi primer coronel, mi primer general?

Salude Vd., mi querido Marqués, a todos nuestros amigos y parientes y crea que Vd. y toda su familia están muy inmediatos al corazón de,

BOLIVAR

———

*170.—De fotografía del original).*

Potosí, 12 de octubre, de 1825.

*Señor Dn. J. G. Funes.*

Mi estimado amigo y señor:

El 7 en la noche, han llegado felizmente a esta villa los señores general Alvear y Díaz Vélez, enviados por el gobierno y congreso de Buenos Aires, que aguardamos con la mayor ansiedad, por el interés que encierra su misión.

He tenido dos largas conferencias, que en substancia se reducen a manifestarme la deferencia y consideraciones que me tributan el gobierno y pueblo argentino: a darme una idea de la actual situación del Rio de la Plata con respecto al Brasil y ultimamente pidiéndome auxilios, en caso de una ruptura entre estos dos partidos. Vd. bien podrá conocer el embarazo en que me hallo, ahora, que tengo que tratar con una misión de tanta importancia por lo dificil y aún delicado de mi posición. Yo, con respecto a Colombia y aún el Perú, no puego decidir de sus opiniones, menos de sus intereses, sin consultar sus cuerpos legislativos de quienes dimana mi autoridad. Pero, no por esto, dejaré de contribuir con todo mi influjo al éxito de una negociación que es de un tal, hasta ahora no conocido en América. Así lo he prometido a estos señores enviados.

Con motivo de estas ocurrencias, renuevo a Vd. las súplicas que antes le he hecho con el objeto de que Vd. implore con la mayor circunspección, cual es la opinión del Ministro y agentes ingleses tocante a una guerra con el Brasil; pues creo, que nos sería peligroso comprometerla sin conocerla de antemano. Yo espero que Vd. no dejará de dar este paso, lo mismo que el de informarme detalladamente, de los recursos interiores y exteriores: de las fuerzas físicas y morales con que cuenta Buenos Aires, por si mismo para sostener su guerra. En esto hará Vd. un gran servicio a la causa y me facilitará de un modo muy eficaz, los cálculos que naturalmente debo hacer, en un negocio que merece tanta y tan detenida meditación.

Puede Vd. mi estimado señor, librar contra mi la cantidad de tres mil pesos, que estoy pronto a satisfacer a cuenta de los sueldos que Vd. tiene devengados en la comisión que le ha confiado Colombia y que Vd. ejerce tan dignamente. Yo sé que la fortuna de Vd. es bastante escasa, y nada es tan justo como corresponder, en algún modo a los servicios de Vd.

Soy de Vd. afmo. servidor y amigo.

BOLIVAR

Deseo vehementemente saber cual es el estado de los negocios del Emperador del Brasil con la Gran Bretaña y cual es el objeto y aun el resultado de la misión de Sir Carlos Stewart en la corte de Lisboa.

Suplico a Vd. dirija la adjunta por el paquete.

Contestada el 26 de noviembre de 1825. O'Leary XI, 150.

*171.—"Cartas de Bolívar" R. Blanco-*
 *Fombona 1825-1827. 67).*

Potosí, 16 de octubre de 1825.

*Exmo. Señor Almirante Blanco de la Encalada.*

Mi estimado Almirante:

El correo de ayer ha puesto en mis manos la estimable carta de Vd. del 13 de agosto en Lima, en que Vd. se interesa tan noble y generosamente por la familia Moreira. Me es agradable decir a Vd. que había mandado cumplir la sentencia que se diese por el Tribunal a favor de Moreira.

Me dicen que Vd. estaba al partir para Chile y no quiero perder la ocasión de volver a hablarle sobre el importante asunto de Chiloé. Yo no dudo, mi querido Almirante, que Vd. lo verá con todo el interés que le inspira su patriotismo y la dicha de su patria. Chiloé puede decirse es la llave del Pacífico, y yo temo mucho que Quintanilla lo entregue a alguna nación extranjera antes que ver el archipiélago en manos de los americanos.

Confío, pues, en que Vd. agitará este negocio con su gobierno, y no perdonará diligencia alguna a fin de lograr un objeto tan interesante a Chile y al Pacífico: la rendición de Chiloé,

BOLIVAR

---

*172.—De Fotografía del Original).*

Chuquisaca, a 5 de noviembre de 1825

*Al señor Dr. Dn. Gregorio Funes.*

Mi estimado amigo y señor:

Después de escrita la carta de hoy que acompaño, he recibido dos de Vd. que contesto. He visto, y quedo enterado de las noticias que contiene la del 28 de setiembre, y repito las gracias.

Antes de ahora, he dicho a Vd. que libre contra mí la cantidad de tres mil pesos que mandaré pagar inmediatamente por cuenta del gobierno de Colombia a quien Vd. ha servido tan dignamente en la agencia de sus negocios. Vd. hablándome de si mismo, me dice, que todo quedaría allanado dándole cualquier acomodo en cualquier iglesia. Sin duda que nada me sería tan agradable, como verlo a Vd. colocado en la iglesia de Bolivia, o en la que Vd. eligiese; más Vd. debe indicarme con franqueza cual es el destino y el lugar en la que Vd. desea pasar con honradez y quietud el resto de sus días, ya que los que han pasado los ha consagrado al servicio de la patria. Dígame pues, con toda libertad lo que Vd. desea, seguro de que mi vehemente anhelo es servir y complacer a Vd.

Soy de Vd. afmo. servidor.

BOLIVAR

Véase carta del Dr. Funes de 26 de diciembre de 1825. O'Leary XI, 156.

---

*173.—De fotografía del original).*

Chuquisaca, a 6 de noviembre de 1825

*Señor Dr. Dn. Gregorio Funes.*

Estimado amigo y señor:

En Potosí tuve la satisfacción de recibir la larga y noticiosa carta de Vd. en que me habla de cuanto yo podía haber deseado saber en las actuales circunstancias. Doy a Vd. pues mis más cordiales gracias por el contenido de su estimable carta y suplico a Vd. continúe dándome cuantas noticias políticas y militares pueda Vd. adquirir, particularmente sobre el estado de cosas en el Brasil e Inglaterra.

Mando a Vd. copia de una circular que propone la compra

de las minas del Alto Perú, que como Vd. sabe son numerosas y vírgenes. Yo deseo que Vd. la haga correr entre los comerciantes y empresistas de esa ciudad, y aún en Inglaterra, a fin de obtener para este país las ventajas que le pueden resultar, ahora que todos los capitales ingleses quieren emplearse en minas. Tenga Vd. la bondad de avisarme el resultado de este encargo y tener presente que el Alto Perú no dará sus minas menos de tres millones de pesos.

Soy de Vd. afmo. amigo y servidor.

BOLIVAR

---

174.—*"El Congreso de Panamá"*
    *R. Porras Barrenechea, 446*).

Plata, 11 de noviembre de 1825.

*Al señor don Manuel Lorenzo Vidaurre.*

Mi estimado amigo:

En Potosí, la noche de San Simón, tuve el gusto de recibir la estimable carta de Vd. en que me pregunta si yo permaneceré en el Perú. Diré a Vd. francamente que mi intención es renunciar a todo mando en él, dejar a su congreso general, que se instalará el 10 de febrero, precisamente, en la más amplia libertad para sus deliberaciones, para que promulgue y sancionen las leyes que quieran dar a su patria y determinen de su suerte. Sin duda que ninguno mejor que ellos pueden hacer el bien de la nación, porque ellos la representan en toda su plenitud. Estos son mis sentimientos, mi estimado amigo, y crea Vd. que yo los realizaré.

He sentido infinito que Vds. se hayan encontrado solos en el Istmo, y aun es más sensible que se dilate la instalación del gran congreso tan solo por falta de los diputados ya nombrados. No obstante a Vds. debe consolarles la idea de ser los primeros que han tenido la gloria de pisar la tierra destinada a ser recordada como la más venturosa.

He visto las noticias que Vd. me comunica sobre españoles y franceses en la Habana y Puerto Rico; yo he tomado mis medidas para todos los casos, y no olvide Vd. que yo puedo disponer de veinte mil hombres que marcharán a donde los llame la salud de la América y yo mismo los conduciría si el peligro fuese excesivo.

Tenga Vd. la bondad de saludar al señor Pando su digno compañero.

Soy de Vd. su afectísimo amigo.

BOLIVAR

---

175.—*"Cartas de Bolívar" R. Blanco-Fombona, 1825-1827. 91*).

La Plata, 12 de noviembre de 1825.

*Exmo. Señor don Bernardo O'Higgins.*

Mi querido general:

En días pasados tuve el placer de recibir una carta de Vd. y de contestarla. Esta mañana han llegado noticias de Chile de que voy a hablar a Vd. Parece que ha habido movimientos revolucionarios en aquel país desgraciado, en consecuencia de la resistencia de Centeno a obedecer una orden del gobierno. Freire entonces renunció y se retiró al campo. Una Junta Popular enseguida nombró al coronel Sánchez en su lugar, pero al poco rato algunos militares se fueron donde Freire y éste a su cabeza se presentó en la ciudad, depuso y arrestó a Sánchez y algunos miembros de la Junta que le había nombrado.

Deseo ahora, mi querido General, saber definitivamente las intenciones de Vd. Escríbame Vd. con extensión y persuádase del interés que me tomo en la prosperidad de Vd.

Soy de Vd. afectísimo amigo.

BOLIVAR

---

*176.—Del original).*

Chuquisaca, 27 de noviembre de 1825

*Al general Laurencio Silva.*

Mi querido general:

Acabo de recibir la agradable carta de Vd. sobre el mando de la caballería. Nada sé de todo esto. Crea Vd. que yo lo amo a Vd. mucho y por lo mismo siento esos enredos que no entiendo. Vd. debe volver a Colombia con su división y por lo mismo no debe venir aquí.

Soy de Vd. el mejor amigo.

BOLIVAR

P.D. El Libertador me ha mandado continuar esta carta, porque él se ha ido a una función. El Libertador le dice a Vd. que lo quiere a Vd. mucho, mucho, pero que Vd. no puede separarse de su división porque es en ella necesario.

Siempre su afmo.

J. J. SANTANA

———

*177.—De fotografía del original).*

Plata, a 6 de diciembre de 1825

*Al señor Dr. Dn. Gregorio Funes.*

Estimado amigo y señor:

El correo de ayer ha puesto en mis manos las dos estimables cartas de Vd. del 18 de octubre. He visto todas las noticias que Vd. me comunica, aunque ya habíamos recibido otras muy posteriores. Sabíamos la llegada del señor Rivadavia: la admisión de los Diputados de la Banda Oriental, al Congreso General, y hemos leído el decreto de este mismo cuerpo sobre aquella provincia. Estos son sucesos de mucha importancia y por lo mismo he sentido que Vd. nada me haya dicho, bien que considero que todo habrá tenido lugar después de escrita su carta del 18.

Quedo enterado de lo que Vd. me dice sobre el libramiento de los tres mil pesos a favor de D. Diego Brittany. En el momento que se me presente será satisfecho. Vd. podrá imaginarse con cuanto gusto lo haré ahora que estoy informado de sus necesidades.

De Buenos Aires vienen extraordinarios con bastante frecuencia, y si Vd. quiere aprovecharlos para escribirme, yo estaría impuesto de sus noticias con más velocidad que las que me trae el correo que siempre es lento.

Soy de Vd. su afectísimo amigo.

BOLIVAR

Contestada el 10 de enero de 1826. O'Leary XI, 161.

# 1826

*178.—De fotografía del original).*

Plata, a 5 de enero de 1826.

*Al señor doctor don Gregorio Funes.*

Estimado amigo y señor:

El congreso peruano va a instalarse el 10 de febrero próximo, y yo he creído, que, es de mi deber dar cuenta a los Representantes de aquella Nación, de mi administración, como lo verá Vd. en las proclamas que incluyo; así pues yo parto para Lima el 7 del corriente. En esta ciudad queda el gran Mariscal de Ayacucho con todas las facultades que me fueron concedidas por el Poder Legislativo del Perú con respecto a estas provincias. A él puede Vd. comunicarle todos los avisos que crea oportunos, muy particularmente los que tengan relación con el Brasil para que dicho General me los trasmita.

De Colombia me participan la llegada de tropas y buques franceses a la Isla de Cuba, y también me confirman el arribo de algunos cuerpos españoles a la misma isla, y estas son otras causas que me han decidido a marchar a la capital de Lima y de este modo estaré inmediato a Colombia, y en mejor aptitud para ocurrir a donde me llame el peligro.

Pocos días ha tuve el gusto de recibir una larga carta de Vd. en que me habla sobre los negocios del Brasil, y la conducta que había observado hasta entonces el Gobierno Británico, con respecto a las diferencias del Imperio con Buenos Aires. Sus noticias me han interesado y suplico a Vd. continúe dándomelas con la misma exactitud.

Soy de Vd. afectísimo amigo y servidor.

BOLIVAR

Carta del doctor Funes de 10 de febrero de 1826. O'Leary XI, 167.

———

*179.—De fotografía del original ).*
Plata, a 9 de enero de 1826.

*Señor doctor don Gregorio Funes.*

Estimado amigo y señor:

El señor general Alvear está al partir para Buenos Aires y él será la persona que pondrá esta carta en manos de Vd. La cordialidad y la ilimitada franqueza que ha reinado en todos los negocios que hemos tenido que tratar, durante el tiempo que hemos estado juntos, ha aumentado infinitamente el aprecio y la amistad que tuve por él aun antes de conocerle. Estos motivos, tan plausibles para mí y el deseo que tengo de que Vds. estrechen sus relaciones, me ha inducido a dirigirme a Vd. en esta ocasión, para manifestarle que nada me sería tan agradable, como saber que Vds. tratasen frecuentemente todos aquellos asuntos que pueden propender al bien de la América, muy particularmente en estas circunstancias. Además este general está muy bien impuesto de mi modo de pensar porque siempre le he hablado con la franqueza que debe presidir sobre dos personas patriotas y amigas.

Yo espero, mi estimado señor, que Vd. llenará en esta parte la amistad que le profesa su afmo. amigo

BOLIVAR

Contestada por el doctor Funes el 3 de abril de 1826. O'Leary XI, 172.

---

*180.—"El Congreso de Panamá".*
*R. Porras Berrenechea, 469).*
Magdalena, 7 de marzo de 1826.

*Señor don Manuel Lorenzo Vidaurre.*

Estimado amigo:

Los negocios de su país de Vd. reclaman imperiosamente la presencia aquí del señor Pando. Así he tenido que aconsejar al Consejo de Gobierno, para que mandase por él y en su lugar fuese el señor Tudela, cuyo talentos y probidad Vd. conoce, o aprecia tanto o más que yo. Así suplico a Vd. que trate a este amigo y compañero con toda aquella cordialidad amistosa que es tan necesaria para el buen éxito de los negocios públicos. El Consejo de Gobierno ha instruído al señor Tudela de todas sus intenciones y deseos: él comunicará a Vd. todo esto.

Mando a Vd. una gaceta de Arequipa defendiéndolo a Vd. contra los porteños, que dicen que Vd. es un imbécil por la circular y por las opiniones que ha expresado en una de sus cartas a mí. Yo me alegro que Vd. haya recibido este insulto, para que no sea Vd. tan amigo de publicar sus ideas con la franqueza excesiva, por no decir imprudente. Un diplomático debe ser todo reserva, misterios y doblez. Por el contrario es Vd. un hombre de cristal, diáfano como el aire, no quiero decir que es Vd. tan ligero, aunque se parece Vd. al céfiro. No digo más por no pelear con Vd. pero el amigo Tudela lleva muchas recomendaciones mías para que las diga a Vd. verbo a verbo, cara a cara, cuando y como se presente la ocasión. Crea Vd. que si yo no tuviese por Vd. tanta estimación, ni tuviese por Vd. tanto interés, no me metería en sus negocios.

De todos modos créame Vd. su mejor amigo de todo corazón

BOLIVAR

---

181.—*De fotografía del original*).

Magdalena, a 6 de abril de 1826

*Señor Dr. Dn. Miguel Díaz Vélez, Ministro Plenipotenciario del Río de la Plata.*

Estimado amigo y señor:

Me ha sido muy agradable recibir la apreciable carta de Vd. de 27 de febrero en Chuquisaca y he visto con mucho interés las noticias oficiales que Vd. se sirve darme en sus comunicaciones de la misma fecha. No puedo ocultar que los sentimientos de amistad con que Vd. me favorece, unidos a sus buenos deseos por mi gloria, me honran demasiado porque nada me ha sido siempre tan lisonjero, como recibir los sufragios de los hombres de bien y de los patriotas. Puede Vd. pues fácilmente imaginarse cuan obligado le estoy por el modo con que Vd. se expresa en su referida carta.

Desde muy a principios de la revolución he conocido que si alguna vez llegábamos a formar naciones en la América del Sur, la federación sería el lazo más fuerte que podría unirlas. Así es que no perdí un instante en proponer a los Estados americanos la federación que actualmente se está verificando en el Istmo de Panamá. Buenos Aires no sólo ha sido convidado e instado a que forme parte de esta liga sino que ha sido rogado para ello, y sin embargo no ha querido aceptarla por motivos que no puedo conocer. Digo todo esto en contestación a la propuesta que Vd. me hace para que nos unamos en principios y en fuerza contra el Emperador del Brasil. No obstante he mandado pasar las notas oficiales que Vd. me dirige con este objeto al Ministro de Relaciones Exteriores de este Estado, pues no ejerciendo yo la autoridad exterior por haberla depositado en el Consejo de Gobierno a él corresponde el conocimiento de esta materia, a la verdad muy interesante.

Hemos sabido que el señor Rivadavia ha sido electo Presidente de las Provincias Unidas.

Tenga Vd. la bondad de saludar siempre que tenga la ocasión a su digno compañero el señor Alvear.

El Congreso del Perú aún no se ha instalado; pero no pasará esta semana sin que así suceda. Aunque en las Juntas preparatorias no han dejado de haber algunas dificultades, todas se han vencido y espero que a fines de este mes podré marchar al Alto Perú donde me llaman mis más caros intereses. Si los asuntos de la misión de Vd. lo detuviesen allí hasta mi llegada, me será muy satisfactorio encontrarlo, y de asegurarle que soy afectísimo servidor y amigo.

BOLIVAR

Contestada por el señor Díaz Vélez el 16 de junio de 1826. O'Leary XI, 325.

*182.—Del original*).

Magdalena, 30 de mayo de 1826.

*Al señor general en jefe José Antonio Páez.*

Mi querido general:

El coronel O'Leary, mi primer edecán, va de orden mía a Bogotá a ver al Vice-Presidente para que le informe del estado de las cosas del Sur, y deberá pasar a Venezuela, donde Vd. con el mismo objeto, y para que vuelva a Bogotá trayéndome noticias de todo. El coronel O'Leary manifestará a Vd. mis sentimientos con respecto al estado de las cosas en el día. Espero que Vd. aprovechará esta oportunidad para hacerme saber sus deseos y cuanto convenga a la patria y a Vd. mismo.

Envío a Vd. con O'Leary muchos ejemplares de mi discurso y de mi constitución para Bolivia: no agradará a Vd. mucho, pero es imposible darle otra al país que lleva mi nombre. Ojalá pudiéramos adoptarla en Colombia cuando se haga la reforma.

No dude Vd. que en todo el año que viene estaré en Venezuela y tendré la satisfacción de abrazar a Vd. y a los parientes y amigos.

Soy, mi querido general, su afectísimo amigo.

BOLIVAR

P.D. Si mi edecán O'Leary necesita de algún dinero puede Vd. suplírselo a cuenta de sus sueldos atrasados: por lo demás, lo recomiendo a la bondad de Vd.

Tomada de la original, en poder del señor Manuel Rodriguez Alvizu. Hasta ahora ha corrido adulterada por habérsele añadido malignamente, seguido del segundo párrafo estas palabras: *¡Buen regalo!* . . . *Presidente Vitalicio y Vice-presidente hereditario.*

Así la publicamos en nuestra obra Cartas del Libertador, tomo V, página 304. La fecha y dos palabras estaban, además, equivocadas en la versión de la época de que disponíamos.

———

BOLIVAR EN 1826. LIMA
Pertenece al doctor Francisco Graña.

*183.—Del original).*

Lima, junio 1º de 1826.

*Al sor. Secretario de Estado de Relaciones Exteriores, José Rafael Revenga.*

Mi querido amigo:

El Coronel O'Leary, mi primer Edecán, marcha para Bogotá mañana con la mira de informar al Gobierno todo lo que desee saber sobre el Estado de las naciones del Sur. El ha recibido órdenes mías para hacer a V. muchos cumplimientos de mi parte, y manifestarle todas mis ideas sobre el estado de las cosas. Como yo pienso irme a Colombia en todo este año, quiero saber el estado de todo el Norte de Colombia al llegar a Bogotá, y también deseo que mi Edecán se vea con el Gral. Páez, y dé un vistazo a Caracas, y vuelva por Cartagena con la misma mira. Por consiguiente yo espero que Vd. le dará a mi Edecán las indicaciones que crea convenientes a fin de que se imponga a fondo del estado de la República, debiendo Vd. indicarle las personas, y las canales que sirvan a este efecto.

No hablaré a Vd. de nada pues O'Leary tiene orden de decir a Vd. todo.

Recomendaré a este gobierno el proyecto sobre religión que Vd. nos ha mandado. Espero la llegada del nuevo Presidente del Consejo de Gobierno para dar este paso. Indicaré algunos otros puntos.

1º.—Deseo que mi proyecto de constitución y mi discurso sean reimpresos en Bogotá con una corrección perfecta en ortografía y en gramática en la imprenta de la Miscelánea si es posible y con los más hermosos caracteres.

2º.—No quiero ser Presidente los próximos cuatro años para poder ser reeligido el año de 1831.

3º.—Prefiero un armisticio a una paz con España.

4º.—No quisiera que se juzgase al General Páez por el asunto de Caracas.

5°.—Deseo que el congreso del Istmo sea perpetuo y que se conserve aunque sea en simulacro.

6°.—Que se apoye en las gacetas mi proyecto de constitución para Bolivia en todo cuanto sea razonable.

7°.—Que el sistema de Rentas se reforme y que se aumenten los derechos de las aduanas exteriores.

8°.—Que se simplifique la administración Civil por hallarse muy complicada y muy costosa.

Vea Vd. al Vice-Presidente, y consúltele de mi parte sobre estos puntos que sean más practicables.

Todo lo demás lo diré y lo haré cuando yo vaya a Bogotá.

Mucho me alegraré de encontrar a Vd. en el Ministerio y sentiría mucho que Vd. lo abandonase.

Soy de Vd. muy afmo. amigo.

BOLIVAR

El original existe en el Museo Boliviano, de Caracas. N° 964.

————

184.—*"Cartas de Bolívar". R. Blanco-
Fombona. 1825-1827, 150).*

La Magdalena, 4 de junio de 1826.

*Exmo. Señor Presidente del Senado de Colombia.*

Señor:

Me ha sido tan honrosa como satisfactoria la recepción del despacho de V.E. en que me participa que las elecciones para la Presidencia de la República, habían recaido en mí, y que el Congreso, animado de los sentimientos del pueblo, había repetido la expresión de la voluntad general.

Inutil sería expresar la emoción de una gratitud que pasa todos los límites por la bondad de Colombia, en gloria de uno de sus hijos. Esta bondad es la ley suprema que debe regular mis acciones, mis sentimientos y hasta mis deseos, ¿pero no me será lícito rechazar con reverente sumisión a la República, un decreto popular que viola de hecho su propia voluntad, la Ley Fundamental?

La Constitución no quiere que un ciudadano rija la nación por más de ocho años; ya la he mandado catorce en medio de la guerra y la revolución; entre las leyes y la dictadura. Mi horrible profesión militar me ha obligado a formarme una conciencia de soldado, y un brazo fuerte que no puede manejar el bastón sino la espada. El hábito de la guerra, el servicio de los campamentos, el contacto con los enemigos, me han puesto fuera del mando civil. Lo digo con rubor, más debo confesarlo.

Además, Exmo. Señor, la honrosa lección que me ha dejado el héroe ciudadano, el padre de la gran República Americana no debe ser inútil para nosotros. El pueblo quiso nombrarlo nuevamente para la suprema magistratura; generosamente mostró el peligro, aquel virtuoso general, a sus conciudadanos, de continuar indefinidamente el poder público en manos de un individuo. El héroe fué oído, el pueblo de la gloria, de la libertad y de la dicha, de la virtud fué dócil: la república Americana es, en el día, el ejemplo y tan sublime lección me dice lo que debo hacer; también Colombia sabrá seguir noblemente a su hermana mayor.

Yo no puedo mandar más, Exmo. Señor, la república Colombiana; mi gloria me lo prohibe y la libertad de Colombia me lo ordena. Sírvase V.E. ser el órgano para trasmitir al Congreso de la Nación mi respetuosa negativa, que no puede producir dolores públicos, porque el magistrado supremo que ha dirigido la dicha de la nación en el último terrible período, la servirá con infinitas ventajas. Su administración ha colmado las esperanzas de la patria, y nadie será tan obsecado que no le tribute el homenaje de su aprobación.

De todos modos y en todos casos, Colombia debe contarme siempre en las filas del ejército libertador, para defender sus leyes y sostener a los magistrados.

Tengo el gusto de ofrecer a V.E. los testimonios de mi consideración y profundo respeto.

BOLÍVAR

En nuestra colección de Cartas del Libertador, V, 345, se inserta el borrador. Esta versión tiene algunas variantes. La de O'Leary, XXX, 191, es análoga al borrador. Como se indica en la colección (V, 346 nota) hemos corregido la dirección y la fecha.

---

*185.—Del original).*

Magdalena, a 12 de junio de 1826.

*Al Exmo. Señor Gran Mariscal de Ayacucho.*

Mi querido general:

El señor Prutland que está al partir para Bolivia pondrá esta carta en manos de Vd. Los vastos conocimientos de este caballero, en casi todos los ramos de la historia natural, unidos a su buen carácter y a los deseos que tiene de ser útil a ese país por medio de sus viajes y descubrimientos, me imponen el agradable deber de recomendarlo a Vd. muy particularmente. El señor Prutland ha vivido por algunos años con el célebre Cuvier y ha participado de sus trabajos. Además es el amigo del Ilustre Humboldt lo que ciertamente le da un mérito muy relevante. Por estas consideraciones yo espero, mi querido general, que Vd. tratará a este señor, con toda aquella atención que él merece y que Vd. tomará el mayor interés en que el señor Prutland realice el objeto de su viaje, que es el de hacer descubrimientos en un país que aún no es conocido en el mundo científico. Vd. puede aprovechar esta favorable ocasión para obtener del señor Prutland todos aquellos informes que desee con respecto a las minas y otros objetos, seguro de que este caballero se complacerá en darlos siendo sus miras puramente científicas.

Yo deseo que Vd. recomiende al señor Prutland a todas las

autoridades del país y a sus amigos, a fin de que unos y otros le auxilien con sus informes.

Soy de Vd. afmo. amigo.

BOLIVAR

Archivo de Sucre.

---

*186.—De fotografía del original).*

Magdalena, a 1º de julio de 1826.

*(Al señor Dr. Dn. Gregorio Funes).*

Muy estimado señor mío:

El gran Mariscal de Ayacucho me ha enviado la favorecida de Vd. de diez de abril y las noticias que Vd. ha tenido la bondad de comunicarle sobre el estado de esa República hasta el 26 de marzo.

He sentido infinito el contraste que ha sufrido la escuadra del general Brown en la Colonia, pero siento infinitamente más las desavenencias que Vd. indica entre los generales Lavalleja, Rivero y Rodríguez. Si la discordia se apodera fuertemente de estos jefes es casi seguro que se extenderá a las últimas clases del ejército. Entonces, que funesto puede ser para esa República, no solo el resultado de su guerra con el Emperador sino el de su seguridad interior. Por desgracia los pueblos más belicosos parecen los más destinados a emplear su valor contra sus propios hermanos. Si una política franca, enérgica y generosa no acude oportunamente a extinguir los principios de rivalidad que ya se manifiestan, los brasileros aprovecharán las ventajas que les dá un enemigo dividido y lograrán triunfar. Bien funesto sería para los demás Estados Americanos un grande revez sufrido por los argentinos, y más sensible y doloroso si era el resultado de males que pudieron remediarse en tiempo.

Yo tendré que marchar dentro de poco tiempo para Colombia, porque ha ocurrido allí un suceso desagradable entre el general Páez y el Senado, y voy con la esperanza de restablecer la armonía y el orden si es que han sido alterados.

Espero que Vd. tenga la bondad de favorecerme con sus cartas, e interesantes noticias a donde quiera que me encuentre para tener la doble satisfacción de saber de un modo positivo la verdadera situación de esa república y de la salud de Vd. Espero también que Vd. continúe comunicando frecuentemente cuanto ocurra al Gran Mariscal de Ayacucho, que siendo el más vecino a ese Estado, necesita más que ningún otro avisos positivos y oportunos.

Quedo de Vd. con consideración su atento obediente servidor.

BOLIVAR

A los señores Alvear y Dorrego mil expresiones de mi parte. Su suerte me interesa.

BOLIVAR

Véase la carta del Dr. Funes al Gran Mariscal de Ayacucho, de 26 de marzo de 1826, en O'Leary XI, pág. 197.

---

*187.—Del original).*

Magdalena, a 24 de julio de 1826.

*Al señor J. R. Revenga.*

Mi estimado Revenga:

Contesto la carta de Vd. del 21 de mayo que he visto con bastante interés. Yo estoy definitivamente resuelto a marcharme a Colombia dentro de pocos días: sólo aguardo la confirmación de las noticias que hemos recibido del general Páez y de Venezuela que son de una naturaleza tan alarmente que dá horror siquiera pensar en ellas. Yo le hablaré al Congreso y al pueblo mismo, si fuere necesario, la pura verdad: nada les ocultaré y desde ahora le digo a Vd. que Colombia necesita de una reforma radical y por lo mismo yo deseo que Vd. vaya reuniendo todos los proyectos y pensamientos que puedan servir a este objeto.

Repito que yo deseo que Vd. se encargue de la Secretaría de Hacienda: ella debe ser la principal base sobre que deben girar las reformas del Estado.

En Chile han nombrado al Almirante Blanco de Director General mientras que el Congreso da una Constitución y nombra un Presidente permanente: Blanco tiene la ventaja de que es amigo mío, o al menos ha deseado serlo.

Soy de Vd. amigo de corazón.

BOLIVAR

------

188.—De una copia).

Lima, julio (?) de 1826.

A Monseigneur de Pradt, Ancien Archevéque de Malines.

Monseigneur:

J'ai recu avec la plus grande satisfaction, il y á quelques jours, la lettre très flatteuse avec laquelle vouz avez bien voulu m'honorer, en m'offrant l'expressión de vôtre bonté sans limites dans le "Congrés de Panamá".

Cet ouvrage embrasse toutes les vues que l'Amerique put avoir pour son bien être dans nôtre reunion federale. Vous nous indiquez ensus, Monseigneur, quelques autres qui ne seraient entrées sans doute dans nos priemieres idées, parceque c'est toujours dés l'elevation que le genie domine aux hommes.

Vous avez voulu me presenter aux yeux de la posterité couvert avec profusion d'ornements que la bonté de vôtre caractér m'a prodigué. Le parallele que vous avez etabli entre Whasingthon (sic) Napoleon, et moi, pêche beaucoup plus pour l'audace que pour l'exactitude. Vous me comparez, Monseigneur, a ces hommes Illustres!!! Whasingthon (sic) me surpassait en vertus morales, et religieuses, surpassant á la fois á tous les hommes en modestie et patriotisme. Napoleon est l'homme de L'immensité; par consequent ce qui est borné n'a aucunes relations avec ce qui est infini, vous m'avez vu, Monseigneur, avec le prisme d'un telescope gigantesque, aussi suis-je plein de confusion, au lieu d'être rempli d'orgueil.

Pour la genereuse manière avec laquelle vous avez d'aigne (sic) me citer, je prende la liberté de vous diriger un exemplaire du projet de Constitution que j'ai presenté á la legislature de la république de Bolivia. Vous pouvez, Monseigneur, considerer cet ecrit avec relation aux idées que vous avez formées de moi. Il detrompera la bonté qu'a prise pour guide vôtre intelligence. Je serai charmé d'apprendre que mon travail â reçu un regard d'interêt de vôtre part, car, je n'ai jamais autant de bessoin de vôtre indulgence que dans cette ocasion, et c'est pour cela que je l'a (sic) reclame avec le plus vif empressement.

Veuillez accepter, Monseigneur, la respetueuse consideration avec laquelle j'ai l'honneur d'être vôtre tres humble et obbeissant Seviteur.

BOLIVAR

Chateau de Védrines. Archivo Fam. Roquefeuil. Fondo Ab. de Pradt. Copiada por el Pbro. Manuel Aguirre Elorriaga, S. J. Véase el artículo "Un ignorado Archivo Bolivariano" del señor Pbro. Aguirre Elorriaga en el número 76 del Boletín de la Academia Nacional de la Historia. Caracas.

---

*189.—De una copia).*

Lima, 28 de agosto de 1826.

*Al Presbítero doctor Pedro Antonio Torres.*

Mi querido Torres:

Hoy he tenido el gusto de recibir la primera carta de Vd. en que me participa su llegada al Cuzco, sus pensamientos y las buenas ideas que tiene Vd. sobre el actual estado de las cosas. El

Obispo también me anuncia la llegada de él, y se muestra muy complacido de ser relevado por una persona del mérito de Vd. Por mi parte creo que Vd. hará por el bien de ese país lo que su corazón y su deber le mandan. De esto estoy muy seguro porque lo conozco a Vd. y sé de cuánto es capaz.

Yo me voy a Colombia el mes que entra: debo ir volando porque los últimos sucesos de Valencia y el general Páez tienen a aquel país al borde del precipicio, y si yo no voy pronto todo se pierde. Mi ausencia cuando más durará un año. Así puede Vd. anunciarlo a todos esos señores del Cuzco, por quienes tengo una predilección que Vd. conoce.

Soy de Vd. siempre afectísimo amigo.

BOLÍVAR

Esta carta y las de Caracas, 3 de abril de 1827, Bogotá, 7 y 18 de noviembre de 1827, fueron copiadas de los originales por el Dr. Juan Bautista Pérez y Soto.

190.—*Del original*).

Bogotá, 17 de noviembre de 1826.

*Señora María Antonia Bolívar.*

Mi querida Antonia:

Al fin he llegado a Bogotá y ya me preparo para seguir inmediatamente a Venezuela donde me llaman los más caros intereses de mi corazón—mi patria nativa. Estoy muy determinado a hacer cuanto dependa de mí por la felicidad de ese país y a él voy a dedicar mis cuidados y mis desvelos. Así puedes decirlo a todos nuestros parientes y amigos. Yo saldré de esta ciudad el 25 e iré por Maracaibo a Barinas y de allí seguiré a San Mateo, donde me detendré algunos días para descansar y continuar luego a Caracas donde haré una larga mansión. Que también se sepa esto. Por supuesto, que no ocuparé otra casa en Caracas sino la que tu me hayas preparado. Sírvate esto de gobierno.

Pablo me ha dado muchos detalles sobre nuestros intereses y también sobre las cosas del día. He visto lo que me dices sobre las minas de Aroa y la oferta que se te ha hecho de doscientos mil pesos. Desde ahora te digo que estoy muy determinado a no darlas menos de Quinientos mil pesos -cien mil libras esterlinas. Así puedes decirlo a esos señores ingleses. Además estando yo en Caracas puedo entenderme directamente con ellos.

Diego que es el portador de ésta te dirá todo lo que desees saber en todos respectos. Pablo seguirá conmigo a Caracas.

Dale mil expresiones a Juanica: que no se venga porque a Briceño lo necesitamos mucho en Venezuela.

Adios mi querida Antonia, aguárdame dentro de dos meses y creeme tu hermano afmo.

BOLIVAR

Donada al Archivo del Libertador por el general Eleazar López Contreras, Presidente de la República.

---

*191.—De una copia).*

Tunja, a 30 de noviembre de 1826.

*Al señor coronel Tomás C. Mosquera.*

Mi querido Mosquera:

Por fin pude llegar a la capital de la República, y estoy ya en marcha a Venezuela por la vía de Maracaibo, donde espero llegar en todo el mes que entra. En Bogotá hice cuanto me fue posible por mejorar la situación lamentable de la República, particularmente la del Sur, que había llamado toda mi atención. Los decretos dados allí le harán ver a Vd. que no he descuidado mis deberes hacia esos pueblos por los cuales tengo una predilección muy distinguida.

Seguidamente se tomarán cuantas medidas propendan a mejorar la suerte de esos Departamentos. La idea de la federación de las tres grandes Repúblicas en seis Estados, como se ha iniciado en los papeles públicos del Sur y del Perú ha sido aprobada en la capital y ha merecido la aprobación de casi todos en general, de suerte que cuando llegue el caso de llevarse a cabo, no habrá oposición en esta parte de la República.

En cuanto a Venezuela, creo que tampoco se opondrán: al contrario, allí la abrazarán como una arca de salvación, sobre todo en estos momentos en que se hallan llenos de trabajos y dificultades debido a las ocurrencias de Valencia y Páez.

Sigo mi marcha mañana; salude Vd. a todos mis buenos amigos de Guayaquil, y créame Vd. su afectísimo amigo de corazón

BOLÍVAR

El señor Roberto Cortazar Secretario de la Academia Colombiana de Historia, nos facilitó copias de 31 cartas del Libertador para el general Tomás Cipriano Mosquera, tomadas de los originales pertenecientes al señor don Bolívar Mosquera de Popayán.

Al pie de cada una se señala su origen.

# 1827

*192.—De una copia*).

Caracas a 23 de enero de 1827.

*Al señor coronel Tomás Mosquera.*

Mi estimado Mosquera:

El correo de ayer me ha traído una carta de Vd. de 18 de octubre que he leído con bastante atención. Supongo que Vd. estará ya informado de que el general Briceño ha sido nombrado jefe superior de los departamentos del Sur, con las facultades que se crea necesarias. Este paso será eminentemente útil para las mejoras y prosperidad de sus provincias. El general Briceño está al marchar para su destino y entre tanto el general Pérez tiene el encargo de ejercer esta autoridad.

Ya han terminado las discordias que agitaban a Venezuela y se restablece el orden y la paz. Al llegar yo a estas provincias las encontré en guerra civil y prontos a desesperarse, más mi presencia todo lo ha calmado. Mas esta insigne ventaja no basta, es preciso restablecer la confianza pública y refundir los partidos para que cuando llegue el momento de reunir la Gran Convención se haga con toda la calma de la razón y no en el furor de los partidos. Esta operación política necesita de algún tiempo y mucha contracción y a ella es que yo dedico actualmente todos mis conatos a fin de estar espedito para volver la vista hacia el Sur a fines de este año. Así puede Vd. anunciarlo a todos nuestros amigos.

Ibarra se reunió a mi cuartel general en Popayán. Por mi parte apruebo la entrega que se hizo a estos señores por su comisión. Santana me ha hablado sobre su destino al Cauca, yo quiero que Vd. permanezca en Guayaquil, al menos mientras se establecen las cosas bajo de un pie más estable. Vd. ahora es muy útil allí.

Dígale al general Valdés que tenga esta carta por suya: que procure mantener todo eso tranquilo y contento que yo iré por allá muy pronto.

Expresiones a todos los amigos.

Créame su afmo. amigo

BOLIVAR

Publicada incompleta en nuestra colección, tomo VI, página 163. Debemos esta copia al señor T. C. Mosquera Wallis, de Ibagué.

————

**193.—*De una copia*).**

Caracas, a 5 de febrero de 1827.

*Al señor coronel P. Murgueitío.*

Mi estimado coronel:

He leído con satisfacción la carta de Vd. del 2 de noviembre. La representación de Vd. la he pasado al Poder Ejecutivo para que la determine. Por mi parte puedo asegurarle que estoy muy satisfecho de la conducta de Vd. y de su amistad. Sea cual fuere el resultado de su representación, escríbame Vd. y dígame en qué puedo servirlo, en qué puedo destinarlo.

Por acá todo va bien; espero que por allá sucederá lo mismo. Dentro de pocos meses estaré de regreso al Sur.

Soy de Vd. afectísimo estimador y amigo.

BOLIVAR

Archivo de don Bolívar Mosquera, Popayán.

————

*194.—De una copia).*

Caracas, 10 de febrero de 1827.

*Señor José Fernandez Madrid, Ministro Plenipotenciario de Colombia en Inglaterra.*

Mi querido amigo:

Por el gobierno fue nombrado el año pasado en calidad de auxiliar a la oficina de esa legación, el joven Pedro Pablo de las Casas. El general Soublette, por insinuación de su padre le puso bajo la inmediata protección del cónsul Michelena. Como este puede separarse de ese país, produciendo el necesario desamparo de aquel, que por su edad más que por otro antecedente exige inspección sobre su comportamiento no menos que favor en recursos que sean indispensables sobre los que le presta el destino, mi recomendación con Vd. se extiende al exacto reemplazo de Michelena en este encargo. Espero se sirva Vd. informarme el estado presente del nominado Casas, con respecto a su disposición y aprovechamiento y que, en cuanto a intereses se entienda directamente con el señor M.M. de las Casas que escribirá a Vd.

Con sentimientos positivos de amistad y consideración, queda de Vd. afectísimo

BOLIVAR

Esta carta y once más, dirigidas al doctor Fernandez Madrid y al general Herrán, fueron copiadas del Repertorio Colombiano por el señor Francisco M. Rengifo, director de la Biblioteca Nacional de Bogotá. Nosotros debemos las copias a don Eduardo Zuleta, antiguo ministro de Colombia en Caracas y a los señores Laureano García Ortiz y Julio Portocarrero.

Cada una llevará indicado su origen.

*195.—Del original).*

Caracas, 5 de marzo de 1827.

*Al Exmo. Señor General en Jefe Rafael Urdaneta.*

Mi querido general:

El portador de esta carta es el señor comandante Almarza a quien yo recomiendo a Vd. para que lo atienda pues lo merece en justicia y en derecho por muchas circunstancias que él mismo explicará a Vd.

Soy suyo afmo. amigo.

BOLIVAR

P.D. Por otra parte es un buen hombre incapaz de hacer daño a nadie.

BOLIVAR

La posdata es de letra del Libertador.

El original fue enviado a la Casa Natal para el archivo de Bolívar, por el doctor Pedro R. Tinoco, Ministro del Interior.

———

*196.—De una copia).*

Caracas, 3 de abril de 1827.

*Al Presbítero doctor Pedro Antonio Torres.*

Mi querido Torres:

He recibido con bastante satisfacción la apreciable carta de Vd. del 27 de noviembre escrita en el Cuzco y me ha sido muy agradable saber que en el Cuzco el general Gamarra y Vd. marchan unísonos y procuran cada uno por su parte que la patria y el gobierno alcancen aquella estabilidad que requiere el pueblo para su dicha. El general Gamarra me ha escrito en el mismo sentido de Vd. y se manifiesta muy satisfecho de la cooperación que Vd. le presta. Siga Vd. esta misma línea de conducta y hará muchos servicios al Perú y mucho honor a su nombre.

Vd. creía que su carta me alcanzara en Bogotá, pero los sucesos de este país me la han traído hasta Caracas: donde he venido a hacer a mi patria nativa el servicio que más podía apetecer, el de librarla de la guerra civil.

Tenga Vd. la bondad de saludar a todo el pueblo del Cuzco, pueblo que yo amo en mi corazón y por el cual tengo mi más decidido interés.

Escríbame Vd. siempre y créame que soy su afectísimo amigo

BOLIVAR

---

*197.—De una copia).*

Conste que a Francisca Bárbara Bolívar, esclava que fue de mi propiedad en la hacienda de San Mateo, le concedí la libertad de que ahora goza, en el año de 1821, después de la batalla de Carabobo; libertad que ratifico por la presente carta dada en Caracas a 26 de abril de 1827.

BOLIVAR

El original existe en el Museo de la Casa del Libertador en San Mateo. Copiada por Arístides Urdaneta.

---

*198.—Del original).*

Trapiche, 27 de abril de 1827

*Al señor José Rafael Revenga*

Mi querido Revenga:

He visto el proyecto de policía general que me parece muy bien y practicable en la mayor parte. Convide Vd. para el lunes a las once del día al principal redactor de este proyecto, al intendente, y a tres o cuatro individuos más de los que Vd. crea que pueden dar voto en esto. Allí haremos las reformas necesarias y después lo pondremos en forma de decreto para mandarlo cumplir.

Yo deseo hacer otro tanto con el proyecto de policía rural. El Intendente, dos de los principales redactores, Vd. y yo lo veremos el miércoles a la una del día y comeremos juntos en Caracas.

Conteste Vd. al señor Watts en términos muy corteses diciéndole que agradezco su atención y miramiento por Colombia; que estoy haciendo los mayores esfuerzos y haré todavía más, por salvar esta patria natal.

Conteste Vd. al señor Fleming en términos muy corteses y caballerezcos.

Mando a Vd. esa representación de los comerciantes.

Soy de Vd. su afmo. amigo.

BOLIVAR

P.D. Tengo el proyecto de proponer al Congreso que en lugar de mandar descontar la deuda doméstica en las aduanas por una cuarta parte de derechos, esta cuarta se aplique al interés de la deuda extranjera, entregando mensualmente a los agentes de ella el líquido producto.

Medíteme Vd. un proyecto sobre este pensamiento para presentarlo desde luego al Congreso y publicarlo en "El Reconciliador". A esta idea me anima el saber que el Congreso no ha dado ley ninguna sobre el descuento de la deuda interna y que es el Ejecutivo el que le ha dado, siendo ruinosa y perversa. Así no hemos nosotros infringido ninguna ley, en suprimir este decreto y lo que ha hecho Santander yo lo puedo deshacer. Bien se podía decir esto en la Gaceta si lo que digo es exacto, pues el informe me ha venido del Intendente, que yo ignoraba. Por consiguiente, si establecemos el derecho en papel especialmente destinado a amortizarlo, hacemos una gracia espontánea a que no tienen derecho de esperar los tales tenedores de vales.

BOLIVAR

Toda escrita por el Libertador.

*199.—Del original*).

## REPUBLICA DE COLOMBIA

Intendencia del Departamento de Venezuela.

Caracas, 2 de julio de 1827.

*Señora Juana Bolívar.*

El Exmo. señor Libertador Presidente, me dice con fecha 28 de junio último lo que sigue:

"Sírvase V.S. disponer que por las cajas de este Departamento se le abonen a la señora Juana Bolívar la cantidad de ciento cincuenta pesos mensuales, que le he asignado de pensión sobre mis sueldos. Este abono deberá comenzar desde el mes de julio en adelante. Espero que esta donación se llevará a efecto debidamente, pues que además de que se me harán los descuentos competentes donde quiera que me halle, tengo en consideración las necesidades de esta persona".

Lo trascribo a Vd. para su inteligencia, en el concepto de que se ha comunicado a la Tesorería Departamental para su cumplimiento.

Dios guarde a Vd.

C. MENDOZA

El original pertenece a la señora Luisa Teresa Goiticoa de Mendoza.

———

*200.—De una copia*).

Cartagena, julio 11 de 1827.

*Al Exmo. Señor general en jefe José Antonio Páez.*

Mi querido general y amigo:

Ayer he llegado, después de un viaje feliz a esta plaza, donde he encontrado un pueblo muy entusiasta, dos amigos excelentes en los generales Montilla y Padilla y a Salom, Carreño, Heres,

Valdés y otros jefes con un ejército de la moral más perfecta. Espero dentro de ocho días el resultado que hayan tenido en Bogotá mi proclama y las noticias que la acompañan, y luego, luego, despacharé a la goleta Padilla con las disposiciones que sea necesario ejecutar en Venezuela: entre tanto todo sigue del mismo modo.

He sabido que Olivares ha sido nombrado otra vez Gobernador de Guayana y aunque no lo creo necesario lo advierto a Vd. para que no le dé el pase a este señor.

Ocupado en recibir mil demostraciones que me repite este pueblo y sin cosa particular que añadir a Vd. me remito a la próxima que debe ser de gran interés.

Soy mi querido general Páez afectísimo amigo de Vd.

BOLIVAR

Memorias a mis amigos Peña, Carabaño, Peñalver y otros que amo.

El original pertenece al señor doctor J. J. Abreu, quien nos ha facilitado la copia.

———

**201.—Del original).**

Bogotá, a 20 de setiembre de 1827.

(*Señor Esteban Palacios*).

Mi querido tío:

Con mucho gusto he leído la carta de Vd. del 12 de agosto que me ha venido muy a tiempo por la oportunidad de sus noticias y los detalles que contiene. Ciertamente que siento mucho las desgracias de Caracas, y las incomodidades que les ha dado Cisneros. En este correo escribo a Páez sobre esto y le recomiendo mucho la persecución de ese malvado: que guarnezca esa ciudad con un batallón veterano y le mando otro. De este modo nada habrá que temer.

Yo me he puesto a la cabeza del Gobierno más por evitar mayores males que por hacer grandes bienes: porque yo recibo la República dividida y pobre: llena de discordias y cubierta de deudas. Sin embargo haré lo que pueda y me contaré feliz si la puedo entregar en la Convención si no dichosa, al menos tranquila.

He visto los insultos de los señores "Colibrí" y demás. Yo no contestaré a nada: si mis amigos me quieren defender que lo hagan, entretanto yo obraré y desmentiré sus calumnias infames.

Escríbame Vd. mi querido tío, deme razón de todos nuestros amigos y parientes y cuide mucho de las rentas, las rentas tío!

Soy siempre su afectuoso sobrino

BOLIVAR

---

202.—*De una copia*).

Bogotá, 27 de setiembre de 1827.

*Al señor José Fernández Madrid.*

Mi querido amigo:

El 10 del corriente llegué a esta capital y tomé posesión del gobierno prestando el juramento de estilo. Yo he creído que no podía negarme a este sacrificio, cuando por medio de él le ahorraba a Colombia otros mil, el de la guerra civil sobre todo. Muchas serán pues las dificultades y embarazos que tendré que vencer, pero todo lo haré o procuraré hacer en bien de esta patria que me confía su dirección. Vd. debe estar informado de la convocatoria que ha hecho el congreso de la Gran Convención; ya se ha mandado circular el reglamento de elecciones. En este cuerpo soberano y augusto, cual ninguno otro, se refundirán todos los partidos, los pueblos expresarán sus votos y deseos con entera libertad y fijarán definitivamente su futura suerte.

Sírvale a Vd. de gobierno que en esta misma fecha he girado contra los fondos de mis minas vendidas, una libranza de veinte y dos mil cuatrocientos catorce pesos siete reales a favor del señor

Powles. Yo me veo en la dura necesidad de sacrificar esta suma tan solo por cubrir el honor de mi firma, en pago de una letra que giré a favor de Lancaster de veinte mil pesos y sus intereses, que hacen un total de veinte y dos mil cuatrocientos pesos que usted pagará de esos fondos sin ningún otro interés.

Tengo entendido que en el Banco de Londres no se admiten sino fondos de un inglés: en este caso pueden los míos pasar a otro Banco. Debe Vd. también tener entendido que desde Caracas libré en los mismos términos de ahora una libranza de siete mil pesos a favor del señor Feliciano Palacios.

Deseo saber con ansia el resultado de las minas: escríbame Vd. sobre esto lo mismo que sobre lo demás que ocurra y créame siempre su amigo de corazón

BOLIVAR

Se entiende que el fondo del dinero que yo mando pasar a otro Banco es solamente el que reste después de pagadas las libranzas que he girado en favor de Palacios y de esta casa. El total no pasará de 30.000 pesos.

Del Repertorio Colombiano.

---

203.—*De una copia*).

Bogotá, 16 de octubre de 1827.

(*Al señor coronel T. C. Mosquera*)

Mi estimado amigo:

Esta carta la pasarán a manos de Vd. los parientes del joven aspirante, ciudadano Joaquín Gutierrez, que según tengo entendido sirve en esa guarnición o en el Cauca: como yo tengo recomendaciones de sus parientes, y deseo servirles, me intereso en que Vd. lo haga solicitar y me lo proponga para subteniente; él ha servido, y aun fue a la campaña del Perú: además puede Vd.

auxiliarlo con algún dinero, si lo necesita así, que yo lo abonaré, y hacerle todo el favor que dependa de sus facultades militares.

Si acaso supiese Vd. que Gutierrez se halla en Quito, pásele Vd. esta carta al comandante general de allí para que se sirva llenar mis deseos en esta parte.

Soy siempre su afectísimo

BOLIVAR

Archivo de don Bolívar Mosquera, Popayán.

---

*204.—De una copia).*

Bogotá, octubre 22 de 1827.

*Al señor coronel T. C. Mosquera.*

Mi querido Mosquera:

En cuanto a noticias políticas de fuera y del interior, me refiero a las cartas que escribo a su hermano con esta misma fecha y correo.

Nada se aún de mis efectos que se hallaban en Popayán. Sin embargo hoy hago escribir a La Plata, encargando que me los pasen a esta capital, pues supongo que ya Vd. los habrá hecho salir de esa ciudad. Si estuviesen en ella, le suplico me los remita cuanto antes, y le encargo los haga acondicionar muy bien los muebles sobre todo, que son tan delicados y raros.

Escríbame Vd. contínuamente, salude a toda su familia y créame suyo de todo corazón

BOLIVAR

Archivo de don Bolívar Mosquera, Popayán.

---

205.—*De una copia*).

Bogotá, 7 de noviembre de 1827.

*Al Presbítero doctor Pedro Antonio Torres.*

Mi querido Torres:

Contesto con mucha satisfacción la carta de Vd. del 3 de octubre que acabo de recibir. Sin duda que Vd. hace muy bien en trabajar de acuerdo con los señores Flores y Torres (*) por conservar la tranquilidad de Guayaquil, de este modo se logrará la ventaja de que todo el Sur mande sus diputados a la Gran Convención, donde deben llenarse los votos del pueblo y mis deseos.

He visto con mucho gusto lo que Vd. me dice sobre el pueblo de Guayaquil. Jamás he dudado de sus buenos sentimientos hacia mi. Yo lo he amado como Vd. sabe.

Repito lo que le dije a Vd. en mi carta anterior sobre su conducta en el Perú y su colocación en Colombia, sobre la cual pienso todos los días.

Créame Vd. siempre su afectísimo amigo.

BOLÍVAR

206.—*De una copia*).

Bogotá, 14 de noviembre de 1827.

*Al señor José Fernandez Madrid.*

Mi querido amigo:

Aprovecho la ocasión que aun presenta el correo de Inglaterra que parte hoy, para darle noticias nuestras y participarle las últimas novedades. Ante ayer hemos recibido comunicaciones de Guayaquil y el Sur, donde las cosas han mejorado mucho: Guayaquil, que se había separado casi enteramente de la unidad, vuelve a ella, tan luego como saben que yo me aproximo a la capital; me

(*) Se refiere a Ignacio Torres, hermano de Camilo Torres.

mandan sus felicitaciones y destierran los principales motores de las últimas facciones: este acontecimiento nos proporcionará la ventaja de que la Gran Convención se reuna íntegra y bajo los auspicios del orden y la tranquilidad: ya he hecho circular el reglamento de elecciones y puedo asegurar a Vd. que los pueblos lo reciben con satisfacción. En marzo, pues, se reunirá este cuerpo. Entre tanto yo procuraré mantener la unión y la paz entre estos habitantes que ya se dividían y se hubieran combatido por pasiones locales e intereses encontrados.

Por las últimas noticias de Venezuela todo marchaba allí muy bien y el nuevo arreglo de rentas producía buen efecto, y es de esperarse que con el tiempo se adelantará más y más, a pesar de la pobreza del país y de las dificultades que será preciso vencer.

No me cansaré de recomendar a la bondad y eficacia de Vd. el negocio de mis minas: crea Vd. que en el mundo no tengo otra cosa de que vivir ni con que pagar mis empeños.

La familia de Vd. está buena: le he ofrecido mis servicios y Vd. amigo créame suyo de todo corazón

BOLÍVAR

Del Repertorio Colombiano.

---

207.—*De una copia*).

Bogotá, 15 de noviembre de 1827.

*Al señor coronel Tomás C. Mosquera.*

Mi querido Mosquera:

Desde que Vd. se fue de aquí no he tenido el gusto de recibir una letra de Vd., por más que lo he deseado, para informarme de las cosas de ese Departamento, su familia y Vd. Este silencio me ha sido verdaderamente sensible.

Observo que todos los oficiales que vienen por esa parte dilatan infinito, sin duda porque los auxilios no se les administran con prontitud. Deseo, mi querido coronel, que Vd. procure corregir esta falta en cuanto esté en su facultad.

Siento también decir a Vd. que he preguntado a Camacaro y otros muchos por mis efectos, y nadie me da razón de ellos. Procure Vd. mandármelos, porque me hacen mucha falta, y este ha sido el principal encargo que le he hecho a Vd. antes de su marcha de esta ciudad.

Nada nuevo tengo que decir a Vd. Salude a sus buenos padres y hermanos, a los amigos de Popayán y créame suyo de corazón

BOLIVAR

Archivo de don Bolívar Mosquera, Popayán.

*208.—De una copia).*

Bogotá, 16 de noviembre de 1827.

*Al Illmo Señor Abate de Pradt, Antiguo Arzobispo de Malinas &.*

Illmo. Señor:

Hace algunos días que tuve la honra de recibir la carta muy favorecida del 24 de enero incluyéndome V.S.I. su última obra sobre los Concordatos de Roma con la América. Este escrito, como todos los de su autor, no tienen otro objeto que el bien de la especie humana, y sobre todo, el de la América. Yo he devorado con sumo placer esta última producción del genio de V.S.I., y además he gozado de la agradable satisfacción de verme aprobar por la eminente magistratura literaria del Antiguo Arzobispo de Malinas. Cada día de la vida de V.S.I. está señalado con una nueva alabanza hacia mi persona. Quisiera yo merecerla, más por justificar a V.S.I. que por honrarme a mi mismo. V.S.I. he sido nuestro Profeta y debe ser infalible para no desmentir tan glorioso renombre.

La aprobación que dé V.S.I. a la Constitución Boliviana es la recompensa de mis antiguos trabajos. V.S.I. me llama legislador: esta palabra paga todo.

El señor Madrid tiene orden de arreglar en Londres con

V.S.I. el negocio de la pensión que celebraré cordialmente pueda servir de algo a una vida empleada en promover la libertad del Nuevo Mundo.

Todas las cosas de Colombia marchan maravillosamente. Un decreto y una proclama han restablecido la paz doméstica turbada por tantos accidentes en el Norte y Sur de la República. Yo he vencido a mis enemigos, y a los de Colombia, a fuerza de generosidades. La Gran Convención se celebrará en marzo próximo y allí el pueblo decretará nuevamente sus destinos.

Acepte V.S.I. los sentimientos de mi más cordial amistad y respeto

BOLIVAR

Chateau de Védrines. Archivo Fam. Roquefeuil. Fondo Ab. de Pradt. Copiada por el Presbítero Manuel Aguirre Elorriaga S.J.

---

*209.—De una copia).*

Bogotá, 18 de noviembre de 1827.

*Al Presbítero doctor Pedro Antonio Torres.*

Mi querido doctor:

Con infinita satisfacción he leído la apreciable carta de Vd. de 17 de octubre. Por ella veo que se van tomando todas las medidas favorables en bien de ese país: aún todavía es mayor mi placer cuando sé que Vd. se interesa en ella muy particularmente, cooperando por la prosperidad y dicha del hermoso Guayaquil, con su talento y con sus consejos.

Muchas gracias, doctor, por el aviso que me da de las demostraciones de alegría con que me han favorecido esos dignos habitantes por haberme encargado de nuevo de la Presidencia. Yo haré cuantos sacrificios estén en mi facultad, por conservar el orden y la tranquilidad de los pueblos. Por ahora no hay novedad y al cabo he conseguido reconciliar los ánimos.

El 16 se han comenzado a hacer las elecciones de diputados en esta capital, para la Gran Convención que se reunirá infaliblemente el día prefijado.

Tenga Vd. la bondad de saludarme a todos los amigos de esa ciudad y créame siempre su afectísimo amigo.

BOLIVAR

*210.—De una copia).*

Bogotá, a 20 de noviembre de 1827.

*Al señor coronel Tomás C. Mosquera.*

Mi querido Mosquera:

Con mucho gusto he leído la apreciable carta de Vd. del 23 de octubre, que recibí por el correo de ayer y que contesto inmediatamente.

Celebro infinito que haya llegado a esa ciudad el batallón Paya felizmente y que Vd. lo haya activado y atentido con bondad: recomiendo a Vd. la moralidad y disciplina de ese cuerpo, interesándose en que se conserve íntegro y en que se mantenga bajo el mejor pie de organización. Procure Vd. que se le pague mensualmente para que no haya motivos de disgusto ni desorden. Mucho me alegro que el señor Obispo se muestre tan mi amigo y se haya desengañado como Vd. dice; hágale Vd. mil cumplimientos de mi parte. También me alegro mucho que mi equipaje esté en camino: antes hablé a Vd. sobre esto mismo, porque a la verdad me hace falta.

Aprecio infinito los sentimientos que Vd. me ofrece de parte de su buen papá; correspóndaselos Vd. muy cordialmente, lo mismo que a Joaquín y al señor Arboleda, cuya indisposición me ha sido muy sensible; espero que en el seno de su familia y rodeado de sus amigos se habrá mejorado. Estoy con mucho cuidado por esa ciudad desde que sentí el terremoto: ojalá que no la haya dañado ni hayan padecido los buenos amigos que tengo en ella. Ha llegado el correo de Venezuela y no ha traído novedad que sea de cuidado.

De Morales y su expedición nada se dice, y aun se añade que no vendrá, y así del mal el menos.

Soy de Vd. mi querido coronel, afectísimo.

BOLIVAR

Archivo de don Bolívar Mosquera, Popayán.

---

*211.—De una copia).*

Bogotá, 21 de noviembre de 1827.

*A S.E. Henry Clay, Secretario del Departamento de Relaciones Exteriores.*

Señor:

No puedo privarme de la oportunidad que ofrece el viaje de Mr. Watts, Encargado de Negocios de los Estados Unidos, para expresar el gran respeto que tengo por V.E.

Durante mucho tiempo he abrigado este deseo con el objeto de expresar a V.E. mi admiración por sus brillantes talentos, y su vivo amor a la libertad. Toda la América y Colombia deben a V.E. la más acendrada gratitud por los distinguidos e incomparables servicios que V.E. les ha prestado sosteniendo su causa con el más sublime entusiasmo. Reciba así este sincero y cordial testimonio con el que me apresuro a corresponder a los esfuerzos hechos por el gobierno de los Estados Unidos y por V.E. en favor de la emancipación de sus hermanos del Sur.

Mr. Watts, por su conducta en Colombia, ha merecido nuestra alta estima y consideración. Por mi parte, debo aclarar, que la forma en que se ha conducido en este país ha sido verdaderamente satisfactoria para los más ilustres ciudadanos de Colombia.

Tengo el honor de ofrecer a V.E. la distinguida consideración con que me suscribo vuestro obediente atento servidor

BOLIVAR

El coronel Beauford J. Watts, como representante de los Estados Unidos, escribió desde Bogotá, el 15 de marzo de 1827 al Libertador, a la sazón en Caracas, excitándolo a encargarse del Poder Ejecutivo. "Las tres naciones, le dice, creadas, sacadas del caos por V.E. volverán pronto a sus primitivas tinieblas, si V.E. no continúa prestándoles sus servicios y sosteniéndolas".

El señor Francisco José Urrutia, quien dió a conocer la carta de Bolívar a Clay que antecede, dice lo siguiente:

"La carta de Watts fué publicada en Caracas, y esto dió lugar a un incidente penoso, pues el Secretario de Estado no la encontró bien, y parece que el general Santander se disgustó por ella. Con el deseo de justificar a Watts, Revenga escribió una nota a Clay, fechada en Bogotá el 25 de noviembre de 1827, explicatoria de los motivos de la publicación, la que se halla original en los archivos de Departamento de Estado. El mismo Bolívar, al partir Watts para los Estados Unidos, le dió la carta para Clay, que publicamos luego y que indudablemente tenía por objeto justificarlo ante el gobierno norte-americano". Véase la excelente obra de Urrutia "Los Estados Unidos de América y las Repúblicas Hispano Americanas, de 1810 a 1830". Páginas 373 a 376. Editorial América, Madrid, 1918.

---

*212.—De una copia).*

Bogotá, 29 de noviembre de 1827.

*Al señor coronel Tomás C. Mosquera.*

Mi querido Mosquera:

Con mucho sentimiento contesto la triste carta de Vd. del 18 de octubre, que recibí ayer junto con las noticias que me ha dado el oficial portador con respecto al terremoto y los estragos que ha causado en esa ciudad; días há que he estado con mucha pena pensando en la suerte de Vds. y esa población, mas después de tantos males es un consuelo saber que ninguno de mis amigos ha perecido.

Aseguro a Vd. que lo que menos pienso es en trasladar la capital como lo temen Vds.: si el más o menos mal que causan los temblores hubiesen de fijar los lugares capitales, mucho tiempo ha que Lisboa, Lima, Caracas y Bogotá debieran perder las ventajas que les ha dado la naturaleza y la localidad: por lo tánto puede Vd. asegurar a nuestros buenos amigos que lejos de tener este deseo haré cuanto dependa de mi por favorecer a Popayán, que amo como Vd. sabe.

En medio de las ruinas y miserias en que nos ha puesto el terremoto, tengo el gusto de decir a Vd. que ya han cesado todas las noticias que corrían en días pasados sobre Morales y la expedición española. Quiera Dios que ellas paren en nada y nos dejen obrar con quietud en nuestros arreglos y reformas, que veremos practicadas el día de la gran convención que ya se acerca. Contribuya Vd. todo lo posible, empeñando todo su interés y su influencia, a fin de que vengan sin pérdida de momento los Diputados del Sur.

Salude Vd. a sus señores padres, por los cuales estaban con mucho cuidado, y cuyas pérdidas siento como mías, lo mismo que al señor Arboleda, a quien deseo salud más que fortuna, y a todos nuestros amigos.

Créame Vd. siempre su afectísimo amigo.

BOLIVAR

Archivo de don Bolívar Mosquera. Popayán.

---

*213.—De fotografía).*

Republica de Colombia.

SIMON BOLIVAR

Libertador Presidente &., &., &.

*A nuestro grande y buen amigo, el muy alto y muy poderoso*

*Príncipe Jorge Cuarto Rey del Reino Unido de la Gran Bretaña e Irlanda, defensor de la fe* &., &., &.

Grande y buen amigo:

Colombia desmerecería todos los goces de un gobierno propio si al disfrutar de tan precioso bien pudiese olvidar la cooperación que obtuvo de algunos denodados amigos de la humanidad oprimida. Es imposible recordar los auxilios que nos prestaron los extraños, sin excitar nuestro reconocimiento la resolución de muchos súbitos de Vuestra Majestad que impelidos exclusivamente de su noble generosidad, vinieron a participar de nuestras fatigas, de nuestras privaciones y de nuestra suerte. Impusiéronse severos sacrificios, permaneciendo al lado de nuestros compatriotas; y entre ayudarnos o abandonar la causa de todo un hemisferio no dudaron sus corazones virtuosos. Pero su falta parece borrada por la amistad que Vuestra Majestad dispensa a los nuevos estados americanos. Ellos sin embargo sufren todavía la pena que en 1819 se decretó contra los súbditos Británicos que tomasen parte en contiendas extranjeras: castigo tanto más sensible cuanto que con él incurren en el desagrado de V.M.

Señor! A nombre de mis compañeros de armas, a nombre de Colombia agradecida, imploro la gracia de Vuestra Majestad en favor de aquellos generosos auxiliares!

De Vuestra Majestad buen amigo y devoto servidor

SIMON BOLIVAR

Bogotá, diciembre 15 de 1827.

La carta original se conserva en uno de los Museos de Londres, la cual fue fotografiada por un turista americano, quien se la mostró al doctor Enrique de la Espriella y éste hizo sacar copia immediatamente, y a su llegada a Cartagena pocos días después, la regaló al Museo Histórico, donde se conserva en la vitrina número 5, marcada con el número 476. Cartagena, junio 15 de 1932. *Francisco Vega G.* Director.

Esta pieza no es la carta definitiva sino un borrador de puño y letra del Libertador, con enmendaturas. Véanse otros borradores publicados en nuestra obra, VII, páginas 105 y 112.

*214.—De una copia*).

Bogotá, 20 de diciembre de 1827.

*Al señor coronel Tomás C. Mosquera.*

Mi querido Mosquera:

Me he informado exactamente de las noticias que Vd. se sirve darme en su apreciable del 6 del presente, y siento bastante que ese Departamento adolezca del mismo mal que éste, la miseria. La representación que Vd. me dice haber hecho el señor Borrero, aún no ha llegado ni sé que tenga intención de renunciar su destino. Por una parte me alegro que Vd. se haya interesado en reparar los daños y ruinas que ha causado el terremoto, y por otra, tengo la mayor pesadumbre por la lastimosa desgracia que ha sufrido en sus bienes nuestro amigo Arboleda: la siento como mía lo mismo que la del amigo Joaquín.

Quedo impuesto de cuanto Vd. me habla sobre las elecciones, y no dudo que el empeño de Vd. en que vengan los Diputados a la Convención, será más fuerte que ningún otro que se haya practicado con relación a este interesantísimo objeto.

Mi equipaje no ha llegado todavía, ni tampoco sé por dónde viene. Salude Vd. a sus padres, muy cariñosamente, a todos los buenos amigos de Popayán, significándoles mis sentimientos por las desgracias que han experimentado en el temblor.

Soy de Vd. mi querido Mosquera, su afectísimo amigo

BOLÍVAR

P.D. Después de escrita esta carta me presentaron la dimisión de Borrero que he admitido. Vd. reunirá la Intendencia a su destino mientras que yo presento al Congreso el propietario, que será su hermano Joaquín; ninguno más digno que él. Siendo Vd. el Intendente tendrá la facilidad de socorrer la guarnición de Pasto como me lo ha manifestado en sus anteriores cartas. Ciertamente que es un deseo laudable de parte de Vd.

Archivo de don Bolívar Mosquera, Popayán.

*215.—De una copia).*

Fusca, 28 de diciembre de 1827.

*Al señor coronel Tomás C. Mosquera.*

Mi querido Mosquera:

A un tiempo recibo y contesto las apreciables de Vd. que he leído con todo el interés que ellas contienen. Yo he hecho por Popayán y todo ese Departamento cuanto ha estado a mi alcance, y últimamente le he nombrado a Vd. Intendente para que de este modo pueda con más facilidad atender a las necesidades de la tropa y servir a este país desgraciado, cuya suerte me interesa sobremanera. Tendré presente las recomendaciones de Vd.

En cuanto a lo que Vd. me dice sobre la Gran Convención, convengo con Vd.; pero ¿qué quiere Vd. que haga? no puedo hacer otra cosa que lo hecho ya. No me es permitido ni aun indicar la dilación que Vd. propone; mis enemigos gritarían al escándalo y dirían que lo que deseo es perpetuarme en un mando que me tiene fastidiado, sobre todo en estas circunstancias y en esta edad ingrata. En fin, Vd. puede considerar cuánto se hablaría. Ni ahora mismo ciñéndome estrictamente a las leyes y a la Constitución me dejan en paz. ¿Qué no sería si tal llegase a suceder?

Mucho siento la indisposición del amigo Arboleda, y me alegro de los nombramientos de su papá y hermano, a quienes saludo como de costumbre. Muchas gracias por el interés que Vd. ha tomado en mis encargos; aún no han llegado, pero los espero pronto.

Soy su afectísimo amigo de corazón.

BOLÍVAR

Archivo de don Bolívar Mosquera, Popayán.

# 1828

*216.—De una copia).*

Bogotá, 14 de enero de 1828.

*Al señor coronel Tomás C. Mosquera.*

Mi querido Mosquera:

Gustoso he leído la carta de Vd. que me trajo Briceño, juntamente con mi equipaje, y doy a Vd. mil gracias por su eficacia.

Deseo con ansia saber quiénes han sido los Diputados nombrados por esa ciudad para la Gran Convención que está ya muy pronta a reunirse.

De España sabemos que Fernando y su hermano Carlos están en guerra abierta, habiendo éste tomado posesión de Cataluña y formado allí una (diputación) de treinta y un individuos. Fernando ha llamado en su auxilio la escuadra de Laborde, que se hallaba en La Habana, y ya habían partido dos buques. En vano pues se nos dirá que vienen expediciones.

Por acá no tenemos novedad alguna, todo permanece en el mismo estado que dije a Vd. antes de ahora.

Sírvase Vd. retornar mis afectuosos recuerdos a su papá, Joaquín y amable familia.

Adiós, mi querido Mosquera, soy siempre su amigo de corazón

BOLIVAR

Archivo de don Bolívar Mosquera, Popayán.

SIMON BOLIVAR.

D'après l'original présenté par lui peu de temps
avant sa mort à M^r WATTS consul de S M B a Carth^e

BOLIVAR EN 1830
Del natural por Meucci.

*217.—De una copia).*

Bogotá, enero 29 de 1828.

*Al señor coronel Tomás C. Mosquera.*

Mi querido Mosquera:

Por la apreciable carta de Vd. del 13 he sido informado de los que son electos por Pasto, y de la esperanza que Vd. me dá de que Joaquín irá a la Convención. Efectivamente, unido éste a Rafael Mosquera, como Vd. dice, serán muy útiles, y estoy persuadido que estos dos serán los más dignos representantes y los que trabajen fuertemente por la dicha del Sur. Al ver ya el interés que Vd. ha tomado en que las elecciones de esas provincias sean las mejores que puedan hacerse, he tenido un grande gusto, y por lo mismo doy a Vd. muchas gracias.

Siento infinito que esté tan escaso de dinero ese Departamento para pagar las dietas de los Diputados, pero, amigo, ¿qué hemos de hacer? Ya que no queda otro recurso que la Casa de Moneda, apelaremos a él; vea Vd. al Director y haga Vd. que de los fondos de esta Casa se satisfaga a los Diputados, pues que como Vd. sabe, ninguna cosa es en el día de mayor necesidad que la ida de estos señores; ninguna requiere un corto sacrificio de parte del Estado, como la misión de aquellos que llevan consigo los intereses y la prosperidad del país. Supuesto esto, debe Vd. empeñarse mucho a fin de que se le pague a los electos del modo que se pueda.

Sírvase Vd. retornar mis afectos a su buen papá, Joaquín, su hermano, Arboleda y su señora.

Créame Vd. siempre su afectísimo amigo

BOLÍVAR

Archivo de don Bolívar Mosquera, Popayán.

*218.—De una copia).*

Bogotá, 4 de febrero de 1828.

*Al señor José Fernandez Madrid*

Mi querido amigo y señor:

Nuevas incomodidades le mando con respecto a las minas de Aroa. Acabo de recibir ayer una carta del Agente de la Asociación de Minas de Bolívar, Carlos Cochrane, en que me dice que la compañía me requiere a que conceda una prolongación de plazo para el cumplimiento de la contrata pendiente con ella, sobre venta de las minas. Un señor George Hancorne me escribe, como Vd. verá en la carta que le incluyo, haciéndome nuevas proposiciones, pero detestables, pues quiere que se las venda en cinco años y por cuarenta mil libras. De ninguna manera me conviene este trato. Después me propone quince mil libras dentro de seis meses y quince mil libras en doce meses, después de vistas las letras que yo le libré. Las seguridades que ofrece son las mismas que yo exigí a la compañía de Bolívar.

Yo envío a Vd. un poder extensivo a Bello y con cláusula de sustitución en caso preciso. La carta de Cochrane le servirá a Vd. de gobierno para poderle hablar a los directores de la sociedad, manifestándoles de mi parte que se rescinda el contrato por escrito y legalmente, si ellos no quieren cumplir religiosamente la escritura que celebramos en Caracas el año pasado su agente y yo. Si no se verifica la venta a la compañía podrán Vds. ver al señor Hancorne, que vive en la dirección que aparece en la copia de su carta. Será muy conveniente ante todo informarse de su crédito y de las relaciones que pueda tener con la asociación de minas de Bolívar, pues yo creo a este caballero íntimo amigo y aun parte de dicha sociedad: pues sabe a punto fijo sus determinaciones. De todos modos, cuanto menos crédito tenga más debemos exigirle de contado.

Harán Vds. ver a los compradores que las minas están indignamente administradas y que pueden dar el doble y el triple bien administradas. Los gastos inútiles que allí se hacen son enormes y capaces de arruinar la empresa más ventajosa.

Ruego a Vd. que se pague, con el primer dinero que se coja,

la letra que giré en favor del señor Powles & Cia. no sea que con una nueva protesta suba a mucho más, como ha sucedido con la que libré a favor de Lancaster y no se cumplió y es la misma que tiene Powles & Compañía y la única que he girado en favor de esa casa; lo que deben Vds. entender así para su gobierno.

Yo autorizo a Vd. ampliamente para que venda las minas en los términos más ventajosos sin atender a las instrucciones que doy en la carta de hoy a Vd. y a Bello. De ninguna manera diga Vd. a nadie, nadie que tiene esa facultad hasta que no llegue el caso último de usar de ella; pues Vd. sabe que esta noticia sólo me haría mucho perjuicio. Vd. debe fijarse en las cuarenta mil guineas o por lo menos cuarenta mil libras; pero en caso de no poderse lograr este precio, tendremos que conformarnos con treinta y ocho a lo menos, menos, menos, treinta y cinco mil libras esterlinas pagaderas dentro de uno o dos años, pues un plazo mayor no me conviene absolutamente.

Su señora de Vd. ha comido con nosotros antes de ayer, va a partir y está tan hermosa y tan amable como siempre.

La Gran Convención dirá qué seremos y qué debemos esperar!

Soy de Vd. afectísimo amigo.

BOLIVAR

No hay novedad ni cosa muy mala; todo marcha como decía Madame de Stael "es el principio del fin".

Del Repertorio Colombiano.

---

*219.—De una copia).*

Bogotá, 5 de febrero de 1828.

*A los señores José Fernandez Madrid y Andrés Bello.*

Muy señores míos:

Me atrevo a molestar la atención de Vds. dirigiéndoles un poder especial para entablar y concluir las ventas de las minas de mi propiedad situadas en el Valle de Aroa. No habiendo tenido lugar el cumplimiento de la contrata firmada en Caracas por mí y con el agente de la compañía de minas de Bolívar, por no haber llenado las condiciones la misma compañía de minas como habíamos estipulado, y como consta a Vds. como encargados por mí de este mismo negocio; a consecuencia de todo lo referido y de las dos cartas cuyas copias tengo el honor de remitir a Vds. me tomo la confianza de rogarles que se sirvan tomar a su cuidado la realización de la venta de dichas minas de Aroa según las instrucciones siguientes:

Primero: procurarán Vds. celebrar la venta de las minas conforme al tenor de la contrata concluída con el agente de las minas de Bolívar y cuyos documentos están en poder de Vds.

Segundo: la mitad del valor de las minas deberá recibirse al acto de firmarse la nueva contrata, es decir que veinte mil guineas serán entregadas en el acto, las otras veinte mil guineas en el término de un año después de la primera entrega.

Si esta contrata no se pudiera lograr, autorizo a Vds. para que verifiquen la venta de las minas en los términos siguientes:

Primero: las minas serán vendidas por cuarenta mil libras esterlinas, debiéndose recibir la mitad del valor al acto de firmarse la contrata, y la otra mitad en el término de un año. Segundo: si esta primera proposición no se aceptare, autorizo a Vds. para que los plazos sean los siguientes: el primero se pagará en el acto de celebrarse la contrata, el segundo a los seis meses, el tercero a los otros seis meses y el cuarto al año y medio cumplido de celebrada la contrata. De modo que cada plazo será de la cuarta parte del valor intrínseco o de diez mil libras esterlinas en cada uno de ellos; pues mi resolución es que no se vendan las minas por menos de las cuarenta mil libras esterlinas de que he hablado antes.

Si después de los mayores esfuerzos, Vds. no pudieren conseguir la venta de las minas en el valor de las cuarenta mil libras, yo los autorizo para que puedan bajar mil o dos mil libras esterlinas, cuando más y que el pago se haga en estos términos: el primero, la cuarta parte de contado, el segundo al año, el tercero a los seis meses después del segundo plazo, y el cuarto y último a los dos años cumplidos desde el día en que se firme la contrata.

Yo ruego a Vds. que se esfuercen a fin de que las seguridades del cumplimiento de la contrata sean las más satisfactorias, y en caso de duda se podrán adoptar las mismas condiciones que ofrece el señor George Hancorne, con respecto a la entrega, posesión y títulos solamente de dichas minas, con la mira de que la misma finca pueda servirme a mi de fianza por parte de los mismos compradores; pero de ninguna manera admitiremos las treinta mil libras.

El señor Hancorne quizá querrá comprar esas minas en los términos que me propone, mas los plazos no deben pasar de dos años, y en los términos ya indicados arriba, bien sea por cuartas o por octavas partes, pero siempre en períodos proporcionalmente iguales a las sumas y al término de los dos años.

Yo desearía que del primer dinero que Vds. recibieran se pagase la letra que giré en favor de los señores Powles & Compañía. Estos caballeros podrán también entrar en nuestro negocio si acaso les conviniere.

En caso de que nada de lo que dejo dicho se pueda lograr, Vds. tendrán la bondad de comunicarme las nuevas proposiciones que nos hagan sobre esta compra: bien entendido que yo quiero el dinero de pronto, si es posible, aunque sea perdiendo algo, y si no, las mejores seguridades que nos sea dable obtener. Estas reglas deben servir a Vds. de gobierno aun para concluir la venta que ahora suplico a Vds. tengan la bondad de tratar y concluir con el poder adjunto que incluyo y va en regla, para evitar toda duda.

Terminaré esta carta, excusándome de tener que molestar la atención de Vds. con una incomodidad tan importuna y aun indigna de su carácter público.

Me ofrezco a Vds. con la mayor consideración y respeto

BOLÍVAR

No olviden Vds. de hacer presente a los compradores que las minas están manejadas con prodigalidad y sin economía alguna. Que luego que se hayan comprado, nuestras leyes nos autorizan a rescindir todo contrato anterior, si no conviene al nuevo comprador; así las ventajas serán muy superiores.

Del Repertorio Colombiano.

---

**220.—*De una copia*).**

Bogotá, febrero 7 de 1828.

*Al señor coronel Tomás C. Mosquera.*

Querido Mosquera:

La apreciable carta de Vd. de 22 de enero que llegó a mis manos, me ha consolado infinito en medio de las angustias y tormentos que me aflijen, pensando siempre en el bienestar de una patria que nos paga con tanta ingratitud; ha sido ciertamente su triunfo sacar al amigo Joaquín Mosquera por Diputado en medio de la fuerte oposición de la intriga discretamente manejada y de tal modo, que Santander se jacta de que ya cuenta con cuarenta y siete diputados y *partidarios*. Por la palabra penetrará Vd. el pensamiento, es decir, que estos individuos no van allí a llenar los deseos y a procurar la dicha de sus comitentes, sino a satisfacer sus pasiones. Sin embargo, podemos ya contar con una fuerte masa de oposición con los Diputados del Sur, Cartagena, algunos del interior, y esperamos que los de Venezuela serán buenos en su mayoría.

Ya ha marchado el reemplazo de Carrasquilla por la vía de Antioquia; inste Vd. a éste porque venga volando, pues los partidarios salen de aquí en la semana entrante.

Expresiones a sus padres y amigos, y créame su afectísimo amigo

BOLIVAR

Archivo de don Bolívar Mosquera, Popayán.

---

*221.—Del original).*

Bogotá, 9 de febrero de 1828.

*Al señor Esteban Herrera.*

Mi querido Herrera:

He tenido mucho gusto en recibir su apreciable carta de 10 de diciembre de Guarenas, me alegro mucho que esté Vd. contento con ese miserable destino, aunque creo muy bien, como Vd. dice, que no le alcanza para comer.

Pronto tendré el gusto de ver a Vd. pues pienso irme para Caracas pronto y entre tanto créame su afmo. amigo.

BOLIVAR

El doctor Hector García Chuecos generosamente nos ha obsequiado los originales de esta carta y otra del 20 de diciembre de 1828, dirigidas al señor Esteban Herrera, miembro de una distinguida familia de Caracas. Las hemos colocado en el Archivo del Libertador con la nota correspondiente.

---

*222.—De una copia).*

Bogotá, febrero 22 de 1828.

*Al señor coronel Tomás C. Mosquera.*

Mi querido Mosquera:

He recibido la pareciable carta de Vd. del 6 del corriente, y me he impuesto de los avisos que Vd. me dá en ella con respecto a elecciones, arreglo de rentas, etc. Sobre esto último, me alegro infinito que Vd. trabaje con tesón a fin de adelantarlas, pues que las rentas son el nervio de la República. Vd. no puede imaginarse cuánto ha progresado Caracas con esta misma medida; antes de adoptarla era aquella ciudad un esqueleto, y en el día tiene cómo sufragar desahogadamente el presupuesto civil y militar, tome Vd. por modelo lo que allí se hizo.

Al fin he determinado marchar a Venezuela, y desisto por ahora de la resolución de ir a Europa.

Casi nada tengo que añadir a lo que dije a Vd. en mi anterior a ésta, con relación a mi viaje. Yo salgo de aquí el 7 del entrante, y me voy satisfecho, porque veo que la mayor parte de los diputados que van a Ocaña están animados de los mejores sentimientos, y opinan por la unidad.

A O'Leary ya se le ha pagado ese dinero, y sobre lo demás yo daré la orden para que se me descuente de mi sueldo por esta Tesorería, con lo cual queda abonado el costo de la conducción de mi equipaje.

Adiós, querido coronel, déle memorias a todos mis amigos y créame siempre su afectísimo amigo.

BOLIVAR

P.D. Devuelvo a Vd. su carta.

Archivo de don Bolívar Mosquera, Popayán.

---

223.—*De una copia*).

Bogotá, 13 de marzo de 1828.

*A S.E. el Gran Mariscal de Ayacucho, Antonio José de Sucre.*

Mi querido general:

Hemos sabido el suceso de nuestras tropas contra sus oficiales y jefes. A consecuencia yo he tomado algunas medidas y espero que no sufriremos impunemente tantos ultrajes de parte de los que debían estar más agradecidos.

Me detuve para esperar algún resultado de los movimientos de Bolivia, pues yo no puedo dejar de ir a Venezuela a visitar los Departamentos que no logré ver en el año pasado.

Parto pues mañana con la mira de llegar hasta Guayana y Cumaná en el inter delibera la Gran Convención. No quiero que se diga que mi influencia obra en los Diputados. Pienso que no habrá mal espíritu en el Cuerpo Constituyente porque la mayoría es sana y digna de representar. De manera que dentro de cuatro meses ya estaré de regreso y la patria no se hallará vacilante como en el día. El ejército está con mi opinión de salvar la República sacrificándole todos los intereses particulares y personales. Lo mismo siente un gran número de ciudadanos.

El peligro común nos ha reunido por la mayor parte. Un partido muy inferior sostiene aun intereses particulares, pero este partido no vale cosa y no lo creo temible al menos que ocurra a medidas desesperadas; y aun estas mismas medidas no producen efecto como ya se ha visto en el oriente de Venezuela, donde se ha empleado todo para arruinarnos y sin embargo hemos triunfado de la negra anarquía. Yo pues, mi querido general, no desespero de la salud porque nada me persuade que podamos perecer con un poco de energía.

El general Urdaneta queda aquí encargado del Ministerio de la Guerra y con él debe Vd. entenderse para todo lo relativo al ramo. Flores está en el sur con fuerzas para ocurrir a donde lo exija la necesidad. Con él no debemos temer por esa parte y además dispondrá lo más que se necesite, pues toda la República volará a la frontera si el honor de Colombia lo pidiese. Vd. no tiene más que decir una palabra a Flores y a Urdaneta que será auxiliado oportunamente contra los invasores y corruptores.

Yo haré por su familia lo que pueda, pero poco será pues no hay medios.

Soy de Vd. affmo. de corazón.

BOLIVAR

A.D. Belmonte vuelve a su país y merece toda la bondad de Vd. y la mía; se lo recomiendo de nuevo.

Publicada por error como dirigida al coronel Felipe Braun, después general de Bolivia, en la revista Ibero-Amerikanische Archiv, órgano del Instituto Ibero Americano de Berlín. Debemos la copia al doctor Hector García Chuecos.

*224.—De una copia).*

Soatá, a 25 de marzo de 1828.

*(Señor Fernando S. Bolívar)*

Mi querido Fernando:

Contesto a tus dos apreciables cartas de Caracas donde sé que has llegado y en lo cual has hecho muy bien, no pudiendo ya mantenerte en los Estados Unidos. Sin embargo debo decirte que a mi salida de Caracas, dejé dispuestos los medios para tu subsistencia allí. Haces muy bien en entretenerte con tus libros y yo prefiero que sean españoles para que te perfecciones en el idioma: te encargo que te ejercites en copiar el castellano a fin de que curses la letra y te perfecciones en la ortografía, pues mi deseo es que vengas a mi lado a servirme en mi correspondencia. En otra ocasión te diré adonde te has de incorporar conmigo.

Saluda a tu madre y hermanos y creeme tu afmo. tío.

BOLÍVAR

El original pertenece a la señora Gloria Muñiz de Howanietz, Apartado 1424, San Juan de Puerto Rico.

---

*225.—De una copia).*

Bucaramanga, a 10 de abril de 1828.

*Al señor coronel Tomás C. Mosquera.*

Mi querido Mosquera:

Contesto a su apreciable carta del 13 del corriente, que recibí anoche, junto con la clave que conservo. He dado inmediatamente la orden a Bogotá para que Bunch sea colocado en la Buenaventura, como Vd. me lo recomienda.

Ayer he recibido cartas de Ocaña y Cartagena; en aquel primer lugar las cosas iban muy despacio y aún no se había reunido la Convención hasta el 4, porque se estaban calificando sus individuos. Joaquín me escribe y se me asegura que se porta con mucha moderación.

No espere Vd. cartas mías en todos los correos, porque aquí estoy solo y con pocos escribientes; sin embargo, no por eso deje Vd. de escribirme o al general Urdaneta en Bogotá, instruyéndole de todo lo que pase por allá.

Déle Vd. mis expresiones respetuosas al mejor de los amigos, al padre más respetable y a todo el resto de su excelente familia, y entre tanto créame Vd. su afectísimo amigo.

BOLIVAR

Archivo de don Bolívar Mosquera, Popayán.

226.—*De una copia*).

Bucaramanga, a 17 de abril de 1828.

*Exmo. Señor Presidente de la Gran Convención.*

Por la comunicación de V.E. de 10 del corriente me he impuesto de que el día anterior tuvo efecto la instalación de la Gran Convención y de que V.E. fue elegido Presidente. He dado orden para que se imprima el acta y se circule a toda la República con la solemnidad correspondiente.

Está realizado uno de los más vehementes deseos del pueblo colombiano; y confío en que ese augusto cuerpo corresponderá a sus esperanzas y colmará su dicha. La Convención conoce las causas del mal que atormenta a la Nación y no puede engañarse ni sobre lo que le conviene, ni sobre la verdadera opinión pública. Ojalá que en el silencio de las pasiones se oiga la voz de la sabiduría y se logre el inmenso bien de salvar la República y ponerla al abrigo de nuevas convulsiones.

Acepte V.E. las consideraciones de mi respeto.

SIMON BOLIVAR

Copia enviada por el señor Miguel A. Staper Parra. Bogotá.

*227.—De una copia).*

Bucaramanga, 28 de abril de 1828.

*Al señor J. F. Madrid.*

Mi querido amigo:

Incluyo a Vd. una carta para los señores de la asociación de minas de Bolívar, reducida a reclamar de ellos sobre el pago de los libramientos que he girado contra ellos por el valor del arrendamiento de las minas, pues que su encargado en Caracas le ha asegurado a mi hermana, tenedora de un libramiento, que ellos no debían abonarlo, puesto que el dinero debió ponerse en el Banco y que contra éste debió librarse. Yo no sé a la verdad, como es que estos señores se niegan a este pago, cuando abonaron corrientemente los anteriores libramientos, a cuenta de esas mismas minas, sin que fuese necesario girar contra el Banco. Yo creo que esto es una equivocación del agente de las minas, y por lo tanto deseo que Vd., con la bondad de su caracter, se acerque a estos señores y les pida una explicación sobre esto, así como urgirles el pago de este libramiento, pues que interesa a mi honor. Si ellos han depositado el dinero en el Banco, ellos mismos pueden extraerlo de él para hacer este pago y caso que hubiese sido hecha la entrega en mi nombre Vd. lo puede hacer, teniendo mi *poder,* lo que interesa es que se cubran esos libramientos.

Por acá va todo más o menos bien. Vd. sabrá por otros lo que ocurrió en Cartagena y lo que diariamente sucede en la Convención que va así, así, no sé que decir de ella. Los cartageneros son mis mejores amigos; Castillo a la cabeza. El resto de la República marcha bien, bien.

Soy de Vd.

BOLIVAR

Del Repertorio Colombiano.

*228.—De una copia).*

Bucaramanga, a 4 de mayo de 1828.

*Al señor coronel Tomás C. Mosquera.*

Mi estimado Mosquera:

Hoy ha llegado a mis manos la muy estimable carta de Vd. de 5 de abril, bien interesante a la verdad por las noticias que contiene el aviso que Vd. me da en ellas sobre la representación de esa Provincia a la Gran Convención, y lo que debía hacerse en el Cauca. Aunque ellas llegaran tal vez en tiempo que no puedan producir el efecto que Vds. desean, sin embargo muestra siempre la opinión de esa parte de la República, en favor de la unión y de la estabilidad. Puedo asegurar a Vd. que en la Convención se había rechazado por una gran mayoría la federación que se había propuesto, y habíase acordado que se hiciesen reformas en la Constitución conservando siempre su estructura central. Este es, pues, el punto, sobre el cual ruedan las cuestiones y las opiniones. Unos desearán debilitar cuanto sea posible la fuerza del Gobierno aumentando los derechos municipales o juntas, otros como su buen hermano, deseará afirmarlo dándole todo el vigor posible. De todo esto deduzco que la Convención no hará mal, pero tampoco mucho bien, no quedándonos otro que el de habernos librado de la federación. Vea Vd. lo que pasa en el día en México, debido a este funesto sistema, y véase si mis ideas con respecto a él son exactas y dirigidas por el bien de la República.

Está bien lo que dice el señor Obando, y voy a darle orden al general Urdaneta para que lo llame a Bogotá para emplearlo en el Norte, más es preciso que se le haga venir de grado o por fuerza.

Mucho me alegro que el señor Cuervo haya tomado tánto interés en las representaciones de ese Departamento.

Salude muy cariñosamente a su hermano Arboleda, a quien nunca olvido y siempre aprecio, y Vd. créame su afectísimo amigo

BOLIVAR

Archivo de don Bolívar Mosquera, Popayán.

*229.—De una copia).*

Bucaramanga, mayo 16 de 1828.

*Al señor coronel Tomás C. Mosquera.*

Mi querido coronel:

Contesto con mucho gusto la apreciable carta de Vd. del 22 de abril que llegó ayer a mis manos y de cuyo contenido quedo impuesto con suma satisfacción y me ha sido muy agradable saber que el señor Cuervo le sea tan útil como Vd. dice y que sus opiniones, lejos de dañar, sirvan más bien a sostener el Gobierno: déle Vd. las gracias de mi parte y que le será concedida la licencia de su hermano.

Ya estábamos informados del estado en que se halla Vidaurre en el Perú y aún ha venido un manifiesto suyo que aun no he visto pero como todo lo suyo debe ser muy curioso.

Las cosas de la Gran Convención siguen poco más o menos en el mismo estado en que estaban cuando escribí a Vd. mi última carta. La federación fue rechazada por cuarenta y cuatro votos contra veintidos, después se ha procedido a la discusión de las bases de reformas: mis amigos de allí me escriben que la Constitución será mejorada en mucho. Y su buen hermano y primo se conducen bien, uno y otro son los primeros hombres de la Convención.

Yo he determinado permanecer aquí hasta ver terminada la Convención.

Tenga Vd. la bondad de saludar a sus buenos padres y créame su afmo. amigo,

BOLIVAR

Archivo de don Bolívar Mosquera, Popayán.
Por error fue publicada en nuestra colección con fecha 10 de mayo. Tomo VII, 267.

*230.—De una copia).*

Bucaramanga, a 2 de junio de 1828.

*Al señor coronel Tomás C. Mosquera.*

Mi estimado coronel:

Contesto con mucho gusto la apreciable carta del 6 de mayo en que Vd. me habla con mucha extensión sobre los asuntos del día, nuestra situación política y económica. Con respecto a esto último, es de esperarse que los esfuerzos del señor Tanco contribuirán a mejorar el estado de nuestra Hacienda, de lo cual dependen en gran parte nuestros males.

Recomiendo a Vd. la lectura de las cartas que escribo al amigo Arboleda, en ellas encontrará Vd. la verdadera profesión de mi fe política con respecto al estado en que nos encontramos actualmente.

Pero puede Vd. contar como lo digo al amigo Arboleda, que no abandonaré la patria en peligro. Yo aguardo pues con impaciencia saber cuáles son los resultados de la Gran Convención para decidirme, y además, ver lo que harán los contrarios y obrar en conformidad. Para cuando llegue a este caso yo cuento con la cooperación de los amigos decididos como Vd. y que prefieren la estabilidad de la patria al triunfo de sus pasiones. En fin, vea Vd. todo lo que digo a Arboleda y que omito repetir, pónganse de acuerdo y dénme sus opiniones.

El amigo Joaquín se conduce muy bien, y es el encanto de los amigos; su discurso sobre la federación ha sido hermoso.

Venezuela está muy tranquila bajo la autoridad superior del General Páez, que se conduce muy bien.

Tenga Vd. la bondad de saludarme a sus buenos padres, a quienes recuerdo siempre.

Muy agradable me será servir a su hermano en la recomendación que Vd. me hace en cuanto me sea posible, dígale Vd. que represente.

Soy de Vd. afectísimo amigo

BOLIVAR

P.D. Ya es tiempo de obrar porque no hay más esperanzas.

Archivo de don Bolívar Mosquera, Popayán.

———

*231.—De una copia*).

Botogá, 28 de junio de 1828.

*Al señor coronel Tomás C. Mosquera.*

Mi querido coronel:

Contesto con mucho gusto su apreciable carta del 14 de junio, de regreso a esta capital después de haberse disuelto la Gran Convención a consecuencia de la resolución que tomaron algunos diputados de separarse de ella antes que firmar la ruina de Colombia; en el proyecto que les presentaba Azuero, ellos querían que Colombia siguiese la suerte del Perú, Guatemala, y Méjico; ellos querían saciar su venganza a costa de la patria, mas la acta de esta capital del 13 del corriente, que ha sido reproducida por todos los pueblos de Cundinamarca, ha cambiado la faz de los negocios y ha salvado la patria de la anarquía. Es verdad que el pueblo se ha despojado de su soberanía para conferírmela en momentos muy críticos ciertamente, más no por eso desespero de restablecer los negocios de la República y su crédito, sobre todo, cuando cuento con la aura popular y la cooperación de los hombres de bien que como Vd. se hallan a la cabeza de los Departamentos. Así yo me ocuparé en dos objetos de primera necesidad, y prepararemos el camino a la estabilidad de la República que no se ha podido lograr en esta ocasión porque las pasiones dominan sobre los corazones.

Tenga Vd. la bondad de saludar a nuestros amigos de Popayán, al amable Arboleda, y créame su afectísimo amigo de corazón

BOLIVAR

Archivo de don Bolívar Mosquera, Popayán.

---

*232.—De fotografía del original*).

Bogotá, 2 de julio de 1828.

*Al señor coronel J. F. Blanco.*

Mi estimado amigo:

Mucho me alegro que al fin muestre Vd. buen humor y conformidad como me lo dá a entender su apreciable carta del 2 de junio que acaba de llegar a mis manos y en la que Vd. me informa que pasaba a Caracas. Desde luego no pierdo tiempo en dar la orden que pasen a Caracas, los documentos relativos a Vd. y recomendaré al general Paéz que haga cuanto dependa de su parte por servir a Vd. cuyo triunfo debe ser inevitable siendo su causa tan justa.

A la fecha estará Vd. impuesto de los resultados de la Gran Convención, y del pronunciamiento de esta capital, que al paso que me ha colocado en una posición extraordinaria, nada puedo decidir hasta saber cual es la voluntad nacional en esta nueva época.

Ayer hemos tenido noticias del Perú que ha invadido a Bolivia del modo más pérfido y nos provoca a la guerra. Se asegura que La Mar venía a invadir al Sur y yo tengo que prepararme a rechazar esta invasión.

Soy de Vd. afmo. amigo.

BOLIVAR

El original pertenece al señor Dr. Jorge S. Arfeld—Echeverría 2716-76-0331. Buenos Aires. Por error el amanuense escribió J. M. Blanco.

*233.—De una copia).*

Bogotá a 15 de julio de 1828.

*Al coronel Tomás C. Mosquera.*

Mi querido Mosquera:

Contesto con mucho gusto su apreciable carta del 29 del pasado, a la cual acompaña Vd. el acta de esa ciudad que aguardábamos con ansia, y me habla Vd. sobre el modo como se hizo. Yo creo que Vd. ha obrado de un modo muy eficaz y ha hecho un gran servicio a su patria, que ciertamente se hubiera sumergido en la guerra civil si Vd. no toma la resolución de rescatarla. Hoy he tenido el placer de abrazar a su digno hermano Joaquín, con quien he hablado con mucha detención sobre los negocios de Ocaña. El se ha conducido siempre de un modo que le hace honor ciertamente. Por el correo de Inglaterra hemos recibido avisos de nuestro Agente en Madrid, sobre el proyecto de una expedición española que debe venir a la Habana para de allí dirigirse contra nosotros, los trasportes estaban ya tomados y se hacían tales preparativos, que no hay que dudarlo. Por tanto Vd. debe apresurarse en el cumplimiento de las órdenes que se le han dado últimamente con respecto a auxilios al Sur y hacer acelerarlos en cuanto sea posible a fin de poder terminar nuestras diferencias con el Perú antes que se nos vengan encima los españoles. Esta consideración es muy poderosa y debe tener en el ánimo de Vd. toda la fuerza. Así, pues, Vd. debe esforzarse en los servicios del ejército del Sur.

Ya Cundinamarca ha redondeado sus actas, y no faltan sino las de Venezuela y Quito.

Tenga Vd. la bondad se saludar al amigo Arboleda y creerme su afectísimo amigo

BOLIVAR

Archivo de don Bolívar Mosquera, Popayán.

*234.—De una copia).*

Bogotá, a 20 de julio de 1828.

*Al señor coronel Tomás C. Mosquera.*

Mi querido Mosquera:

Tengo a la vista la muy apreciable carta de Vd. del 6 de julio, en que me habla larga y detalladamente sobre el estado de ese Departamento, que celebro infinito se haya mejorado con respecto a la opinión; lo mismo sucede en todas partes, porque al fin se convencen que lo que el pueblo quiere es una libertad segura y una paz duradera. Sobre esto he hablado mucho con su digno hermano Joaquín, como le informará él luego se vean, pues que partirá pronto. Yo le he instado infinito porque acepte un destino correspondiente a su dignidad y mérito, pues que deseo tenerlo a mi lado, más dudo mucho que lo acepte.

Vd. debe continuar en sus servicios al ejército del general Flores, pues que lejos de revocar mis anteriores órdenes las reitero con más instancia, atendiendo a que se asegura que los españoles continúan haciendo grandes preparativos para mandar una fuerte expedición a La Habana, que seguramente vendrá a Colombia.

Por acá todo está muy tranquilo, y cada día vienen nuevas actas conformes a la de esta capital, de suerte que muy pronto se habrá pronunciado toda la República.

El general Torres me escribe de Quito que las haciendas que tiene Flores en el Sur han sido mandadas entregar a sus antiguos dueños por la Corte Superior de Popayán, y yo deseo que Vd. inquiera en esto, pues nada sé de tal cosa, lo que ciertamente es extraño. Como es natural, tengo interés por Flores, que no tiene otro patrimonio y al mismo tiempo debo conocer el hecho para que se haga la justicia correspondiente.

Tenga Vd. la bondad de saludar a su buen padre y al amigo Arboleda, que me escriba.

Soy siempre su afectísimo

BOLIVAR

P.D. ¿Sabe Vd. que su proclama es muy hermosa? No la había visto hasta en este momento. Reciba Vd. la enhorabuena por su elocuencia.

Archivo de don Bolívar Mosquera, Popayán.

---

*235.—De una copia).*

Bogotá, 8 de agosto de 1828.

*Al coronel Tomás C. Mosquera.*

Mi querido Mosquera:

Tengo a la vista la muy apreciable carta de Vd. de 22 del pasado en que me participa muy extensamente todas las medidas que tomaba para aumentar los recursos del general Flores, cuyo ejército debemos aumentar cuanto nos sea posible a fin de imponer respeto al Perú y obtener con más suceso el resulado que nos prometemos de la misión del coronel O'Leary, que ha debido ver a Vd. en Popayán y le habrá informado de nuestras cosas. Yo espero pues, y le ruego que haga esfuerzos inauditos por remitir a Flores todos los auxilios que estén a su alcance.

Ayer ha venido el señor Revenga trayéndonos la acta de Valencia que es tan fuerte y enérgica como la que más; el general Páez estaba loco de contento, y me asegura que Venezuela ha visto este nuevo orden de cosas como su salvación.

Tenga Vd. la bondad de decir mil cosas de mi parte a su bueno y respetable padre, así como al amigo Arboleda, y créame su afectísimo amigo.

BOLIVAR

Archivo de don Bolívar Mosquera.

*236.—De una copia).*

Bogotá, a 8 de agosto de 1828.

*Señor coronel P. A. Herrán.*

Mi querido Herrán:

Tenga Vd. la bondad de suspender la orden de salida con respecto a Arganil, permitiéndole quedar indefinidamente hasta otra orden.

Su afectísimo

BOLIVAR

Archivo Herrán, en la Academia de Historia de Bogotá.

---

*237.—De una copia).*

Bogotá, 9 de agosto de 1828.

*Señor Doctor P. A. Torres.*

Quito.

Mi estimado doctor:

Muy agradable me ha sido recibir la muy apreciable carta de Vd. del 11 de julio, en que me habla sobre el acta de Quito, que hemos visto con infinita satisfacción, así cuanto Vd. me dice sobre el Obispo de Popayán y demás personas que han tomado tanto interés en este acto solemne. Después de dar a Vd. las gracias por todo lo mucho que ha hecho en ese día, le encargo muy particularmente que manifieste al ilustrísimo señor Obispo cuanto he agradecido esta prueba de su amor a Colombia y su adhesión a mi.

Ayer ha venido el señor Revenga trayéndome el acta de Valencia que ha sido tan solemne como la de Quito, fuertemente apoyada por el general Páez, quien me asegura que Venezuela toda no tiene sino una opinión y un sentimiento.

Por acá estamos muy tranquilos; dentro de ocho días se establecerá el nuevo gobierno conforme al nuevo orden de cosas.

Soy de Vd. mi querido Torres, afectísimo amigo.

BOLIVAR

Publicada por José Camacho Carrizoza en el estudio "Hombres y Partidos". Tomo 67 de la Biblioteca Aldeana de Colombia.

Damos las gracias al doctor Hector García Chuecos que nos ha facilitado esta copia.

El original pertenece a los descendientes de Guillermo Valencia.

---

*238.—De una copia).*

Bogotá, 13 de agosto de 1828.

Mi querido Intendente:

He convenido con las Alcaldes de San Victorino que les permitiré *rifas* para sacar algo para la iglesia. Permítalo Vd.

Soy de Vd. afectísimo.

BOLIVAR

Archivo Herrán. Academia de la Historia, Bogotá.

---

*239.—De fotografía del original).*

Bogotá, a 15 de agosto de 1828.

*Señor José Angel Alamo.*

Mi querido Alamo:

Contesto con mucho gusto la apreciable carta de Vd. del 7 de julio, habiendo respondido anteriormente a las que Vd. me ha escrito anteriormente, pudiendo asegurarle que siempre he acusado su recibo. Si ellas se pierden o las roban la culpa no es mía.

En la semana pasada llegó el señor Revenga trayéndonos la acta de Valencia, que ha tenido muy buen efecto en esta capital porque la consideran como la llave de las demás. Aún no sabemos lo que habrá sucedido en Caracas; pero me imagino que todo habrá sido conforme a lo que se ha hecho en Valencia. En fin, en medio de las dificultades y peligros que nos rodean, es un consuelo que la opinión se haya uniformado tan espontáneamente y que me den los medios de defender el país contra los españoles que lo quieren invadir, como se nos asegura por diferentes vías. Ayer        supimos, por Cartagena, que de Cadiz habían salido tres mil hombres para la Habana y que se preparaban otros muchos. Puede muy bien suceder que la expedición se dirija a Méjico, pero esto es más por conjeturas que por datos.

He visto a Fernando que me ha parecido muy bien y a quien cuidaré como hijo; él me ha hablado con gratitud por el cariño que Vd. le ha hecho y le doy las gracias.

De mi letra y puño escribiré a Antonia sobre esas malhadadas libranzas.

Tiene Vd. razón en todo lo que me dice con respecto a Pelgron y, aun antes de leer su carta, había mandado que le den un destino: yo lo conozco bien y lo aprecio.

Memorias a los amigos y créame suyo

BOLIVAR

El original pertenece al señor Angel Alamo Ibarra.

---

240.—*De una copia*).

Bogotá, agosto 20 de 1828.

*Señor Coronel Pedro Murgueitío.*

Mi querido coronel:

Tengo el gusto de contestar su apreciable carta del 25 de julio de este año, en que Vd. tiene la bondad de felicitarme por los últimos pronunciamientos de los pueblos del Sur, tan conformes con las ideas y sentimientos que Vd. ha mostrado y que yo he apreciado cuanto ellos merecen.

Yo doy a Vd. mi querido coronel, las más expresivas gracias por su favorecida carta y cuanto se sirve Vd. decirme en ella.

Dígame Vd. en qué lo puedo servir, seguro de que me será muy agradable atender a cualquier reclamo que Vd. me quiera hacer.

La República entera se ha uniformado ya en sus actas.

Soy de Vd. afectísimo amigo.

BOLÍVAR

Archivo de don Bolívar Mosquera, Popayán.

---

241.—De una copia).

Bogotá, 24 de agosto de 1828.

Al señor J. F. Madrid.

Mi estimado amigo:

He recibido con mucha satisfacción las agradables cartas de Vd. desde 4 de mayo hasta el 5 de julio, en ellas me dice Vd. haber vendido las minas en treinta y ocho mil libras pagaderas en los términos estipulados. Doy a Vd. mil gracias y lo mismo al señor Bello por este importante servicio, pues me han puesto Vds. más independiente de los hombres y de la fortuna.

Vuelvo a dar órdenes a Caracas para que manden los títulos a Londres aunque temo algún inconveniente con respecto a los originales no se vayan a perder en el mar; y los individuos que hayan tenido alguna reclamación sobre las minas pondrán su avenimiento pues que jamás han tenido ningún derecho a ellas, y si han gozado de alguna parte ha sido de un modo usurpatorio. Vd. puede contar con que los títulos irán en regla, visados por el Consul Inglés como Vds. lo han deseado, y en la mejor forma posible.

Es inútil decir a Vd. que se deben exigir por nuestra parte todas las formalidades que están estipuladas a fin de asegurar los pagamentos de una manera indudable. Del primer dinero que se reciba mandarán Vds. pagar inmediatamente los veinte y cuatro mil y pico de pesos que se deben a los señores Powles de resultas de las libranzas de Lancaster. También pagarán Vds. desde luego siete mil duros que he girado en favor del señor Feliciano Palacios de Caracas.

El líquido restante de todo el valor de las minas, se pondrá por mi cuenta y a mi orden y siguiendo las formalidades más perfectas en un Banco del gobierno o bien de Inglaterra, donde haya la mayor seguridad posible, aunque el interés no pase de 2 o 3 por ciento. Por manera que lo que yo más deseo es que mi dinero no sufra menoscabo en su capital y se asegure para siempre su cobro. Vds. tendrán la bondad de asegurar los documentos y de mandarme un tanto de ellos para tenerlos en mi poder; pero yo no quiero decir que se vaya a cometer una falta por cumplir con estas órdenes, pues lo único que deseo es asegurar el dinero y la percepción de su rédito.

El coronel Wilson, edecán que ha sido mío hasta hoy se vuelve a su país retirado de nuestro servicio. Como su conducta ha sido tan ejemplar y tan digna del agradecimiento del gobierno de Colombia debo recomendarlo a Vd. para que se sirva aprovechar alguna oportunidad que se ofrezca cerca del Ministro de Relaciones Exteriores, manifestándole de mi parte el aprecio y consideraciones que nos ha merecido por sus buenos servicios. Este paso puede contribuir a la carrera de un joven que nos profesa una pasión la más desinteresada, y además su digno padre agradecerá esta fineza, como una prueba de estimación y respeto por su persona.

No terminaré esta carta sin repetir a Vd. mis agradecimientos por la pena que Vds. han tomado en la agencia de la venta de las minas.

Soy de Vd. afectísimo amigo.

BOLIVAR

Del Repertorio Colombiano.

242.—*De una copia*).

(Bogotá, agosto de 1828).

*Al señor Anacleto Clemente.*

Mi querido Anacleto:

Santana me ha entregado tu carta del 28 de junio en que me hablas de diferentes cosas de tus haciendas, y el modo con que tu madre te ha quitado la casa que te dejé, y hoy mismo le escribo sobre esto rogándole que te entregue la casa y te trate mejor. Y yo te aconsejo y te suplico que te conduzcas bien y trabajes pues bien que los tiempos están muy trabajosos.

Yo no sé en que mes podré ir a Caracas; pero será tan pronto como me desembarace de los negocios que me rodean y haya organizado las cosas de un modo fijo y permanente.

Dale memorias a nuestros parientes y amigos y créeme tu afmo. tío

BOLIVAR

Mil expresiones a la familia y a la de Melchorana.

———

243.—*De una copia*).

Bogotá, 16 de setiembre de 1828.

*Al señor general Páez.*

Mi querido general:

Escribo a Vd. por este correo para que sepa noticias mías y de Bogotá, aunque poco tengo que añadirle a lo que sabrá para esta hora.

El Consejo de Estado no ha juzgado conveniente aprobar el proyecto de hacer cuartillos en Venezuela porque dice que el provecho principal es para el empresario. Sobre los demás puntos del proyecto presentado por la Junta de Caracas todavía no sé nada, porque el Consejo trabaja con lentitud por ser reunión de muchos y además por tener muchas cosas que hacer juntamente.

He sentido mucho el disgusto que ha tenido Vd. con sus amigos sobre la redacción del diario del Norte, lo que es tanto más perjudicial cuanto que los enemigos se alegran y sacan partido de las desavenencias de nosotros mismos. En fin, vuelvo a decir que lo siento mucho y que deseara que eso no pase adelante. Lo mismo le diré a ellos, porque este es mi deber como amigo común.

Ahora mando a Vd. un nuevo refuerzo de autoridad con respecto a la Corte de Justicia: pues he determinado que marche a Cumaná, como intendente el señor Urbaneja, en primer lugar, o Martínez en segundo, para que sirvan allá con el general Salom, que debe quedar de comandante general solamente, pues no desea servir más la intendencia por más que se lo he rogado. Y en lugar de uno de estos ministros entrará en la Corte el doctor Aranda, el que junto con el Dr. Sanavria hará un buen contrapeso a los enemigos de nuestro Gobierno y por lo mismo iremos ganando terreno en la Corte. Yo ruego a Vd. que haga todo empeño para que esto se verifique así, y con eso tendremos también contento al general Salom en la Comandancia general que es lo único que quiere servir.

Siento mucho también lo que he sabido con respecto al general Mariño, pero no me sorprende sin embargo, porque después de una guerra civil y de tantas controversias era muy natural que tuviera allí muchos enemigos.

Vd. me encarga que rompa la adjunta, que le incluyo, y yo he juzgado que es mejor volvérsela para su mejor satisfacción

BOLÍVAR

El original se halla en los papeles del Dr. Tomás José Sanavria. Debemos la copia al doctor Alberto Urbaneja.

———

244.—*Fragmento*).

(Bogotá, 8 de octubre de 1828).

*Al señor general Francisco Carabaño.*

Los hombres de luces y honrados son los que debieran fijar

la opinión pública. El talento sin probidad es un azote . . . Los intrigantes corrompen los pueblos, desprestigiando la autoridad. Ellos buscan la anarquía, la confusión, el caos y se gozan en hacer perder a los pueblos la inocencia de sus costumbres honestas y pacíficas.

BOLIVAR

Larrazabal, I, 18. Prólogo.

---

245.—*De una copia*).

Bogotá, octubre 29 de 1828.

*Al señor coronel Tomás C. Mosquera.*

Mi querido coronel:

Hace pocos días que recibimos la noticia de haberse fugado Obando y López con la mira de hacer la guerra al gobierno. Piñeres, que trajo la noticia, ha procurado alarmarnos de todos los modos posibles, suponiendo lo que yo no creo todavía claramente: pero luego al punto hice salir 20 cargas de pertrechos y piedras de chispa con 100 y tantos hombres de *Vargas,* para que marcharan a auxiliar a Vd. No había mandado antes los 1.000 hombres que ofrecí por causa de la revolución.

A pesar de esto he mandado buscar el batallón de *Carabobo* y el de *Granaderos,* para que marchen al Sur con dos escuadrones más. Luego que estén cerca marcharán los 1.000 hombres que están en esta capital a auxiliar a Vd. los que serán reemplazados por los otros; y el exceso marchará también al Sur sin pérdida de tiempo. Pienso formar un ejército de reserva contra el Perú, y por consiguiente irá al Cauca. Los primeros $30.000 que marchaban para el Sur se han quedado en Neiva. He dado el mando del Sur al general Sucre, con poderes absolutos para hacer la guerra o la paz. Yo mismo pienso ir dentro de un mes, que será para cuando estén en Popayán las tropas que están en marcha.

He mandado por Quindío a embarcarcarse en la Buenaventura al doctor Merino, de Quito, llevando un pliego al general Sucre, igual al que le incluyo a Vd., el que hará Vd. pasar, aunque sea con una espía de toda confianza para que lo entregue en Ibarra o donde encuentre tropas de nuestra confianza. Lo mismo hará Vd. con los demás pliegos que van a salir por este correo para el general Sucre, que son de mucha importancia, en los cuales se le autoriza para todo. Importa mucho que estos pliegos lleguen; por lo mismo ofrezca Vd. recompensa si hay peligro al que se lo lleve. El doctor Merino lleva $1.000 para pagar su buque. Al general Sucre se le manda que asegure a Pasto y a Patía con tropas de confianza de preferencia a todo. Supongo que Vd. le habrá dicho lo mismo al general Flores; sin embargo debe Vd. obrar con resolución contra esa canalla, al mismo tiempo que debe ofrecer la vida a los que se presenten, inclusive a Obando y López, los que sólo serán expulsados del país si se acogen al indulto; pero al mismo tiempo debe Vd. decirles que los va Vd. a perseguir de muerte hasta rendirse o destruirlos, si antes no se presentan. Y cumplirá Vd. la oferta religiosamente. Tenga Vd. por otra parte, mucha energía y actividad, hasta aniquilar esa facción y sus cómplices. Mil gracias al amigo Arboleda, y mis expresiones a la familia.

Soy de Vd. de todo corazón

BOLIVAR

Archivo de don Bolívar Mosquera, Popayán.

---

246.—*De una copia*).

Bogotá, 1º de noviembre de 1828.

*Al señor coronel Tomás C. Mosquera.*

Acabo de recibir la apreciable carta de Vd. del 22, en que me da parte de las cosas de Popayán. Me parecen bien en general, y aun me parecen mejor de lo que las esperaba. Sólo ese maldito Obando nos dá que hacer; pero con los refuerzos que se le han mandado a Vd. lo destruíremos, y mucho más cuando le llegue el batallón *Carabobo,* que está en marcha hace más de veinte días, de Mompox hacia Neiva, donde recibirán mayores refuerzos que se mandan de esta capital, además, en dos cuerpos por momentos, y seguirán la misma ruta.

Con esta fecha remitimos a Vd. dos valientes oficiales: Fuminalla y Torrealva, que van a activar la marcha de las tropas en Neiva y a auxiliarle a Vd. en su persona. Vd. debe obrar con toda energía, pues de otro modo no hará nada, muy particularmente con ese partido de Obando, que es tan sagaz y a quien debemos envolver por todas partes para que no se escape. Ya he dicho a Vd. que he mandado al general Sucre que envíe tropas a Pasto y a Patía, y Vd. debe requerirlo sobre lo mismo una y mil veces hasta lograrlo.

De todos los puntos no se reciben sino representaciones y manifestaciones las más cordiales, de manera que no hay persona que no me haya ofrecido hasta su vida para defender mi causa. . . . ¡Sólo Obando y esos ingratos! Pero Vd. está allá y lo espero todo de su celo y actividad y la de esos habitantes y tropas. Estoy de prisa, y por esto y porque no tengo más que decirle, no soy más largo. Soy de Vd. de corazón

BOLÍVAR

Adición: Déle Vd. expresiones a su papá y a Arboleda, a quienes amo entrañablemente.

Archivo de don Bolívar Mosquera, Popayán.

---

247.—*De una copia*).

Bogotá, 7 de noviembre de 1828.

*Al señor coronel Tomás C. Mosquera.*

Mi querido amigo:

He visto el oficio que Vd. ha dirigido dando parte de la llegada del escuadrón *Bolívar* y de la tranquilidad de Pasto, ofreciendo auxiliar a Popayán.

De ambos, tan importantes acontecimientos, le doy las gracias porque ciertamente es a Vd. a quien se deben. Pero no se olvide Vd. que la desobediencia es quien ha causado la alarma de ese Departamento, aunque ha producido la tranquilidad en

Pasto. No olvide Vd. nunca esto, mi grande amigo, y sea en adelante más exacto en cumplir las órdenes superiores.

Inmediatamente mandará Vd. destruir ese faccioso, en inteligencia de que no admitiré ninguna excusa para dilatar el castigo de esos miserables que nos insultan con su ataque. Yo cuento, mi querido coronel, con Vd. y los bravos que están a su lado. Por acá va todo bien, y cada día el espíritu público va manifestándose más exaltado por el gobierno, y todos desean que las reformas que haga sean estables.

El Consejo de Estado da todos los días algún paso en organización de la República. El aumento del ejército continúa, aunque nada tememos de los españoles. La causa de la conspiración ha terminado ya; 14 han muerto, varios se han confinado, y 7 están sentenciados a muerte, y sólo se espera la resolución del Consejo de Ministros, que saldrá hoy, para su condenación o absolución, pues ya parece conveniente hacer algo de esto.

Al general Sucre he escrito con esta fecha dándole órdenes para que obre según se lo dicte su prudencia, pues de ella espero la paz o la victoria. Esto mismo se le había dicho más de un mes ha, y por lo mismo nada tengo que temer sino esperarlo todo del general Sucre. Entiéndase Vd. con él en todo lo relativo a las cosas del Sur, pues es el Jefe Superior de esos Departamentos. Cuente Vd. con que pondremos a disposición de él y de Vd. dos mil hombres que estamos preparando al intento: ya están en marcha tres batallones y dos escuadrones que se colocarán conforme a las circunstancias y las necesidades. Siempre tendrá Popayán una fuerte guarnición en estas circunstancias. Al señor Arboleda, que tenga esta carta por suya y que no le contesto la suya ahora, porque no tengo ni tiempo ni humor. Al señor don José María, mil cosas, y que don Joaquín, que se ha ido para ésa ahora tres días les impondrá de todo, todo. Destruya Vd. esa canalla, y mande a quien le ama de corazón.

BOLIVAR

Adición: Gracias a las tropas fieles. Al bravo Murgueitío, mil cosas de mi parte, lo mismo a Sirakowski, que yo lo espero todo de su celo y valor.

Archivo de don Bolívar Mosquera, Popayán.

*248.—De una copia*).

Bogotá, 14 de noviembre de 1828.

*Al señor don Pedro Medrano.*

Estimado señor mío:

He recibido la apreciable carta de Vd. de 17 de octubre último en que me felicita por mi salvación en la catástrofe del 25 de setiembre, que tuvo lugar en esta ciudad, y en que me manifiesta los sentimientos de adhesión hacia mi persona, con que tiene la bondad de honrarme.

Doy a Vd. las más cordiales gracias por tan generosos sentimientos, protestándole al mismo tiempo que mi reconocimineto es ilimitado y que del mismo modo

Soy su afmo. amigo.

BOLIVAR

Copia de F. A. Quijano. El original pertenece a José Manuel Pacheco Goenaga. Bogotá.

———

*249.—De una copia*).

Bogotá, 14 de noviembre de 1828.

*Al señor Francisco Fernandez Madrid.*

Mi querido amigo:

Acabo de ver su apreciable carta de 17 de octubre último, y veo toda la impresión que le ha hecho el atentado del 25 de setiembre, que tuvo lugar en esta ciudad. Yo le doy las gracias por sus generosos sentimientos de amistad y adhesión con que me favorece, protestándole al mismo tiempo que mi reconocimiento es sin límites.

Soy de Vd. su afectísimo amigo

BOLIVAR

Tomada de la obra "Escritos de don Pedro Fernandez Madrid", publicados con noticias sobre su vida y su época por Raimundo Rivas. Bogotá Editorial Minerva, 1932, tomo I, página 50.

---

*250.—De una copia).*

Bogotá, 15 de noviembre de 1828.

*Al señor coronel Tomás C. Mosquera.*

Mi querido coronel:

He recibido ayer su última carta de 2 del presente, que me incluye tres interceptadas a Obando, y mucho siento lo que Vd. me dice con respecto a la pérdida que ha hecho el amigo don Joaquín de todos sus ganados que antes sabíamos se habían salvado. Por mucho que deplore las desgracias de ese país, que no merece, tanto por Vd., los magistrados y jefes, como por su honrada populación, y muy particularmente por los Mosqueras, Arboledas, Arroyos y sus parientes, ¿qué hemos de hacer? ¡Paciencia! Yo no sé si dcbo culparme por haber aceptado el mando que estoy ejerciendo; más tengo el consuelo de que propuse a la Gran Convención mi entera separación del mando y que dividieran el país conforme a sus antiguas divisiones. Todo eso consta a su hermano Joaquín, que fue uno que se opuso a mis propuestas. Al mismo tiempo también tengo que consolarme de haber previsto y mandado evitar lo que hizo Obando. Vd. sabe que desde Bucaramanga di la orden para que me lo remitieran. Debe Vd. contar con toda la protección que dependa de mi, pues juzgo que nadie la merece más que Vds. ¡Ojalá pudiera yo remediar las desgracias en su casa y consolar a ese virtuoso patriarca de Popayán!

La conducta prudente que Vd. ha tenido hasta ahora con respecto a los facciosos, ha sido útil sin duda; pero en el día me parece todo lo contrario. Nadie puede creer aquí que una miserable partida de 150 paisanos lo bloquee a Vd. fuerte de más de 800 hombres; y lo peor es que se supone que el partido de los facciosos sea muy poderoso, lo que anima a los contrarios, y les da locas esperanzas. Aun cuando Vd. saliera mal del ataque que les diera, debería ejecutarlo por todas razones. El honor mismo de nuestras armas lo exige.

Quedo de Vd. de todo corazón su afectísimo amigo

BOLÍVAR

Mil expresiones de amistad a los señores Mosqueras y Arboledas. Mande Vd. esas cartas al Sur con seguridad.

Archivo de don Bolívar Mosquera, Popayán.

---

*251.—De una copia).*

Chía, 20 de noviembre de 1828.

*Al señor coronel Tomás Cipriano Mosquera.*

Mi querido coronel y amigo:

He leído con bastante atención su carta del 6 del presente, en que me participa la retirada de los facciosos y que volvió a aparecer una partida de ellos, aunque no creo que lleven otro objetivo que observarnos. Doy a Vd. las gracias por las observaciones que me hace en su carta de dos pliegos, y se aplicarán las que sean aplicables a nuestra situación. Vd. recibirá órdenes sobre las milicias que me propone. El batallón de *Carabobo* marcha para allá volando, y si fuere preciso marcharán dos escuadrones y dos batallones más que tengo listos para ello.

*La Pichincha* que fue al Istmo, se ha sublevado su tripulación, pero la persigue el comandante general Sardá.

Nada tenemos de españoles; el orden se va estableciendo perfectamente, y de todas partes tenemos buenas noticias.

Ya estoy aquí desde antes de ayer; estoy muy contento porque estoy en el campo, tomando algún huelgo para las fatigas de la revolución y preparándome con este descanso para irme al sur inmediatamente que este Consejo me lo permita, pues esta es mi mayor ansia.

Anímese Vd. pues su carta anuncia mucha tristeza y con valor se acaban los males.

Soy de Vd. de todo corazón

BOLÍVAR

Saludo afectuosamente al señor su papá, hermano y cuñado y demás amigos. Vale.

Archivo de don Bolívar Mosquera, Popayán.

---

**252.—De una copia).**

Bogotá, noviembre 27 de 1828.

*Al señor coronel Mosquera, ausente al coronel Murgueitío.*

Mi querido coronel:

Es indecible el gozo que he tenido al saber que Vd. se ha salvado, que pueda volver a hacer servicios a su patria, y presentarse con gloria delante de esos mismos pérfidos que ahora oprimen su país con tanta pena de los pueblos. En fin, el mal se ha hecho, y es preciso remediarlo; yo mando que se encargue Vd. del estado mayor de la división del general Córdova, y que sea su segundo en el mando, y que el coronel Murgueitío mande la vanguardia de esa División.

Por Dios, no se excusen Vds. hacer este servicio a su país y a su gloria, no menos que a mi. Ruego a Vd. y al coronel Murgueitío también que hagan los mayores esfuerzos por impedir que el general Córdova no se deje arrastrar de su caráter y desprecie las insidias y estratagemas de Obando, contando con su valor y su fortuna. Sufran Vds. algunas impertinencias con paciencia, si fuere preciso, por el bien del país. Vd. debe estar siempre al lado de Córdova avisándole lo que crea y lo que sepa, y que Murgueitío mande la vanguardia con mucha vigilancia y precaución aunque digan que tiene miedo y que Obando los espanta. Estas hablillas han perdido muchos ejércitos desde Farsalia y Ayacucho. Si, mi querido amigo, trabaje Vd. con mucho celo pero con mucha más malicia en todo y por todo, pues en las guerras civiles se debe desconfiar de todo, y la menor cosa decide la suerte del país.

A cada instante debe Vd. tener presente estas palabras, y mucho más aun debe tener a la vista el buen servicio de esa División. El coronel Murgueitío, que tenga ésta por suya, que no le contesto porque el oficial va a salir con mucha prisa, pero que he dado orden al general Córdova que le dé lo necesario.

Por lo demás, yo estoy contento y satisfecho con que todos los jefes y oficiales se hayan portado con honor. Déles Vd. las gracias de mi parte.

Soy de Vd. de corazón

BOLIVAR

Archivo de don Bolívar Mosquera, Popayán.

———

*253.—Del original).*

Bojacá, 20 de diciembre de 1828.

*Al señor Esteban Herrera.*

Mi querido amigo:

He visto la apreciable carta de Vd. de 30 de octubre en que me trasmite sus generosos sentimientos de espanto por la ingratitud de los monstruos del 25, y de deferencia y adhesión con que tiene la bondad de favorecerme.

Doy a Vd. las más cordiales gracias por ellos, asegurándole, que me son tanto más apreciables, cuanto que ellos me hacen perdonar y aun olvidar la injusta agresión de aquellos malvados. Así le repito con toda sinceridad que la carta de Vd. me ha cargado de un reconocimiento inmenso.

Soy de Vd. de todo corazón

BOLIVAR

———

*254.—De una copia).*

Bojacá, diciembre 22 de 1828.

*Al señor coronel Tomás C. Mosquera.*

Mi querido coronel:

He recibido la última de Vd. No he dudado jamás de sus buenos sentimientos. Estos se hacen más puros en la adversidad. Hay tiempo de reparar lo perdido.

Escribo al general Córdova sobre una medida que debe tomarse al entrar en Popayán, y es levantar una columna de tres a cuatrocientos milicianos con los cuales se deberá guarnecer la capital y perseguir a los facciosos después de derrotados Obando y López. Vd. sabe que la gente del país es preferible para esta operación, porque conocen el terreno, las avenidas, las guaridas etc. Vd. debe cooperar a la formación de dicho cuerpo, el cual es tanto más necesario cuanto que he dispuesto que los cuerpos que forman hoy la división *Córdova* sigan al Sur inmediatamente. Prontamente irán los reemplazos.

No hay nada de particular, a excepción de mi marcha, que será el 28 en dirección a ese Departamento.

Soy de Vd. afectísimo amigo.

BOLIVAR

Adición. En el Cauca se deberá reponer el escuadrón de Húsares que fue destrozado, y él contribuirá a la persecución de los facciosos.

Archivo de don Bolívar Mosquera, Popayán.

# 1829

255.—*De una Copia*).

Neiva, 5 de enero de 1829.

*Al coronel Tomás C. Mosquera.*

Mi querido coronel:

He recibido con mucha satisfacción las noticias que Vd. nos ha mandado de Popayán, cuya ocupación me ha llenado de una satisfacción la más pura. La libertad del país de mis amigos, reune todos los sentimientos más deliciosos. Vd. vengado, su padre libre y la esperanza de Colombia renaciendo y aun asegurada, todo esto reunido y muchas otras cosas más, me han penetrado de un júbilo extraordinario. Reciban Vd. y Popayán mis felicitaciones más sinceras, y continuemos haciendo de modo que este suceso se asegure para siempre. Debemos usar de política con los que se han quedado, de clemencia con los insignificantes y de rigor con los magnates. Castrillón, junto con los coroneles de la sedición, merecen la muerte, y si los cojemos no quedarán vivos y serán juzgados por el decreto contra conspiradores. Haga Vd. cojer todo lo que haya útil para la División de los bienes de los facciosos, y doy orden al general Córdova para que ponga la División a media paga y que el país le dé las raciones; esta misma orden se ha hecho general en todas partes, para que nunca falte la media paga, y con respecto a la tropa es lo mismo, porque la mitad de su prest se gastará en raciones. También le mando que Vd. le cambie los caballos débiles por buenos, como hicimos cuando íbamos para Pasto el año de 22; por supuesto esta operación debe hacerse en los contornos y en la ciudad de Popayán. He pedido igualmente caballos al Cauca para doscientos lanceros que van por Quindío y para cien dragones que vienen por aquí. He ordenado al general Córdova, que marche para Pasto el 15 del corriente, para lo cual debe Vd. auxiliarle con bagajes, víveres y algunos hombres para el escuadrón de Húsares que debe rehacerse inmediatamente. Yo deseo que se forme un cuerpo de cívicos para cuando haya ausencia en Popayán, y que vengan del Cauca algunas compañías de milicias para que nos ayuden a destruir los patianos de las cercanías de la ciudad.

Se les dará una protesta solemne de que no saldrán de su provincia ni los cívicos de su cantón.

Dé Vd. órdenes para que se preparen todas las cosas de Cartago a Popayán para mil hombres que deben llegar a esa ciudad en tres columnas diferentes en todo el presente mes. No deben andar mucho las columnas, sino tres, cuatro o cinco leguas al día, sesteando bajo un bosque o un río desde las diez a las cuatro de la tarde. En esa parada deben hacer su rancho. Al amanecer marchar dos o tres horas, y por la tarde otras tantas; que les lleven limones a las pascanas, para que beban agua de limones con panela o miel, todo para evitar el mal clima y el calor excesivo del día y del país. Esto mismo debe entenderse con respecto a la división de *Córdova* muy particularmente con los reinosos y reclutas, que no están acostumbrados a marchas y servicios activos. También será conveniente hacer bañar a dichos reclutas y reinosos. Ponga Vd. esta carta en consideración del general Córdova, para que no olvide este punto tan esencial a la salud del soldado, y lo mismo dígale Vd. a Murgueitio para que lo haga hacer en el Cauca con las columnas que vienen.

Escriba Vd. a todo el mundo a mi nombre para que los patianos vuelvan a sus casas, sin temor del Gobierno, al Obispo que mande circulares a los curas para que hagan saber a todos el perdón que se ha concedido, interesando a las mujeres y a los hijos de los indultados; y que lo mismo hagan todos los eclesiásticos de influjo, cuidando que por todo se hagan exhortaciones de conciencia y utilidad, que los hagan volver a la obediencia al Gobierno, y sobre todo al seno de las familias, gozando de tranquilidad y de descanso.

Ha hecho Vd. muy bien de renunciar los mandos que obtiene en el Departamento, para que vean esos facciosos que Vd. no tiene miras de ambición; pero también hago yo mejor en no admitir a Vd. semejante renuncia, porque el servicio de la República así lo exije. Espere Vd. mi querido coronel, tiempos más tranquilos para que Vd. goce de su independencia, que lo mismo estoy haciendo yo por nuestra ingrata patria, quiero decir que estoy sirviendo con el mismo desagrado que Vd.

Me ocurre que podían ir algunos sacerdotes a llevar los indultos que a mi nombre se han dado o se dieren mientras llego yo a esa ciudad, que será el 14 a más tardar. Mañana parto, habiéndome quedado hoy aquí para escribir a todas partes.

Felicite Vd. a todos mis amigos porque han salido del poder de los canallas.

Soy de Vd. de todo corazón

BOLIVAR

Archivo de don Bolívar Mosquera, Popayán.

------

*256.—De una copia).*

Popayán, 28 de enero de 1829

*Señor J. Fernandez Madrid.*

Mi estimado amigo:

He recibido la apreciable carta de Vd. y duplico hoy mismo mi anterior sobre la venta de las minas, que he aprobado desde luego, conforme a la contrata que Vd. ha concluído con esos caballeros.

He recibido igualmente la cuenta corriente de la sociedad conmigo: y resulta que, por el cargo que hacen de la libra esterlina cinco pesos y medio, yo quedo atrasado en mi cuenta, cuando esperaba que era la sociedad la que me debía algún pico. Esos señores no tienen razón en el cargo que hacen de la libra esterlina a 5-½ pesos, porque ordinariamente está ahí a menos de cinco pesos, como Vd. lo sabe muy bien. El pretexto que alegarán será que mi contrata ha sido en pesos, y estos pesos los avalúan ellos como les tiene cuenta. Nuestra contrata ha sido en Colombia, donde no se conoce ninguna moneda legal en pesos que no sean fuertes. El agiotaje que últimamente se ha hecho de los reales y de los pesos fuertes es una cosa extraña en el contrato que esos señores han celebrado conmigo. Al librarles los pesos que debían pagarme en Caracas no se pueden considerar, sino como pesos fuertes, ni como tales serme cargados en cuenta a más del precio que estuvieren en la plaza el día del pago. Además de tener a mi favor el contrato, que no ha sido ni puede ser en pesos sencillos, porque no existe ( * ) moneda en nuestro país, tengo que observar dos cosas, que ponen demasiado claro el punto de la cuestión.

Esos señores pagaron no sé en qué términos los cuatro primeros semestres a cinco mil pesos cada uno. El quinto debía ser de la misma suma de cinco mil pesos: yo la pedí en Caracas al apoderado de la compañía que concluyó conmigo la contrata de venta, y este señor negoció mi libranza de £ 1.181,16.s.4p. por seis mil y quinientos pesos en reales macuquinos: y desde luego me presentó la letra que exactamente corresponde a $.5.000 por la sobredicha cantidad de £ 1.181.16.s.4p. Este es el cambio natural que debería tener aquella cantidad, y el apoderado de la sociedad no quiso seguramente adelantarme una cantidad que yo no pedí ni necesitaba, de mil y quinientos más del arrendamiento, como suponen esos señores, por la simple razón de que cargan la libra esterlina a $.5.50. Además, cuando aprobé la contrata de arrendamiento, escribí a la sociedad diciéndole que deseaba que los arrendamientos se pagasen en Londres sin la menor pérdida ni descuento de moneda. Esos señores consintieron en ello, como consta de carta que tengo en mi poder. Sin embargo, ahora pretenden una deducción la más ilegal, y al mismo tiempo la más desagradable para mí; porque ya había librado la mayor parte del arrendamiento que se cumple en octubre próximo, juzgando como tenía derecho para ello, que nada debía a la sociedad, sino que más bien ella tendría que hacerme algún abono. Por consiguiente, este es un negocio que yo ruego a Vd. que reclame de esos señores, para que ellos rectifiquen su cuenta, y que mi firma no tenga que sufrir un descrédito tan doloroso y tan poco merecido; pues jamás pude persuadirme que el cambio de Londres pudiera montar al excesivo precio de $.5,50 la libra. Yo recibo aquí por ejemplo $.490 por £ 100 ahorrándose los que negocian las letras 10 a 12

( * ) Así está.

por 100 de seguros, gastos y comisiones: lo que quiere decir que ni aun con esta ventaja suponen que las libras valgan a cinco pesos en el mercado de Londres, como muy rara vez sucede. Concluiré diciendo que puede Vd. hacer presente a esos señores que yo he librado los arrendamientos de seis mil y quinientos pesos por semestre de este cuarto año último a razón de 1.181 libras 16 chelines y 4 peniques, por cinco mil duros, que fué el negocio que por mí hizo en La Guaira el señor Curtis, apoderado de la sociedad; dejando no obstante alguna parte por librar por las pequeñas variaciones que en el cambio pueden serme desfavorables.

Por acá va todo bien; y el señor Vergara dirá a Vd. lo que sea útil que sepa. El correo se va y no puedo ser más largo.

De Vd. afectísimo amigo.

BOLIVAR

Del Repertorio Colombiano.

---

257.—*De una copia*).

(Enero de 1829?)

(*Al señor coronel Tomás C. Mosquera*).

Mi querido coronel:

Mande Vd. encargar del Estado Mayor de la División Carmona al coronel Andrade, diciéndole que no admitiré ninguna excusa ni dimisión, y que organice la dicha división. Después se le empleará en un cuerpo si él lo desea.

BOLIVAR

Archivo de don Bolívar Mosquera, Popayán.

---

*258.—De una copia*).

Popayán, 6 de febrero de 1829

*Al señor general Pedro A. Herrán*

Mi querido general:

Mucho se alegraría Vd. al saber las noticias del Sur. Yo también estoy loco. Esta es la contra-tercera división. ¿Que dirán los rabiosos? *Pobrecitos!* Hasta que llegue la fiesta de las elecciones tendremos paz doméstica. Yo pienso volver dentro de cuatro meses a Bogotá, habiendo antes hecho la paz con el Perú. Entonces me ocuparé del congreso y de lo más urgente de las reformas. Los mejores ciudadanos deben ser nombrados para que no perezca la patria. Flores marcha contra Lamar, lo mismo que Santa Cruz. Yo me voy dentro de ochos días con dos mil hombres para Pasto. Los guerrilleros se están presentando con mucha prisa: los Córdobas, Alegrías, Borreros y Sarrías.

Soy de Vd. con todo mi corazón, amigo.

BOLIVAR

Del Repertorio Colombiano.

La versión que seguimos tiene fecha 6 de julio. Por el texto hemos deducido la verdadera.

————

*259.—De una copia*).

Hatoviejo, a 28 de febrero de 1829.

*Al señor doctor José Antonio Arroyo, Prefecto del Cauca.*

Mi estimado amigo y señor:

Ayer he tenido el gusto de recibir la apreciable carta de Vd. de 20 del que expira, y me es muy satisfactorio cuanto en ella me dice, así sobre lo que tiene relación con la tranquilidad del Departamento como sobre las medidas que ha tomado Vd. con el comandante general para el apresto de la fuerza que va llegando y que debe seguir a este cuartel. Doy a Vd. las gracias por los buenos deseos que me manifiesta de cumplir con exactitud los encargos que le hice al despedirme, y por la buena inteligencia con que va obrando, en acuerdo con ese comandante general, en el gobierno del departamento.

Esta parte le será también entregada perfectamente tranquila dentro de muy breve. Los comisionados Urrutia y Grueso me dicen desde Olaya, con fecha 26, que acababa de llegar a aquel punto Obando y que los comisionados de Pasto estaban al llegar a celebrar los tratados; y aseguran que se lograrían nuestros designios. Hoy esperamos el ultimatum en este negocio, y de cualquier modo pienso seguir el curso de mis operaciones desde mañana. Del Sur hemos tenido también muy buenas noticias. Una partida de 200 hombres de nuestro ejército derrotó un cuerpo de 700; y nuestra gente en aquella parte está tan alentada y llena de confianza, que creo muy bien que se habrán echado sobre todo el ejército peruano, según la distancia a que se hallaban ambos ejércitos y la desesperación con que los nuestros anhelaban por el combate. Todo aquel país manifiesta bastante entusiasmo y en el resto de la República reina ya la paz, la unión y la buena armonía.

Deseo que Vd. lo pase bien; y que a mi nombre tenga la bondad de saludar a toda su buena familia, disponiendo de la buena amistad que le profesa

Su afectísimo amigo

BOLIVAR

Esta carta y otras tres dirigidas al Prefecto Arroyo, que se insertan adelante, las debemos al doctor Roberto Cortázar, quien las copió de los originales existentes en poder del señor Santiago Arroyo Diez, de Popayán.

---

260.—*Del Original*).

Pasto, a 8 de marzo de 1829

*A.S.E. el Gran Mariscal de Ayacucho.*

Mi querido general y amigo:

Acabo de entrar en esta ciudad después de terminada la discordia civil del modo más honroso para el Gobierno, y más satisfactorio para el pueblo. No he llegado solo: viene conmigo la división Córdova compuesta de los batallones Vargas, Carabobo y Granaderos, y de los escuadrones Granaderos de la Guardia y Dragones del Zulia. Están en marcha otros cuerpos que forman la reserva. Felizmente no solo no hemos tenido considerables pérdidas en la marcha sino que engrosaremos algo más los cuerpos dentro de pocos días con las columnas que vienen en esta misma dirección.

La pacificación de esta ciudad y provincia merece bien la pena. No tienen Vds. un solo enemigo por su retaguardia, antes bien deben Vds. contar con un ejército de defensa, y otro más que colocado y estacionado en el centro de la República puede acudir adonde sea menester. Añada Vd. la tranquilidad absoluta de que disfruta el centro y norte de la república, la regular administración, y el espíritu público que se ha desplegado contra el ejército invasor. Toda Colombia arde en deseos de venganza.

Yo marcharé de aquí dentro de tres o cuatro días hacia Quito.

Antes de ayer anticipé a Vd. un aviso y hoy repito a Vd. lo mismo con Demarquet, que no pudo seguir con mis comunicaciones anteriores.

Aquí he sabido que por fin Vd. se resolvió a encargarse del mando del ejército del Sur. Lo he celebrado infinito. Se asegura también que Vd. se disponía a dar una batalla decisiva el 5 de este. Sea enhorabuena. Ardo por saber el éxito, que espero de la entrella que guía a Vd. en los combates y del angel tutelar de Colombia, haya sido próspero.

Demarquet podrá imponer a Vd. del estado general de la república, de los cuerpos del ejército y de cuanto pueda a Vd. interesar saber antes de mi llegada a esos departamentos. El escribirá a Vd. de Quito.

Por lo pronto continuarán su marcha de esta ciudad dos batallones y dos escuadrones.

Salude Vd. de mi parte muy afectuosamente a todos los generales y jefes de ese brillante ejército, en cuyas glorias y triunfo me intereso tan cordialmente.

Soy de Vd. mi querido general, su amigo de corazón.

BOLIVAR

Archivo de Sucre.

---

*261.—De fotografía del original*).

Cumbal, 12 de marzo de 1829

*(A.S.E. el general A. J. de Sucre, Gran Mariscal de Ayacucho).*

Acabo de recibir, mi querido general, el glorioso convenio con que ha terminado la campaña de febrero. Gracias sean dadas a Vd., a Flores y al ejército. Reciba Vd. mi mas puro gozo y mi gratitud por tan grandes servicios. Mucho esperaba de Vds.; pero todavía han hecho más de lo que la esperanza podía prometer. Dios quiera que los peruanos sean fieles a los tratados que les ha dictado la clemencia más generosa. Casi no tengo confianza en el cumplimiento de ese gobierno pérfido. Los mismos son que violaron la convención con Buenos Aires; y que han violado todos los derechos y todos los deberes. En fin, se ha hecho; y debemos aguardar el resultado.

Es un prodigio de la buena suerte que tropas tan superiores en número se hayan dejado destruir y humillar sin pérdida de nuestra parte.

Si no entregan a Guayaquil, o faltan a alguno de los artículos del convenio por cualquier pretexto que aleguen: avise Vd. que están rotas las hostilidades y disponga Vd. la marcha del ejército hacia el Perú. Desde luego yo deseara que todo estuviera pronto para marchar a primera orden. Yo traigo 4.000 hombres de los cuales 2000 están en Pasto y 2.000 en marcha a la misma ciudad, la que se ha entregado por un decreto de gracia y de olvido. El resto de la república está perfectamente bien.

Las dos grandes fragatas y dos corbetas deben montar el cabo en todo abril o mayo.

Yo no sé con qué han pensado Vds. mantener ese ejército durante las negociaciones que tardarán mucho. El dinero que traíamos lo hemos gastado en este cuerpo de tropas que viene conmigo, el que tendrá paga hasta el mes de abril. Por esta parte nuestra situación es desesperada y el país no puede hacer más sacrificios ni yo los exigiré aunque perezcamos (*). Por esta maldita guerra se han levantado más de 7.000 hombres en el norte y están en marcha para el Sur desde Venezuela y Cartagena y los gastos se han hecho con dinero contante. El apresto de los buques de guerra ha costado un sentido.

En fin, mi querido general, sabrá Vd. de esto y mucho más cuando estemos juntos, cuando nos abracemos en Quito.

Dígale Vd. a Flores que tenga esta carta por suya y que por falta de comunicación no le mandé el despacho de general de división desde Popayán. Que le doy diez millones de veces las gracias por sus inmensos servicios a la República y a mi gloria; y a esto mi querido general ¿qué podré yo añadir a Vds? sino que mi corazón es de Vd. como siempre y cada día más.

Su mejor amigo.

BOLIVAR

262.—De fotografía del original).

Cumbal, 12 de marzo de 1829.

Diez millones de gracias, mi querido Flores, por tan inmensos servicios a la patria y a la gloria de Colombia. Yo debo a Vd. mucho, infinito; mas que lo que puedo decir. Los servicios de Vd. no tienen precio ni recompensas, pero era mi deber mostrar la gratitud de Colombia hacia Vd. Quise enviarle desde Popayán el

(*) El original dice: *mas que perezcamos,* seguramente por error del amanuense. El señor Miguel Arroyo Diez, dió a conocer esta carta en la revista "Popayán" en el número de junio de 1933. Nosotros la tomamos de una fotografía obsequiada por la señorita Leonor Flores al señor Laureano Vallenilla Lanz, quien la destinó al archivo del Libertador.

despacho de general de división, más no había vía segura. Tarqui se lo dió y esto vale más. Enhorabuena sea mil veces.

Soy de Vd. de corazón

BOLIVAR

Diga Vd. al ejército cuanto yo puedo expresar de gozo.

Publicada con algunas variaciones, en nuestra colección, tomo VIII, página 257, de una copia, que suponíamos era un fragmento. La fotografía nos revela que es una carta completa, toda de letra del Libertador.

263.—De una copia).

Quito, abril 8 de 1829.

Al señor coronel Tomás C. Mosquera

Pasto.

Mi querido Mosquera:

He recibido su carta del 28 de marzo último, que me ha sido entregada por el oficial de Vargas.

Puede Vd. venirse para acá conforme lo desea Vd.; pero antes de marcharse Vd. hacia esta ciudad es menester que Vd. escriba al general Urdaneta todo cuanto sepa.

Soy de Vd. afectísimo

BOLIVAR

264.—De una copia).

(Quito, 11 de mayo de 1829).

Señor general Tomás C. Mosquera.

Querido General:

En lugar de los 100 hombres de infantería del Cauca, que deben quedar en Loja quiero que Vd. mande que queden dos compañías de 50 hombres cada una, pero excelentes como dije antes para que sirvan de base a la recluta que se ha mandado hacer en aquella provincia, y para dicha recluta se dejarán 200 fusiles, o más, si fueren necesarios con las municiones que sean precisas para batirse.

Además debe quedar el Escuadrón como dije a Vd. antes; y siempre mandando el coronel Acero, a quien debe Vd. autorizar para que levante milicias de infantería y caballería y llene los cuadros que le quedan. El resto del batallón debe venir a Cuenca.

Soy de Vd. atento amigo,

BOLIVAR

Impóngase Vd. de las adjuntas y déles dirección por primera vía. Jiménez puede estar en La Tacunga.

La copia sólo tiene la fecha 11 de mayo.

Según Perez y Soto el señor Julio Orillac de Panamá poseía el original.

La copia nos fue enviada por el señor Tomas C. Mosquera Wallis.

———

*265.—De una copia).*

Riobamba, a 26 de mayo de 1829

*Al señor general Rafael Urdaneta.*

Mi querido general:

Ahí le mando una gran noticia con lo que pronto tendremos la paz, y si no pronto ocuparemos al Perú. Yo pienso seguir con 3.000 hombres a Piura a aprovechar el espíritu público que nos es muy favorable; y aun aseguran que yo podría entrar en Lima sin un tiro de fusil. Se ha confirmado por Guayaquil la insurrección de Piura y aún se dice que de Lima también. La Mar se ha vuelto loco y borracho y tendrá que darse un pistoletazo porque no halla por donde salir. Gamarra está de acuerdo con todos mis amigos y está trabajando con mucha actividad, de manera que pronto tendremos la paz y la mayor amistad con el Perú. Flores debe haber tomado las lanchas enemigas y marchado a tomar a Guayaquil victoriosamente según me aseguran. No tengo tiempo para más, démele Vd. expresiones a los señores ministros y la enhorabuena por tan faustas noticias. Quedo de Vd. de corazón.

BOLIVAR

Archivo Nacional. Sección Guerra y Marina. Gran Colombia. De una copia suministrada por el ministro de la Guerra, general Rafael Urdaneta, al jefe superior de Venezuela, en oficio de Bogotá, 21 de junio de 1829, recibido en Caracas el 31 del siguiente julio. Copiada por Hector García Chuecos.

---

*266.—De una copia).*

Rio Bamba, 1º de junio de 1829.

*Al señor Dr. Torres, Gobernador del Obispado de Quito.*

Mi querido doctor:

Remito una carta que importa que llegue a manos del coronel Jimenez, comandante del batallón Callao, que está en Popayán; pero como se puede perder porque los correos están violados a cada instante, y los pastusos se pueden levantar de un momento a otro, mándela Vd. a Popayán, poniéndole el sobre Vd. mismo a alguna persona de mucha confianza, para que se la entregue en manos propias y que todo se haga muy reservadamente. Podría Vd. remitirla, si lo tiene a bien, al Dr. Grueso o bien al Dr. Urrutia, encargándoles siempre que Vd. desea que lo hagan con reserva.

Por acá todo va bien, y espero de un momento a otro a Mosquera, que fué a Guayaquil a tratar con Flores, para ver lo que hago con estas tropas que han venido al Sur. Dígale Vd. al general Torres que no he recibido de él ni una cartica confidencial, que lo haga siempre; pues aunque me incomode algunas veces, no por eso dejaré de ser su mejor amigo, pues que conozco que su mayor defecto es su demasiada bondad. También le dirá Vd. que haga una averiguación escrupulosa en esa Administración de Correos sobre el correo que salió el 29 de abril de Bogotá y llegó ahí el 26 o 27 del que terminó, pues nos ha faltado toda la correspondencia de tres Ministerios, así oficial como particular, y casi toda la de Venezuela, y acaso dinero que puede habernos remitido el Ministro de Hacienda. También debe mandar a Imbabura, a Pasto y Popayán a hacer la misma averiguación.

Quedo de Vd. su afectísimo amigo

BOLIVAR

---

267.—*De una copia*).

Samborondón, 20 de junio de 1829.

*Al señor José R. Revenga.*

Mi querido amigo:

He leído con mucho gusto la apreciable carta de Vd. de 7 de abril, por cuanto en ella me avisa y aconseja. Doy a Vd. las gracias por sus eficaces esfuerzos en procurarnos el restablecimiento de nuestro crédito nacional, promoviendo cuantos medios le son imaginables.

Estoy enteramente de acuerdo con Vd. en todo el tenor de su carta, y muy particularmente en cuanto a nuevos empréstitos. Sus reflexionnes sobre esto no pueden ser más justas, lo mismo que toda la carta, que por tanto me ha parecido bien dirigirla al Consejo, como lo hago en esta misma fecha por conducto del general Urdaneta. Más lo que me parece de suma importancia, y sobre todo, que yo más deseo, es que Vd. se ponga a la cabeza del Ministerio de Hacienda, para que sus medidas y trabajo reciban un aliento más enérgico y consecuente.

Por acá vamos perfectamente, y sólo la miseria nos aflije. Los contrarios tampoco están abundantes, y además envueltos en la anarquía más espantosa. Ya Vd. sabrá la quema de la *Prueba*. Ahora Gamarra ha derrocado a La Mar echándolo a Guatemala y usurpando el mando. La Fuente, de acuerdo con Gamarra, se halla en Lima, con tropas, sin obedecer al Gobierno. Necochea, con sus edecanes, Prieto y siete jefes más se han ido de Guayaquil el 17 por adictos a La Mar, aseguran para Chile. Y Bolivia, con Santa Cruz, se conduce favorablemente a nosotros. El 16 del presente echamos a los peruanos de esta admirable posición que ocupaban con 800 hombres y sus cañoneras; y aunque no la defendieron, perdieron ciento cincuenta hombres.

El coronel Benavides, que me ha sido adicto, manda hoy la plaza de Guayaquil, y me acaba de proponer un armisticio para tratar con Gamarra sobre la evacuación del Departamento; lo que voy a hacer mañana luego que me haya apoderado de los dos ríos al frente de la plaza. En ella tienen presos a los oficiales de la Tercera División, y veinte ciudadanos de la primera distinción, como el señor Icaza, Lizarraga, Villamil, el Vicario etc., todo porque suponen que querían conspirar contra los peruanos. Lo cierto es que los de la Tercera División estaban y están resueltos a traicionarles; pero no así los demás señores que no han tenido más delito que ser colombianos. Lo peor de todo para ellos, es que todo el mundo está de nuestra parte, inclusive Gamarra.

Quedo de Vd. su amigo de corazón

BOLIVAR

Copia de Joaquín Quijano Mantilla. El original existe en Berlín.

---

*268.—De una copia de la época).*

Guayaquil, 4 de agosto de 1829.

*Al señor Gabriel Camacho.*

Mi querido amigo:

Han llegado a mis manos casi a un mismo tiempo las apreciables de Vd. de 7, 21 y 28 de mayo: las dos primeras en el correo anterior, y la última en este que acaba de llegar. Por el contenido de todas quedo instruído del favorable estado a que la actividad y constancia de Vd. ha podido reducir ese cansado pleito, prometiéndome que a esta fecha se habrá concluído ya, y que habiendo remitido los documentos a Inglaterra, como se ha dicho, se halle Vd. descansando de todos esos Abogados, alguaciles y demonios que tanto le han mortificado a Vd. y perjudicado a mi.

BOLIVAR

Encontramos este fragmento en el archivo de Yanes, con esta leyenda: "Copia del párrafo de la epístola del Exmo. Señor Libertador Presidente".

Resuelto Bolívar a separarse del mando, cuando se reuniera el Congreso, tomaba empeño en realizar las minas de Aroa a fin de disponer de una suma suficiente para su estada en Europa. Más adelante le escribía a Camacho la siguiente: "Por mi parte, le digo a Vd. que no necesito de nada o de muy poco, acostumbrado como estoy a la vida militar. Más el honor de mi país y el de mi carácter me obligan imperiosamente a presentarme con decoro delante de los demás hombres, mucho más cuando se sabe que yo he nacido con algunos bienes de fortuna, y que tengo pendiente todavía la venta de las minas heredadas de mi padres y cuyos títulos son los más auténticos y solemnes".

---

269.—De una copia).

## SIMON BOLIVAR

### Libertador Presidente &., &., &.

*Al Illmo. Señor doctor Rafael Lazo de la Vega.*

Por cuanto satisfecho el gobierno de la República de vuestras virtudes cristianas, de vuestra adhesión a la causa política de Colombia y de vuestra aptitud para el ministerio episcopal, en ejercicio de la autoridad suprema que le compete, os presento a Su Santidad para el Obispado de la Santa Iglesia catedral de Quito vacante, y habiéndose dignado la santidad del señor Leon XII admitir las solicitudes de este gobierno, confirmadoos y despachado las correspondientes bulas. Por tanto, y de acuerdo con el consejo de ministros, os hago saber dicho nombramiento e institución para que os presenteis con este título, las indicadas bulas y el despacho de ruego y encargo al venerable Dean y cabildo de la expresada santa iglesia catedral, y recibais la posesión plena de dicho Obispado, en cuya administración espera el gobierno que correspondereis fielmente al ministerio que se os encarga, y servireis cumplidamente a la causa de Dios y a la de la República de Colombia.

Dado, firmado de mi mano, sellado con el sello de la República y refrendado por el ministro secretario de estado en el despacho del Interior, en Guayaquil a 6 de agosto de 1829, 19.

Simon Bolivar

El Ministro del Interior
J. Manuel Restrepo.

Es fiel copia del original que reposa en el Archivo Eclesiástico Metropolitano de Quito. Quito, a 10 de mayo de 1931. El Archivero, *Juan de Dios Navas E. Pbro.*

---

270.—*Del original*).

Guayaquil, 21 de agosto de 1829

*A.S.E. el Gran Mariscal de Ayacucho* &., &., &.

Mi querido General:

He tenido el gusto de leer la apreciable de Vd. del 14 que me ha traído este correo. Ella es tan larga como interesante y yo después de estar ahora sumamente ocupado con el mucho despacho urgente estoy también muy débil todavía para entrar a contestarla hoy. Vd. pues me permitirá que lo dejemos para otra oportunidad.

Demarquet ha llegado el 17 y también el señor Gual. Aquel me ha traído comunicaciones muy satisfactorias del Gobierno y del general La Fuente, con otras muchas de todos los amigos de Lima. Demarquet dice primores de su recepción y de la opinión favorable de aquel país. Los comisionados no han venido porque no se había podido reunir el Congreso, pero ya no faltan miembros que llegaban de un momento a otro para su instalación: y muy pronto tendremos aquí al señor Larrea.

Saludo respetuosa y cariñosamente a su señora, y soy de Vd. de corazón.

BOLIVAR

Archivo de Sucre.

---

271.—*Del original*).

Guayaquil, setiembre 21 de 1829.

*Al señor Juan de Francisco Martín.*

Mi estimable amigo:

Se ha expedido por mi Secretaría una libranza de ocho mil pesos contra la Tesorería de Cartagena y a favor del señor Gaspar Palmery, pagaderos a sesenta días de su fecha. Se han dirigido las comunicaciones necesarias a fin de que por el Ministerio de Hacienda se dén las órdenes oportunas y como puede suceder que no lleguen a tiempo o que a pesar de ellas no pueda verificarse el reintegro para el día señalado; espero que Vd. tenga la bondad de cubrir este crédito de cualquier modo aunque sea de fondos privados, para evitar al portador los perjuicios que pueden irrogársele por la demora.

Soy de Vd. mi querido amigo afmo. servidor

BOLIVAR

Papeles del Archivo de don Juan de Francisco Martín, encontrados en Jamaica por Gilbert Grace Cover.

*272.—Del original).*

Guayaquil, setiembre 21 de 1829.

*Al señor Juan de Francisco Martín.*

Mi estimado amigo:

Se ha expedido por mi Secretaría una libranza de 4.000 pesos contra la Tesorería de Cartagena y a favor del señor Jose Canebaro pagaderos a 60 días de su fecha. Se han dirigido las comunicaciones necesarias a fin de que por el Ministerio de Hacienda se dén las órdenes oportunas; y como puede suceder que no lleguen a tiempo, o que a pesar de ellas no pueda verificarse el reintegro para el día señalado, espero que Vd. tenga la bondad de cubrir este crédito de cualquier modo aunque sea de fondos privados, para evitar al portador los perjuicios que puedan irrogársele por la demora. Soy de Vd. afmo. amigo

BOLIVAR

Papeles del archivo de don Juan de Francisco Martín, encontrados en Jamaica por Gilbert Grace Cover.

---

*273.—Del original).*

Guayaquil, setiembre 21 de 1829.

*(Señor Esteban Palacios)*

Mi querido tío:

He recibido la apreciable de Vd. en que me da cuenta del estado de las cosas en Venezuela, de lo que me alegro mucho por todas razones y más todavía por el estado político de la Europa y de la América, que no es bueno ciertamente; pero acabamos de hacer la paz con el Perú, lo que me deja libre para marchar adonde quiera que el peligro se presente; tengo para esto nueve mil hombres disponibles en el Sur capaces de marchar al Istmo o al Norte según sea preciso. Aseguran que la Inglaterra y la Francia están de acuerdo con España para que ésta nos haga la guerra.

Vd. sabe muy bien que el primer ministro de Inglaterra tiene muchos bienes en España. Además nuestras relaciones han irritado mucho a los ingleses y franceses. Dicen que *nada se puede esperar de un pueblo que ha querido asesinar en su lecho al Libertador.*

Ya escribí al ministro de hacienda sobre lo que Vd. me habla de neutrales, y he mandado que se reciban los buques que vengan de España con bandera neutral.

Dígale Vd. a mi tío Feliciano que espero su respuesta sobre el negocio pendiente entre los dos.

Mucho he sentido la muerte de la tía Ignacia por su desgraciada familia que ha quedado en la horfandad y por ella misma.

Remito a Vd. esa carta para Iturbe y quedo de Vd. su afmo. sobrino que le ama de corazón.

(*De letra del Libertador*)                                    Bolívar

Memorias a la familia y amigos Camacho y Alamo. Nada diré a Vd. del tío Chano, por esto se va sin que lo digan.

Esta carta y la del 20 de setiembre de 1827, dirigida también al señor Esteban Palacios fueron copiadas de los originales, pero no pudimos verificar personalmente la exactitud de las copias. Por este motivo no estamos seguros de que la posdata esté bien trascrita. Tuvimos los originales por breves momentos y no hemos podido verlos de nuevo.

———

*274.—De una copia*).

Ibarra, noviembre 1º de 1829.

*Señor general Tomás C. Mosquera.*

Mi querido general:

He recibido la apreciable de Vd. sobre las dudas que pueden ocurrir respecto a la Provincia de Maynas. Yo insisto terminantemente en que debemos tomar el Marañón por límites desde Jaén para abajo, porque siempre hemos estado en posesión de esas tierras, y porque la tal cédula si es que ha existido, no ha llegado a tener cumplimiento, como estoy muy bien informado sobre este punto. Además, la naturaleza nos ha dividido por el Marañón en esos desiertos, y es el único modo de evitar guerras y querellas; demasiado nos debe el Perú para que nos quiera quitar las tierras que Dios y el tiempo nos ha dado.

La espalda del Sur de Colombia debe conservarse a todo trance. He recibido una carta de Joaquín, que está bastante alegre para lo disciplicente que se encuentra su espíritu que destila lágrimas de dolor y descontento universal. Parece que su hermano de Vd. y el señor Arboleda sufren alguna pena interior, sea con su suerte o conmigo. Parecen esquivos, y yo lo siento por ellos, pues que les ha costado caro la estimación que he hecho a su mérito.

Adiós mi querido general, desempeñe Vd. bien y pronto su comisión, y reciba los aplausos de Colombia.

Quedo de Vd. de corazón

BOLIVAR

Aconseje al general Flores sobre el Chocó.

Nota del Boletín de Historia y Antigüedades:

El original de esta carta está en Medellín, en poder del señor Peter Santamaría.

---

275.—*De una copia*).

Pasto, 10 de noviembre de 1829

*Al señor general Pedro A. Herrán.*

Mi querido general y amigo:

Con mucho gusto he recibido su apreciable carta de 22 del pasado, quedo impuesto de todo su contenido.

Muy acreedor es Vd. como otros, a la gratitud nacional, y a que yo le tribute las gracias por el término feliz de la insurrección atolondrada del desgraciado Córdova; reciba Vd. mil enhorabuenas por el buen resultado de los esfuerzos patrióticos que Vds. han hecho.

El buen estado de la opinión pública de ese departamento se debe en gran parte a Vd. que ha sabido corregir con prudencia los extravíos que pudieron temerse en algunos pocos: no se canse Vd. de trabajar para uniformarla perfectamente, para que todos marchen en pos de la felicidad y bienestar de la patria.

Ha venido la ratificación de la paz por el Perú; y a la vez mil cartas de los ministros y personas más distinguidas de aquel país: todos han recibido esta paz como un acto grande y magnánimo por nuestra parte, así mismo lo ha dicho el gobierno y todos se disputan la ocasión de manifestarnos concordia y amistad.

No hay lugar para más: dos correos atravesados y un viaje me impiden ser más largo.

Adiós, mi querido amigo. Soy de Vd. de corazón.

BOLIVAR

Del Repertorio Colombiano.

---

*276.—De una copia).*

Popayán, 22 de noviembre de 1829.

*Al general Antonio Valero.*

Mi estimado general y amigo:

Con mucho placer he recibido la apreciable de Vd. de 14 de setiembre último, contestación a la mía de 6 de mayo, y las noticias que Vd. me comunica en ella, me han llenado de satisfacción. Doy a Vd. la enhorabuena y las gracias por el feliz éxito que Vd. ha tenido en la destrucción de las facciones que aniquilaban esa provincia. Vd. ha hecho un servicio importante a la República, pero aun más importante a los habitantes de ese territorio que creo jamás se olvidarán de su benefactor.

Me alegro mucho que Vd. haya complacido al general Páez, quedándose dos meses más en ese país, pues de ese modo conseguiremos su perfecta tranquilidad.

Soy de Vd. mi apreciado general, afectísimo amigo de corazón

BOLIVAR

Boletín de Historia y Antigüedades Nos. 231-232, página 389.

Publicada por el escritor portorriqueño Mariano Abril, en su libro "Un héroe de la Independencia de España y América". Puerto Rico 1929, página 215.

----

277.—Del original).

Popayán, 30 de noviembre de 1829.

(Al señor general Mariano Montilla).

Mi estimado general y amigo:

Por los sucesos de Antioquia hemos estado privados de la correspondencia de Vd. Pero hemos sabido con mucho gusto que Vd. no se descuidó con Córdova y ocurrió luego con prontitud. Doy a Vd. las más justas gracias. Aún se asegura que Vd. mismo se vino a Mompox. En fin todo acabó bien. Yo he venido bien del Sur, trayéndome o viniendo casi conmigo los Diputados más importantes. Sucre entre otros. Todo sigue bien. He mandado que sigan al Istmo varios cuerpos y por aquí han llegado muchos otros.

En este país (el más demagogo) se ha aplaudido mucho la Cuarta Meditación Colombiana. También ha gustado el proyecto de Constitución del Eco del Tequendama. Esto prueba que la opinión ha mejorado; mejora admirable, Obando y sus amigos están ya con el Gobierno casi todos. Pasto lo mismo. De manera que el Congreso no debe quejarse del estado de las cosas.

No falta más que yo para completar la fiesta. Estoy cansado y fastidiado de las calumnias. Pienso retirarme del mando político, pero no del militar. Con esto, se gana y no se pierde. Otro magistrado, como sea bueno, será sostenido por mí, mis amigos y el ejército. Será fuerte por las Leyes y por nuestra autorización. Yo le prestaré toda mi influencia: influencia que no me puede prestar nadie. Yo me apoyo ahora, de *ellos* (los generales) y después se apoyarán de mí. El gobierno sobre todos. Páez no será más el coco de los niños. Yo iré a Venezuela y seremos *camaradas*. Mi gloria se salvará y Colombia también.

Ya ve Vd. que no lo quiero dejar en los cuernos del Toro. Aviso mi conducta futura y prometo sostener Constitución y magistrados nuevos. *Ningún hombre es preciso,* decía Napoleón. La Francia es más dichosa ahora que con él. El gobierno de Colombia no será odiado por los demás americanos. Todo irá bien. Y Vd. debe contar siempre con un amigo fiel

BOLIVAR

El original ha sido donado al archivo del Libertador por el general Eleazar López Contreras, Presidente de la República.

---

278.—*De una copia*).

Popayán, 6 de diciembre de 1829

*Al señor general Pedro A. Herrán*

Mi querido general y amigo:

He recibido las dos estimables cartas de Vd. de 21 y 22 del pasado, y quedo enterado de cuanto Vd. se sirve decirme.

Ya he hablado a Vd. en mi anterior sobre su viaje a Europa, y consiguiente separación del destino que está ejerciendo: yo espero que Vd. se persuada de la fuerza de mis razones, y continúe trabajando con tan buen éxito como lo ha hecho hasta ahora; más adelante consultaremos los deseos de Vd. y el interés que tengo para complacerlo.

Nada tengo de particular que comunicar a Vd.; Sucre y sus compañeros diputados, llegarán aquí de un momento a otro, y estarán en la capital a fines del corriente, por consiguiente no dudo que el congreso se instalará en el tiempo indicado, y que veremos en ejercicio esta asamblea, única fuente de nuestra anhelada dicha.

El correo se marcha y no me permite extenderme más; dentro de pocos días continuaré mi marcha a pesar de que el mal tiempo no cesa todavía, ni hay esperanzas de que suceda.

Páselo Vd. bien, mi querido amigo, y no dude que soy su afectísimo de corazón.

BOLIVAR

Es inútil pensar en marcha. Yo no puedo servir bien si los buenos me abandonan. Yo juro salvar la patria con el ejército, pero contando con él y con mis amigos.

Del Repertorio Colombiano.

---

**279.**—*De una copia*).

Popayán, 7 de diciembre de 1829

*Al señor José Rafael Arboleda.*

Mi estimado amigo:

Juntas recibí las apreciables de Vd. por las que se sirve convidarme de nuevo, a nombre de su digna y distinguida señora ( * ) para que vaya a participar de la amable sociedad de esa bella y respetable casa de Arboleda.

Desde luego mi primer sentimiento es el de gratitud hacia la señora por su cortes benevolencia, que nunca seré capaz de ma-

---

( * ) Doña Matilde Pombo y O'Donell.

nifestar suficientemente; pero que no saldrá de mi corazón mientras la amistad sea el sentimiento predilecto que Vd. me inspire.

Yo me apresuraré así, a principios de la otra semana, a disfrutar de la hermosa habitación de Japio, y ¡ ojalá fuera para siempre! Pero ¿ soy tan afortunado?

Mientras tanto cuente Vd. con el más fino afecto de su atento amigo.

BOLIVAR

P.D. el 16 o 17 estaré en Japio, pues saldré el 15.

Es copia de la carta autógrafa que doy al Conde de Salisbury en Kingston a 9 de junio de 1830. *J. R. Arboleda.*

Boletín de Historia y Antigüedades Nos. 231-232, página 390.

---

280.—*De una copia*).

Japio, 20 de diciembre de 1829

*Señor J. Rafael Arboleda.*

Estimado amigo y señor:

Vd. ha deseado tener un documento por el que conste que la espada que usé en la campaña del Sur de Colombia el año de 1822, es la misma que tuve el gusto de presentar a Vd. como un gaje de mi estimación y verdadera amistad en Guayaquil, cuando entré en aquella ciudad en el mes de agosto de 1822.

Y deseando yo también dejar a Vd. un nuevo testimonio de toda la consideración y respeto, espero recibirá Vd. esta expresión con el afecto que le profesa su atento servidor y amigo.

BOLIVAR

# 1830

281.—*De una copia*).

Cartago, 2 de enero de 1830.

(*A S.E. el general Rafael Urdaneta*).

Mi querido general:

Recibí ayer tarde las comunicaciones de Vd. del 18 y las cartas de Soublette, Montilla y Juan de Francisco con el          de Puerto Cabello, que no me ha sorprendido nada, porque la tendencia de las cosas era esta. El espíritu de anarquía mina por todas partes y al fin la disolución será general. En el año de 26 ha estallado este deseo de independencia que pudiera ser útil si la ley lo ordenara en vista de buenas razones y que el espíritu de facción no se mezclara en esta obra de patriotismo. En fin, Vd. sabe lo que puede suceder.

Hablemos de lo que debemos hacer. Creo que el Congreso debe dividir a Colombia con calma y justicia. Ninguna oposición debemos poner a Venezuela, porque nadie quiere hacer este sacrificio en favor de una unión política que combaten interiormente con las antipatías. La Nueva Granada no nos quiere, y Venezuela no quiere obedecer a Bogotá; estamos a          de aquí se deduce que debemos realizar lo que desean los caudillos de estos pueblos. Además de que yo no pienso continuar más en el mando, y por lo mismo, quien va a sostener esta unión? Conozco que la Patria sufrirá mucho, más quien lo puede evitar? Es preciso, pues, resolvernos a cumplir las órdenes del Destino, seámos o no miserables. Hemos luchado veinte años haciéndonos cada vez más desgraciados, y si no nos retiramos pronto seremos las criaturas más viles, pues que todo conspira contra nosotros. Siempre he deseado dejar el mando, y las circunstancias hacen ahora que lo deje por necesidad, porque la República va a terminar sin saberse a quien debemos servir en adelante.

Yo me iré del país sin llevar un peso con qué vivir, pero prefiero pedir limosna en país extraño, a ser espectador de tantos horrores como nos esperan. Al fin yo soy solo, pero Vd. que tiene familia, que hará? Me duele en extremo su suerte. Vd. puede elegir por asilo a Venezuela, ya que no tiene dinero con que salir fuera del país. Vd. sabrá lo que más le conviene.

Yo sigo pasado mañana por Quindío mi marcha y llegaré a Bogotá del 12 en adelante; allá veremos lo que entre todos podemos pensar que sea más util.

Y mientras tanto, quedo de Vd. de corazón

BOLIVAR

Enviada de Bogotá al Doctor Cristobal L. Mendoza, por el doctor José Santiago Rodriguez, sin dirección. Hemos deducido ésta, del texto.

---

282.—*De una copia*).

Bogotá, enero 22 de 1830.

*Al Dr. José Antonio Arroyo.*

Mi querido amigo:

Tengo el gusto de participar a Vd. que llegué bueno aquí, sin que me hubiera molestado mucho el camino, porque estaba bastante regular.

Al llegar a esta capital encontré reunidos todos los miembros del Congreso, pero sin haberse instalado, porque me esperaban para este efecto, y he tenido la honra de ejecutarlo, como Vd. lo verá por el mensaje y la proclama que he dado sobre el particular, y según me dicen, ha parecido bien al Congreso y al pueblo, de lo que me alegro mucho, porque nunca necesitamos tánto como ahora el aplauso popular, para impedir una guerra civil entre las diferentes provincias.

El general Páez me escribe amistosamente todos los correos, asegurándome que su amistad será eterna, pero la revolución continúa su marcha aunque con alguna timidez.

Todavía no sabemos lo que ha pasado en el oriente de Venezuela, pero sí sabemos que los Departamentos de Apure y Zulia se conducen muy bien.

El espíritu de la Nueva Granada es muy bueno. Por lo que hace al Sur, Vd. lo sabrá mejor que yo.

He mandado los mensajes con personas que son muy populares, y todos bogotanos.

El congreso es admirable, sin que haya una persona que pretenda la desunión, ni la separación; todos están unidos con ideas liberales. De manera que yo estoy muy contento, porque veo que se pueden fundar esperanzas saludables a la patria.

Parece que pronto tendremos una entrevista el general Páez y yo para cuyo efecto pienso ir a Cúcuta.

Me acaban de decir que el Congreso no ha admitido mi renuncia y que la respuesta a mi mensaje es muy liberal y elocuente. En fin, en el otro correo sabrá Vd. más.

Mientras tanto quedo de Vd. afectísimo amigo.

SIMON BOLIVAR

---

283.—*De una copia*).

Bogotá, enero 27 de 1830.

*Señor coronel Andrés María Alvarez.*

Mi querido amigo y señor:

Con gran placer he leído la favorecida de Vd. de 8 de noviembre último. No sé cual sea el motivo que le induce a creerse el último de mis amigos, cuando Vd. bien sabe que lo he apreciado a Vd. con bastante distinción. Me es muy satisfactorio el que Vd. se crea lleno de honra por haber ejercido el destino de mi edecán y que su comportamiento sea tan bueno como Vd. lo observó en el tiempo que estuvo a mi lado.

Soy de Vd. afectísimo amigo.

BOLIVAR

Archivo Nacional de Caracas. Publicada por el doctor Vicente Dávila.

---

*284.—De una copia).*

Bogotá, febrero 26 de 1830.

*Señor José Antonio Arroyo.*

Popayán.

Mi querido amigo:

He recibido la muy apreciable de Vd. de 6 del corriente, y quedo impuesto de todo su contenido.

Me es muy satisfactorio saber que el batallón *Vargas* esté de un todo bien asistido, por lo que le doy a Vd. mil gracias.

Hace cuatro días marchó para Venezuela la comisión que el Congreso nombró, compuesta del general Sucre y el obispo de Santa Marta, y me supongo que si ésta no corta de un todo la revolución, al menos hará mucho.

En estos días he sufrido un fuerte ataque bilioso, y aunque estoy casi bueno, la debilidad con que me dejó éste, me tiene un poco molesto.

Soy de Vd. afectísimo amigo.

BOLIVAR

Adición: Después de escribir ésta he sabido con mucho gusto que ha venido una representación de los pastusos pidiendo al Congreso que conserve su Provincia agregada al Departamento del Cauca, lo que será concedido, según entiendo, por el Congreso, por una y mil razones. Repito a Vd. que si los pastusos quieren quedar unidos judicialmente al Cauca que lo pidan, que se les concederá como es debido.

Yo fuí sorprendido, sin duda, por la Junta de Provincia y por el informe del nuevo ministro del interior que presentó la petición; y después que Vd. me escribió sobre la materia, me he convencido que no sé qué es lo que quieren los pueblos.

BOLIVAR

*285.—De una copia).*

Bogotá, febrero 28 de 1830.

*(Señor general Tomás C. Mosquera).*

Mi querido general:

He recibido las apreciables de Vd. de 23 y 29 de diciembre último, y quedo impuesto de todo su contenido.

Me parece excelente que Vd. continúe observando la misma política que hasta aquí, y que haga Vd. cumplir el tratado, sin tener disgustos con presidente y vice-presidente, y en fin con nadie, pues esta es la medida más útil que Vd. puede tomar.

Hace seis días que marchó para Venezuela la comisión que nombró el Congreso, compuesta del general Sucre y el Obispo de Santa Marta, y me parece que si ésta no corta de un todo la revolución, al menos hará mucho.

Hace algunos días que he sufrido un fuerte ataque de bilis, y aunque ya estoy casi bueno, la debilidad con que he quedado me tiene molesto, por lo cual no soy más largo.

El que Flores diga a Vd. lo que sepa y también los otros amigos . . .

Estoy malo y no estoy para. . . .

Soy de Vd. amigo de corazón.

BOLIVAR

Las dos últimas frases están incompletas en el original. *T. C. Mosquera Wallis.*

*286.—De una copia).*

Fucha, marzo 15 de 1830.

*Al señor general Tomás C. Mosquera.*

Mi querido general:

He recibido la muy apreciable de Vd. de 15 de enero, y doy a Vd. las gracias por el cuidado y eficacia con que me comunica las noticias tocantes a su misión.

No he podido menos de ver con bastante sentimiento la conducta del Perú hacia nosotros, y aun ahora que debían comenzar a tomar lecciones de la experiencia y de nuestra generosidad. Yo confío que Vd. continuará como hasta ahora representando a Colombia del modo más digno y manifestando siempre una política firme y franca.

La comisión encargada de presentar al Congreso la Constitución redactada sobre las bases que éste había aprobado, ha concluído ya sus tareas, y muy pronto estará aprobada y lista para darla a la Nación y hay fundados motivos para esperar que será muy bien recibida y pondrá un término a las disensiones que actualmente agitan a Colombia.

Soy de Vd. afectísimo amigo de corazón

BOLIVAR

Archivo de don Bolívar Mosquera, Popayán.

———

*287.—De una fotografía del original).*

Fucha, 21 de marzo de 1830.

*Señor coronel Santana.*

Mi apreciado Santana:

He recibido la carta de Vd. participándome su matrimonio. Ya yo estaba enterado de éste y me alegro bastante, por tanto lo felicito a Vd. y le deseo mil felicidades, en compañia de su esposa.

Trate Vd. de mantener *el orden en ese pueblo que está a su cargo* y participarme siempre lo que ocurra, por esos lugares. Aquí hay una facción que quiere perturbar el orden público, pero el Gobierno está resuelto a mantenerlo, apoyado por el pueblo y convencido de la necesidad que hay de salvar la patria.

Soy de Vd. afmo. amigo.

BOLIVAR

El señor Arístides Urdaneta, de Maracaibo, en carta de 1º de junio de 1934, nos dice lo siguiente: "Hoy tengo el placer de enviarle la fotografía de una carta del Libertador para el coronel Juan N. Santana, carta que por cierto no aparece entre las publicadas en los 10 tomos. El original de esta carta vino a mis manos cierta ocasión regalo de un amigo, y yo a la vez la cedí para ser rifada a beneficio de la Basílica de nuestra Señora de Chiquinquirá. Se hicieron 250 fotografías y éstas se colocaron para la rifa a razón de Bs 100 cada una, dando un producido de Bs 25.000. Así es que puede decirse que en el Zulia, se valoró una carta de nuestro Libertador por tal suma!

---

**288.—*De una copia*).**

Bogotá, marzo 29 de 1830.

*Al señor Prefecto José Antonio Arroyo.*

Mi querido amigo:

Me ha sido sumamente grata la apreciable de Vd. de 13 del corriente, y ofrezco a Vd. mis más expresivas gracias por el interés que me manifiesta en la conservación de mi salud y el buen éxito de las medidas que se han tomado para calmar los disturbios políticos que atormentan a la nación.

Las observaciones que Vd. me hace sobre Pasto, las considero muy exactas; y sobre el particular escribí en días pasados al general Obando. Yo, aunque estoy separado del Gobierno me hallo muy pronto a poner por mi parte cuanto pueda para remediar cualquier mal, de esta clase y éste no me parece muy difícil conseguirlo.

Me alegro infinito del estado tranquilo en que se halla ese Departamento; y que Vd. tenga la gloria de ser la causa de mantenerlo feliz y en su presente situación.

Por acá no hay novedad ninguna, los negocios públicos marchan como deben; el Congreso sigue la conducta que le imponen sus sagrados deberes, y el pueblo aguarda con interés el resultado de sus trabajos.

De los Departamentos del Oriente se sabe positivamente que la revolución marcha a pasos rápidos hacia su propia ruina, y que llevará envuelta en su suerte la de sus cómplices.

El brazo fuerte del Gobierno quizá no tendrá que ejecutar la sentencia justa de las leyes sobre sus cabezas, pues ellos mismos recibirán el castigo de sus atroces designios contra la madre patria.

Al general Obando dígale Vd. que no le escribo, porque no he recibido ninguna de él, pero que tenga ésta por suya.

No deje Vd. de continuar comunicándome las noticias que ocurran por esos lugares.

Soy de Vd. afectísimo amigo.

BOLIVAR

---

289.—*De una fotografía*).

Turbaco, junio 17 de 1830.

*Señor capitán Pedro Medrano.*

Cartagena.

Mi estimado amigo:

He recibido la apreciable carta de Vd. con que su bondad me ha favorecido para cumplimentarme sobre mi estado, y el deseo que lo anima de venir a verme, por lo que doy a Vd. las más finas gracias, y le quedo agradecido como es debido a la amistad que tengo el gusto de profesar a Vd. y de que no me olvidaré nunca, pues el mucho cariño que Vd. me tiene me inspira este sentimiento, además de sus buenas prendas, que son ciertamente muy recomendables, y por las cuales merece la estimación general, de que yo participo muy singularmente.

He recibido el cariño con que Vd. ha querido obsequiarme de los cajones de vino que me entregó el mozo que los trajo: cuando beba una copa de ese licor tendré el gusto de brindar a su salud.

Mientras tanto quedo de Vd. afectísimo amigo de corazón Q.B.S.M.

BOLIVAR

---

290.—*De una copia*).

Certifico que el capitán Andrés Ibarra me ha servido en calidad de edecán y en mi Secretaría privada desde el año de 27 hasta el día de hoy; portándose con honor, fidelidad, celo y denuedo, en todo lo que se le ha empleado.

Que la noche de 25 de setiembre del año 28 salió herido por haberse opuesto, aunque estaba solo, a los asesinos que invadieron aquella noche la casa de Gobierno.

Ultimamente en la campaña del año pasado contra el Perú se condujo con honor y distincion hasta terminar la Guerra.

A pedimento suyo he dado este documento en Cartagena, a 5 de julio de 1830

SIMON BOLIVAR

El original pertenece al señor Andrés Ibarra. Caracas.

---

*291.—Del original).*

Cartagena, julio 5 de 1830.

*Señor José R. Revenga.*

Mi estimado amigo:

El general Briceño, que entregará a Vd. ésta le informará de
todo lo que ha pasado por acá; como que está instruído menudamente de lo acontecido: él con los demás amigos marchan a Venezuela, a participar de los eventos que según parece han tenido
lugar por allá. Mientras tanto yo me dispongo a seguir a Venezuela, si las cosas se arreglan favorablemente; y si no me iré a
Europa, que ha sido mi primera intención y mi más vivo deseo,
aunque no me deniego a contribuir por mi parte a la salvación de
nuestra tierra.

Yo no sé si Vd. se acordará, que estando en Caracas el año
de 27 que yo le dí órdenes a Vd. para que se despachase al coronel Wilson, amigo de Vd. y mi edecán, la condecoración de
Libertador de Venezuela. Yo creía que esto se había hecho en
efecto, y preguntándole el otro día, me dijo que no había recibido
tal gracia. Lo cierto es, que, sea descuido mío, en no habérselo
ordenado a Vd., o bien olvido de su parte, el hecho es que Wilson está privado de esta pequeña prueba de mi estimación; y que
él merece cada día más, por su consagración, entusiasmo y lealtad, así como somos deudores a su padre del último servicio en
favor de la intervención de la Inglaterra con la España para que
no se nos hostilice más.

Yo ruego a Vd. se sirva mandarme dicho diploma en favor
del teniente coronel Belford Wilson con fecha de junio de 1827,
aunque sea en papel blanco y sin el sello de la República, pues
estas formalidades no son tan necesarias para un individuo que se
ha de ir fuera de Colombia.

Espero que remita Vd. este despacho al señor consul inglés
Mr. Watts, que lo trasmitirá a su dueño.

Quedo de Vd. su afectísimo amigo, que lo ama de corazón

BOLÍVAR

Póngame Vd. a las órdenes de mi primita y señora de Vd.

(RÚBRICA)

Adición: Cuando yo reciba el despacho que Vd. remita le pondré mi firma, pues Wilson estará siempre conmigo, sea aquí o en Inglaterra

(RÚBRICA)

El doctor Juan José Abreu encontró el original en el archivo de Revenga. La frase: *Póngame Vmd. a las órdenes de mi primita y Señora de Vmd.* es de letra del Libertador.

Esta carta tiene la particularidad de tres rúbricas de Bolívar distintas entre sí. Este curioso caso lo presentamos como una de tantas pruebas contra las cartas apócrifas publicadas por Colómbres Mármol con firmas de clisés, naturalmente idénticas.

---

**292.**—*De una fotografía*).

Cartagena, setiembre 25 de 1830.

*Al señor Juez Político del Cuarto Cantón de Ocaña.*

Señor:

He tenido la honra de recibir la acta que espontánea y libremente han firmado los habitantes de ese Cantón con el oficio que Vd. se ha servido acompañarme.

Me es grato ofrecer a Vd. y a esos beneméritos ciudadanos, las gracias debidas por tan distinguida prueba de confianza, que han querido manifestarme al ofrecerme sus sufragios, para que yo me encargue del mando de la República, pero aunque yo me debo todo al servicio público, creo que en esta ocasión tengo que excusarme de servir en un destino que está en oposición con mi conducta pasada y mis votos reiterados de prestarme gustoso a cualquier sacrificio, exceptuando el de encargarme de los destinos de la patria. En conformidad con estos deseos y sin desoir los clamores de los pueblos afligidos por el furor de los partidos, me he ofrecido de nuevo a la Nación, y ponerme a las órdenes del Gobierno. En esta calidad haré cuantos esfuerzos estén a mi alcance para restablecer el orden, debiendo terminar mis funciones cuando vea a Colombia gozando de tranquilidad y el libre ejercicio de las leyes.

Dios guarde a Vd. muchos años

BOLIVAR

El señor Simón Latino, de Bogotá, nos ha enviado la fotografía de la original.

---

293.—*De fotografía del original*).

Turbaco, octubre 1º de 1830.

*Al señor General Blanco.*

Mi querido general:

He tenido el placer de recibir la apreciable de Vd. del 28 del próximo pasado: quedo impuesto del aviso que me da de haber sido detenido por los champanes; como de lo que me ofrece para llegar cuanto antes a Río Hacha. Yo estoy muy satisfecho del celo y actividad de Vd. y de ellos espero cuanto sea posible, mereciendo como siempre nuestro agradecimiento y aprobación.

De Bogotá nos escriben que todo está tranquilo, que el general Briceño tiene ya 2.000 hombres de tropa, que ha ocupado a Pamplona y sigue a Cúcuta.

Aquí hemos sabido que la revolución de Río Hacha, lejos de progresar va decayendo, que hay muchos arrepentidos y otros desalentados, pues no les ha venido ningún auxilio de Maracaibo como lo esperaban. Sin embargo de Cartagena siguen los buques de guerra y en ellos van 200 hombres de Pichincha. Yo también parto para Santa Marta muy pronto.

Troncoso ha escrito al señor Juan de Francisco que pensaba

remitir a Vd. el resto de los 2.000 pesos por vuelta del steamboat.

Deseando a Vd. el mejor suceso de todas sus empresas, quedo de Vd. su mejor amigo

BOLIVAR

El original pertenece al señor Jorge S. Arfeld, de Buenos Aires, Echeverría 2716-76-0331.

Dirigida al Presbítero general José Felix Blanco.

---

294.—*De una copia*).

Barranquilla, octubre 11 de 1830.

*Al señor general Pedro A. Herrán.*

Mi querido general:

Por más que he deseado escribir a Vd. desde que empezó la revolución que mudó el Gobierno, no ha salido ningún buque de Cartagena que pudiera llevar a Vd. mi carta. Sin embargo, por otras vías habrá sabido Vd. la maravillosa mudanza que ha vuelto a lo negro blanco.

El Gobierno, dominado por los seudoliberales, se hizo odioso a la Nación. Los pueblos de la provincia de Bogotá se pusieron a la cabeza del levantamiento general y que fue seguido luégo que llegaba a saberse.

El cuadro del batallón Callao, mandado por Jiménez, fue detenido el 11 de agosto en el puente del Común, por la gente influyente de toda la Sabana y no Sabana: a los diez y seis días de maniobras y de negociaciones se dió un combate en el Santuario y quedó arruinado el partido *liberal:* los vencedores entraron en la ciudad, dando un ejemplo sin igual de moderación y de clemencia; a nadie se ha perseguido, a pesar de una capitulación que tenía doce excepciones, de la flor y nata de esa canalla.

Mosquera y Caicedo no quisieron continuar en el Gobierno, y soltaron las riendas del Gobierno, dejando entronizada la anarquía. Para entonces todo el Departamento de Boyacá se había pronunciado por mí, empezando el Socorro. Don Justo y don Tomás hicieron su deber. Mares, en Tunja; un comandante Torres, de húsares en Pamplona, y en Honda Posada. En el Magdalena todo el mundo, empezando Mompox. Río Hacha no quiso reconocer al nuevo Gobierno. Ahora mismo lo están atacando Blanco por el Valle Dupar y Montilla por la costa. De allí seguirán probablemente, a Maracaibo, porque la ocasión es bella.

El general Carrillo se levantó en los valles de Cúcuta y echó a Fortoul, a Soto y a Concha. El Cauca ha seguido el movimiento de Bogotá. Antioquia y Neiva no hacían resistencia y estaban prontas a reconocer el Gobierno. Dos amigos mandan en El Chocó, que ya se habrá pronunciado; sólo López y Obando, que asesinaron a Sucre, pueden hacer resistencia, pero en Patía y Pasto, porque esperamos que Popayán entrará en su deber.

Silva y Jiménez se han levantado en Barinas; Flores está pronto a atacar a Pasto y a reconocerme de Jefe Supremo. En Bogotá unicamente se han disparado las armas. De resto todo ha sido pacífico, espontáneo y admirable. El entusiasmo reside principalmente en lo que se puede llamar el pueblo, animado por la Iglesia que se ha hecho militante contra masones y *liberales*. Todos se han convencido y algunos se han desengañado.

Ahora, pues, mi querido general, debe Vd. volar y venir a servir su país, pues carecemos de hombres como Vd. No hay un general de la Nueva Granada que valga nada; los que no son ineptos son bribones. Joaquín París se ha conducido muy bien pero no sirve para Ministro. Ortega se ha conducido con moderación, pero sus cuñados se han comprometido infinito. Los Barrigas, Gaitán, Vargas, Abondano etc., se han portado muy mal. El coronel García murió mandando la acción; los demás huyeron o fueron prisioneros. De todos los liberales, Piñeres es el único que ha combatido por nuestros amigos. Jiménez, su segundo comandante Mugüerza y Johnson han sido los héroes. También se ha portado admirablemente su querido Forero; Castelli era segundo de la división. El general Urdaneta es mi segundo, y hasta ahora ha marchado con moderación y aun generosidad. Esto no ha gustado en Cartagena, y han escrito al gobierno fuertemente.

Los principales pasteleros han sido Baralt y Castillo. Vergara está de Ministro, lo mismo que Borrero, París y Mendoza el monarquista. Borrero se ha conducido divinamente, y por eso ha quedado en su puesto. Ahumada es prefecto de Bogotá. Calvo, el hombre de pro. Pepe Serna, M. París, Benavides, Izquierdo, Acero y todos los gamonales han sido cabezas principales.

Su familia de Vd. se ha conducido divinamente, y su hermano mayor ha sido un héroe para el carácter que él tiene. Caicedo se ha conducido mejor que Mosquera, porque tenía menos miedo que el último, que está tan desacreditado que hasta los liberales se burlan de él: dicen que no sirve ni para portero de un gobierno. Por cobardía y egoismo me declaró la guerra, lo que se me hace tan increíble, que todavía lo dudo.

No vacile Vd. mi querido amigo; venga Vd. a ayudarme y a ayudar a su patria. Espero a Vd. sin falta antes de dos meses.

Yo estoy ayudando por esta parte mientras las elecciones constitucionales se verifican para entrar en la presidencia (si salgo electo) por el camino real y bajo la protección de la legitimidad. Yo no quiero que me llamen nunca usurpador.

Yo entretengo a todo el mundo con esperanzas vagas, y aun creo que todo el mundo piensa que yo he aceptado. Esto no es así.

Quedo de Vd. su amigo de corazón

BOLIVAR

En nuestra colección de Cartas del Libertador, edición de 1930, tomo X, página 458, publicamos incompleta esta carta. Había llegado a nuestras manos mutilada y borradas las palabras "que asesinaron a Sucre", con razón, aplicadas por Bolívar a Obando y López.

El original perteneciente al archivo del general Herrán se halla en la Academia de Historia de Bogotá. La carta fue publicada completa en el Boletín de Historia y Antigüedades, número 213-216, diciembre de 1930, pag. 825.

295.—*De una copia*).

Soledad, octubre 14 de 1830.

*Al señor Prefecto de Antioquia.*

Señor Prefecto:

La comisión que Vd. se ha servido dirigirme compuesta del comandante general de ese Departamento, Isidoro Barrientos, y el general de brigada Francisco Urdaneta, ha puesto en mis manos la copia del acuerdo emitido por la asamblea de los diputados de los cantones de Antioquia. Quedo instruído por este documento que ese departamento ha unido su voz al resto de los colombianos del centro que han juzgado indispensable encargar a dos ciudadanos del cuidado de restablecer el orden, desgraciadamente turbado, por una serie no interrumpida, de sucesos lamentables y capaces de conducir la República a su extinción.

Aunque he ofrecido a mis conciudadanos volver a contribuir con mis esfuerzos al servicio de la patria por considerarme obligado a llenar este deber, hallándome yo afligido por achaques de salud y sin capacidad para ejercer el poder supremo, no me ha sido posible hasta ahora comprometerme a aceptar la elección con que mis conciudadanos han querido honrarme. Protesto sin embargo, que me esforzaré por cuantos medios dependan de mí, a cooperar al restablecimiento de la República.

En esta situación y penetrado de los sentimientos de un verdadero patriota, ofrezco a ese Departamento la expresión de mi reconocimiento por su benevolencia hacia mí y a Vd. la distinguida consideración con que soy su obediente servidor

BOLÍVAR

Colección de Pérez y Soto.

*296.—Del original).*

Barranquilla, noviembre 10 de 1830.

*A S.E. el general Urdaneta.*

Mi querido general:

El coronel Picón que ha venido del Istmo comisionado por el general Espinar, a traerme la noticia del pronunciamiento de aquel Departamento, como ya se lo he participado a Vd., se ha portado en esta comisión con mucha moderación, cumpliendo con su encargo sin meterse en nada más; ni hablar siquiera; así es que si no hubiera sido por el edecán de Espinar, yo hubiera ignorado la mayor parte de las locuras que se han cometido en aquella revolución. A pesar del comportamiento moderado de este coronel se halla ahora en el compromiso de no poder volver al Istmo porque su comitente no lo quiere recibir allá, y no hallando qué hacerse aquí y deseando ir a Bogotá a hacerse cargo de su hija, le he dicho que me parecía bien que lo hiciere, y que le daría una carta para Vd.

Como el Istmo debe someterse inmediatamente al Gobierno pues yo se lo he escrito como un consejo a Espinar y no dudo que él lo hará, creo que entonces puede volver el coronel Picón, pues el mismo Espinar le ha dado una recomendación, muy favorable, para mí y él la lleva para que Vd. la vea.

En fin todo esto no vale nada y solo es para que Vd. se imponga de las circunstancias. Este coronel se pondrá a la disposición del Gobierno y Vd. dispondrá de él como juzgue conveniente. Yo se lo recomiendo a Vd. como particular porque lo creo digno de la benevolencia de Vd. en las circunstancias en que se halla.

Quedo de Vd. de todo corazón

BOLIVAR

El señor Federico Roig Febles nos ha obsequiado el original, por conducto del señor Ernesto Merlo. Nosotros lo hemos colocado en su lugar correspondiente en el archivo del Libertador.

Bolívar en 1830
Según Arturo Michelena.

*297.—De una copia).*

Barranquilla, 27 de noviembre de 1830.

*Señor General M. Montilla.*

Mi querido general:

Acabo de recibir la muy apreciable de Vd. del 25 y sólo contestaré dando a Vd. las gracias por todas sus bondades.

Desde ayer supe que Vd. me mandaba un buque para embarcarme, me he estado preparando para ejecutarlo inmediatamente que llegue; así es que dentro de muy poco tendré el gusto de estar con Vd.

Entre tanto me repito de Vd. de todo corazón

BOLIVAR

El original reposa en poder del doctor Luis Enrique Cuervo, de Bogotá. Boletín de Historia y Antigüedades. Nos 231-232, página 391.

---

*298.—De fotografía del original).*

Santa Marta, diciembre 8 de 1830.

*Señores de la ciudad de Buga.*

He recibido con la más grande satisfacción la apreciable comunicación que Vds. se han servido dirigirme por la cual he visto con igual placer que esa ciudad, acreditando la opinión que siempre ha manifestado, de nuevo ha dado su voto en favor del orden y de la integridad de Colombia.

Los encarecidos conceptos con que Vds. me favorecen y que son una prueba del afecto y decisión de Vds. hacia mi persona, han sido acogidos con el más sincero reconocimiento y yo espero que Vds. se persuadirán de los sentimientos con que correspondo a tan distinguidas pruebas de confianza y amor.

Sírvanse Vds. aceptar mis gracias más expresivas por la conducta decidida y noble que han observado en estas circunstancias y las seguridades de mi verdadero afecto con que soy de Vds. atto. servidor.

BOLIVAR

Debemos la fotografía al Venerable Presbítero Alfonso Zawadsky, autor de valiosos estudios bolivarianos.

Teníamos copia enviada por el señor M. A. García Maldonado.

## APENDICE

*299.—De una fotografía).*

Caly, 5 de enero (de 1822).

Mi adorada B. . . . . lo que puede el amor!!! No pienso más que en tí y en cuanto tiene relación con tus atractivos. Lo que veo, no es más que la imagen de lo que imagino. Tu eres sola en el mundo para mí! Tú, angel celeste, sola animas mis sentidos y deseos más vivos. Por ti espero tener aun dicha y placer, porque en tí está la que yo anhelo.

Después de todas estas y otras muchas cosas que no digo por modestia y discreción, no pienses que no te amo.

No me acuses más de indiferente y poco tierno. Ya ves que la distancia y el tiempo solo se combinan para poner en mayor grado las deliciosas sensaciones de tus recuerdos. Es justo no culparme más con tus vanas sospechas. Piensa solo en lo que no puedes negar de mi pasión y constancia eterna.

Escríbeme mucho; ya estoy cansado de hacerlo yo y tu, Ingrata no me escribes!!! Hazlo, o renuncio a este delicioso alivio.

Adios tu

ENAMORADO

El sobre dice:

"Para la Melindrosa y más que melindrosa bella Bernardina.

Dirigida a la hermosa y bella Bernardina Ibañez. De puño y letra de Bolívar. Debemos esta copia al señor Enrique Naranjo Martínez, Consul de Colombia en Boston, quien posee la carta original, por donación del señor Francis Russel Hart, de Boston.

---

300.—*De un apunte de Pérez y Soto*).

*Fragmento de una carta del Libertador a un amigo de Cartagena, desde Bogotá en 1830.*

"He sacrificado mi salud y fortuna por asegurar la libertad y felicidad de mi Patria. He hecho por ella cuanto he podido más no he logrado contentarla y hacerla feliz. Todo lo abandoné a la sabiduría del Congreso, confiado en que efectuará lo que no ha podido conseguir un individuo. Con todo fervor pido al cielo que preserve a Colombia de la guerra civil con que se ha tiznado la historia de los Estados de la América del Sur. Si para evitar ésta el Congreso creyese indispensable, y el pueblo desease, establecer una Monarquía, no me rebelaré contra sus deseos; pero tenga Vd. bien presente lo que le digo: *la corona jamás ceñirá la cabeza de Bolívar.* Yo deseo descansar, y cuente Vd. con que ninguna acción de mi vida manchará mi historia, cuya consideración me llena de satisfacción. La Posteridad me hará justicia, y esta esperanza es cuanto poseo para mi felicidad. Mis mejores intenciones se han convertido en los más perversos motivos, y en los Estados Unidos en donde esperaba se me hiciese justicia, he sido también calumniado. . . . ¿Que es lo que he hecho para haber merecido este trato? Rico desde mi nacimiento y lleno de comodidades, en el día no poseo otra cosa más que una salud quebrantada. ¿Pudieran mis enemigos haber deseado más? Pero el hallarme tan destituido es obra de mi voluntad. Todos los recursos y ejércitos victoriosos de Colombia han estado a mi disposición individual, y la satisfacción interior de no haberle causado el menor daño, es mi mayor consuelo".

El Recopilador, de Bogotá, Nº 3 del 17 de setiembre de 1830.

Hemos encontrado este fragmento en la colección de cartas del Libertador del señor Perez y Soto con indicación del periódico de donde fue tomado. No nos consta su autenticidad, pero está ajustado a los hechos positivos.

Verificada la copia por nuestro distinguido colega, señor don Roberto Cortazar, Secretario de la Academia Colombiana de Historia, de Bogotá, encontró esta variante, en vez de la frase: "Mis mejores intenciones se han convertido", en el periódico dice: "Mis mejores intenciones se han construído". El Recopilador expresa: "Este fragmento es tomado del periódico Mercurio de Nueva York, de 3 de julio de 1830".

# INDICE ANALITICO